『十三五』国家重点出版物出版规划项目

国家出版基金项目
NATIONAL PUBLICATION FOUNDATION

中国中药资源大典

中国中药 资源大典

广东卷

9

黄璐琦 / 总主编

夏念和 童 毅 潘超美 / 主 编

北京科学技术出版社

图书在版编目（CIP）数据

中国中药资源大典. 广东卷. 9 / 夏念和, 童毅, 潘
超美主编. -- 北京 : 北京科学技术出版社, 2024. 6.
ISBN 978-7-5714-4011-4

Ⅰ. R281.4

中国国家版本馆CIP数据核字第2024WU1858号

责任编辑：侍　伟　李兆弟　王治华　庞璐璐　吕　慧
责任校对：贾　荣
图文制作：樊润琴
责任印制：李　茗
出 版 人：曾庆宇
出版发行：北京科学技术出版社
社　　址：北京西直门南大街16号
邮政编码：100035
电　　话：0086-10-66135495（总编室）　　0086-10-66113227（发行部）
网　　址：www.bkydw.cn
印　　刷：北京博海升彩色印刷有限公司
开　　本：889 mm × 1 194 mm　　1/16
字　　数：937千字
印　　张：42.25
版　　次：2024年6月第1版
印　　次：2024年6月第1次印刷
审 图 号：GS京（2023）1758号
ISBN 978-7-5714-4011-4

定　价：490.00元

《中国中药资源大典·广东卷》

总编写委员会

李泰辉 （广东省科学院微生物研究所）

肖凤霞 （广州中医药大学）

何春梅 （广东省林业科学研究院）

张宏伟 （南方医科大学）

陈　娟 （中国科学院华南植物园）

陈秋梅 （广州中医药大学）

林哲丽 （韶关学院）

赵万义 （中山大学）

秦新生 （华南农业大学）

夏　静 （广州白云山和记黄埔中药有限公司）

夏念和 （中国科学院华南植物园）

晁　志 （南方医科大学）

黄海波 （广州中医药大学）

梅全喜 （深圳市宝安区中医院）

彭泽通 （广州中医药大学）

童　毅 （广州中医药大学）

童家赟 （广州中医药大学）

童毅华 （中国科学院华南植物园）

曾飞燕 （中国科学院华南植物园）

楼步青 （广东省中医院）

廖文波 （中山大学）

潘超美 （广州中医药大学）

《中国中药资源大典·广东卷 9》

编写委员会

主　　编　夏念和　童　毅　潘超美

副 主 编　叶幸儿　楼步青　林哲丽　夏　静　许炳强　童家赟

编　　委（按姓氏笔画排序）

王仲德　王苏璇　甘思彤　叶华谷　叶幸儿　丘亮日　兰曜青　刘　薇

许炳强　李　娟（广州）　李　娟（深圳）　杨靖宇　肖毕凡　佘甘树

张　薇　张冬利　陈光映　陈倪儿　范智超　林芷艺　林哲丽　欧能奉

周　婷　郑婉仪　胡　慧　钟永珍　夏　静　夏念和　党　微　黄海波

黄越勤　龚盼竹　彭光天　彭泽通　童　毅　童家赟　楼步青　廖文波

颜伟轰　潘超美

摄　　影　童　毅　叶幸儿　夏　静　林哲丽　童毅华　叶华谷　廖文波　潘超美

朱鑫鑫　曾佑派　楼步青　彭光天　童家赟　许炳强　彭泽通

黄 序

　　中药资源是中医药事业传承和发展的物质基础，是关系国计民生的战略性资源。为促进中药资源保护、开发和合理利用，国家中医药管理局组织开展了第四次全国中药资源普查。广东省得天独厚的地理环境，孕育了丰富多样、具有岭南特色的中药资源。《中国中药资源大典·广东卷》对广东省中药资源现状的总结，也是广东省中药资源普查成果的集中体现。

　　本书分上、中、下篇，上篇介绍了广东省中药资源概况、中药资源普查工作及中药资源产业现状等，中篇介绍了广东省23种道地、大宗中药资源的栽培面积、分布区域、资源利用等，下篇为广东省3514种中药资源的基本信息。本书充分反映了广东省中药资源的最新研究成果，内容丰富，体例新颖，图文并茂，为一部具有较高学术价值和实用价值的工具书。

　　相信本书的出版可为进一步开展中药品质研究与评价、推动中药产业的健康和可持续发展、为地方制定中药产业政策提供支撑，为推动区域经济社会高质量发展贡献力量。

　　欣闻本书即将付梓，乐之为序。

中国工程院院士

中国中医科学院院长

第四次全国中药资源普查技术指导专家组组长

2024 年 4 月

序 言

　　中药资源是中医药事业发展的物质基础，国家高度重视中药资源保护及其可持续利用。我国已开展了 4 次全国范围的中药资源普查，其中第四次全国中药资源普查工作起止时间为 2011—2021 年。第四次全国中药资源普查确认了我国共有 18 817 种药用资源，与第三次普查相比增加了 6 000 多种，其中，3 151 种为我国特有的药用植物，464 种为需要保护的物种；还发现 196 个新物种，其中约 100 种具有潜在药用价值。

　　广东省第四次中药资源普查工作于 2014 年开始、2021 年 11 月结束，历时近 8 年，普查区域实现了对全省全部县级行政区域的覆盖。为推广中药资源普查成果，更好地服务于广东省中药产业发展，广东省第四次全国中药资源普查（试点）工作办公室（以下简称广东省普查办）、广东省中药资源普查（试点）工作技术专家指导委员会组织相关专家、学者和技术人员，从广东省中药资源概况、重点中药资源情况、中药资源监测体系建设、中药材种植生产区划、传统医药知识收集、种质资源圃建设等方面入手，进行了数据统计和细致的整理研究工作，汇总了广东省在中药资源保护、科研和产业等领域取得的一系列成果。一是基本摸清了广东省中药资源家底，为编制《中国中药资源大典·广东卷》提供了翔实的数据。本次普查共发现药用植物 3 443 种，其中涵盖栽培药用植物 185 种；发现新种 8 种，新分布记录属和新分布记录种共 11 种；对区域内水生和耐盐药用资源、菌类药用资源、瑶药资源等进行了专项调研，构建了广东省岭南中药资源信息管理系统。二是建立了广东省中药资源动态监测信息和技术服务体系，形成了区域内中药资源动态监测网络，与国家中药资源动态监测信息和技术服务体系实现了数据共享，形成了长效机制，可实时掌握广东省中药材的产量、流通量、价格和质量等的变化趋势，促进中药产业的健康发展。广东省中药资源普查过程中开展了区域内重点道地药材品种的标准化建设，开展了中药材产业扶贫行动，使中药材生产成为推进乡村振兴的重要抓手，为加快区域中药材产业的发展贡献了力量。三是建立了省级中药材种子种苗繁育基地、省中药药用植物重点物种保存圃和种质资源圃，保存广东省活体中药药用植物种质资源 2 639 份，从源头上保证了中药材的质量，促进了珍稀、濒危、道地药材的繁育和保护，凸显了中药资源保护和可持续利用工作的重要性。四是在汇总广东省中药资源相关传统知识调查成果的基础上，梳理了广东省岭南地区独特地理气候条件下的人群体质特点，形成了具有地域特色的岭南中医药学体系亮点，如广东凉茶、罗浮山百草油、沙溪凉茶、冯了性风湿跌打药酒、跌打万花油、乌鸡白凤丸等具有岭南特色的中药配伍应用；整理出岭南民间特色治疗验方 554 首，挖掘、传承、保护与中药资源相关的传统知识。五是汇编出版了《广东省中药资源志要》《梅州中草药图鉴》《乳源瑶医瑶药志要》《岭南采药录考释》等专著。

《中国中药资源大典·广东卷》是对广东省第四次中药资源普查工作成果的全面汇总，是全体普查人员经过多年努力，获得的广东省中药资源现状的第一手资料。《中国中药资源大典·广东卷》由广州中医药大学、中国科学院华南植物园、中山大学、南方医科大学、广东药科大学、华南农业大学等 17 个普查技术单位的 200 多位普查技术人员共同编撰完成。全书分为上篇、中篇、下篇，共 12 册。上篇全面介绍了广东省中药资源生态环境、分布概况，梳理了广东省中药资源和产业现状，对比广东省第三次中药资源普查结果，对广东省野生药用资源分布、人工种植（养殖）中药资源物种的变化、中药材市场流通情况、岭南民间用药特点等进行了分析，并提出了广东省中药资源区划和发展建议；中篇详细地介绍了广东省 23 种道地、大宗中药资源的资源情况、分布情况、栽培情况、采收应用等内容，为中药材产业的高质量发展提供了技术服务，为中药材生产布局提供了参考；下篇对广东省境内 3 514 种中药资源物种（药用植物、药用动物、药用矿物）做了图文并茂的介绍，展现了广东省中药资源领域的最新数据信息成果。《中国中药资源大典·广东卷》的出版客观真实地反映了广东省中药资源的整体情况，对广东省乃至全国中药资源的保护、合理利用、开发、科研、教学以及产业规划等将发挥重要的指导作用。

《中国中药资源大典·广东卷》编写委员会

2024 年 3 月

前　言

广东省位于我国大陆最南端，北回归线横穿其中部。全省地势北高南低，山脉大多呈东北—西南走向。气候从北向南分别为中亚热带、南亚热带和热带气候，受海洋上的湿润气流影响，夏季高温多雨、多台风，冬季多干旱且有冷空气侵袭。广东省年平均气温为18.9～23.8 ℃，气温呈南高北低的特点，南端雷州半岛年平均气温最高，为23.8 ℃，粤北山区年平均气温最低，为18.9 ℃；历史极端最高气温为42.0 ℃，极端最低气温为−7.3 ℃。

广东省光、热、水资源丰富，得天独厚的地理环境和气候为生物的生长创造了优越的条件，动植物种类繁多，药用植物资源非常丰富。广东省的植被类型有纬度地带性分布的北亚热带季雨林、南亚热带季风常绿阔叶林、中亚热带典型常绿阔叶林和沿海的热带红树林，还有非纬度地带性分布的常绿落叶阔叶混交林、常绿针阔叶混交林、常绿针叶林、竹林、灌丛和草坡，以及水稻、甘蔗和茶树等栽培植被。

2014 年，广东省启动了第四次中药资源普查工作，到 2021 年 11 月普查结束。广东省本次中药资源普查共记录调查信息 445 240 条、中药资源 4 692 种（已确认的药用植物 3 443 种），调查中药材栽培面积 14.3 万 hm²，涵盖药用植物栽培品种 185 种；记录病虫害种类 351 种，调查市场主流药材品种 852 种，记录传统医药知识信息 629 条。通过统计分析现有典籍专著和文献记载的广东省药用资源种类信息，结合广东省本次中药资源普查结果，确定广东省现有中药资源种类为 3 587 种。广东省本次中药资源普查调查代表区域368个，调查样地4 056个，调查样方套20 273个，记录有蕴藏量的中药资源330种，收集药材标本4 977份、中药材种质资源2 639份。此外，本次普查还对广东省菌类和水生、耐盐等药用植物资源进行了专项调研，收载大型药用真菌217种，隶属26科46属；记录水生药用植物资源160种、耐盐药用植物资源269种。

广东省是我国南药的主产区，与第三次中药资源普查相比，其道地药材和岭南特色药材的生产现状发生了很大的变化。广东省目前生产的道地药材品种主要有春砂仁、何首乌、广藿香、巴戟天、白木香、檀香、穿心莲、肉桂、广陈皮、芡实、山柰、益智等，珍稀野生药材品种有金毛狗、桫椤、青天葵、华南龙胆、蛇足石杉、金线兰等，岭南特色药材品种有莪术、红豆蔻、草豆蔻、甘葛、广山药、猴耳环、溪黄草、凉粉草、九节茶、鸡骨草、广金钱草、牛大力、千斤拔、黑老虎、铁皮石斛等。

广东省是中成药、中药配方颗粒、凉茶的生产大省，每年消耗的中药原料达数千吨，而许多中药原料主要来源于野生资源，导致野生药用资源品种数和蕴藏量均急剧减少。为了保证国家基本药物所需中药原料的可持续利用，广东省大部分制药企业建立了配套的中成药原料基地，还建立了野生中药资源转家种的药材原料基地，主要种植品种有黑老虎、吴茱萸、猴耳环、九里香、白花蛇舌草、溪黄草、紫茉莉、岗梅、毛冬青、两面针、三桠苦、草珊瑚、南板蓝根、山银花、鸡血藤、虎杖、龙脷叶、金樱子、金毛狗、钩藤、土牛膝、佩兰、千年健、山豆根、桃金娘、五指毛桃、无花果、地胆草、紫花杜鹃、裸花紫珠等稀缺原料药材，这些药材种植基地的建立对广东省中药资源的保护和可持续利用具有重要意义。

广东省第四次中药资源普查为广东省中药材产业提供了准确的资源信息，已有的成果数据信息可以更好地服务于产业发展，同时也为区域内主管部门制定相关法规政策提供了数据支撑。我们对广东省近8年来的普查数据进行了系统、严谨的梳理和统计，这对促进区域内中药资源的保护和可持续利用、促进地方中药资源产业和国民经济的发展具有重要意义。

《中国中药资源大典·广东卷》编写委员会

2024年3月

凡例

（1）本书分为上篇、中篇、下篇，共12册。上篇内容包括广东省自然地理概况、广东省第四次中药资源普查实施情况、广东省第四次中药资源普查成果、广东省中药资源发展存在的问题与建议；中篇重点介绍广东省23种道地、大宗中药资源；下篇是各论，共收载植物、动物、矿物等药用资源3 514种，以药用资源物种为单元进行介绍。本书主要参考《中国药典》《中国药材学》《中华本草》《中国植物志》《全国中草药汇编》等，以及历代本草文献等权威著作。为检索方便，本书在第1册正文前收录1～12册总目录，在页码前均标注了其所在册数（如"[1]"）。同时，还在第12册正文后附有1～12册所录中药资源的中文笔画索引、拉丁学名索引。

（2）植物分类系统。蕨类植物采用秦仁昌1978年分类系统。裸子植物采用郑万钧1975年分类系统。被子植物采用哈钦松分类系统。少数类群根据最新研究成果稍作调整；属、种按拉丁学名的字母顺序排列。

（3）本书下篇各品种按照其科名及属名、物种名、药材名、形态特征、生境分布、资源情况、采收加工、药材性状、功能主治、用法用量、凭证标本号、附注依次著述，资料不全者项目从略。

1）科名及属名。该项包括科、属的中文名和拉丁学名。

2）物种名。该项包括中文名和拉丁学名。

3）药材名。该项介绍药用部位及药材的别名。未查到药材别名的则内容从略。

4）形态特征。该项简要介绍物种的形态。

5）生境分布。该项介绍物种的生存环境及其在广东省的分布区域，栽培品种则介绍其主产地及道地产区。分布中的地级市专指其城区范围，不涵盖其管辖的县域范围，正文中采用"地级市（市区）"的形式表示，如"茂名（市区）"。

6）资源情况。该项介绍物种的蕴藏量情况，野生资源以丰富、较丰富、一般、较少、稀少表示，并说明药材来源于栽培资源还是野生资源。

7）采收加工。该项简要介绍药材的采收时间、采收方式及加工方法。

8）药材性状。该项主要介绍药材的性状特征。对于民间习用的鲜草药或冷背药材，则此项内容从略。

9）功能主治。该项介绍药材的味、性、毒性、归经、功能和主治。

10）用法用量。该项介绍药材的使用方法及用量范围。

11）凭证标本号。该项为第四次全国中药资源普查收载的物种标本号或补充收录物种的馆藏标本号。依据文献记载补充的经确认广东省已有、普查未收录的物种同时附上中国科学院华南植物园标本馆（IBSC）、深圳市中国科学院仙湖植物园植物标本馆（SZG）、广东省韩山师范学院植物标本室（CZH）等的标本号。补充收录的动物和矿物药用资源的标本号引用《广东中药志》《广东省中药材标准》《中国药用动物志》等文献的记录；菌类药用资源的标本号引用广东省科学院微生物研究所标本馆（GDGM）的标本号。

12）附注。该项简述物种的品种情况、民间使用情况、资源利用情况等内容。

被子植物

茜草科 Rubiaceae 水团花属 Adina

水团花
Adina pilulifera (Lam.) Franch. ex Drake

| **药 材 名** | 水团花（药用部位：根或根皮、枝叶、花、果实。别名：假杨梅、水黄凿）。

| **形态特征** | 常绿灌木或小乔木。叶对生，椭圆形、椭圆状披针形、倒卵状长圆形或倒卵状披针形，基部楔形。头状花序腋生，稀顶生；萼筒被毛，萼裂片线状长圆形或匙形；花冠白色，窄漏斗状，花冠筒被微柔毛，裂片卵状长圆形。蒴果楔形；种子长圆形，两端有窄翅。花期 6 ~ 7 月，果期 8 ~ 9 月。

| **生境分布** | 生于海拔 200 ~ 350 m 的山谷疏林下、旷野路旁、溪边水畔。广东各地均有分布。

| **资源情况** | 野生资源丰富。药材来源于野生。 |

| **采收加工** | 枝叶，全年均可采收，切碎，鲜用或晒干。花、果实，7～9月采摘，鲜用或晒干。 |

| **功能主治** | 苦、涩，凉。根或根皮，清热利湿，解毒消肿。枝叶、花、果实，清热解毒，散瘀止痛，止血敛疮。 |

| **用法用量** | 内服煎汤，枝叶 15～30 g，花、果实 10～15 g。外用适量，枝叶煎汤洗；或捣敷。 |

| **凭证标本号** | 441523190919016LY、440783191005019LY、441324180728008LY。 |

茜草科 Rubiaceae 水团花属 Adina

细叶水团花 *Adina rubella* Hance

| **药 材 名** | 水杨梅（药用部位：根。别名：水杨柳、水毕鸡）。

| **形态特征** | 落叶灌木。叶对生，近无柄，卵状披针形或卵状椭圆形，全缘，先端渐尖或短尖，基部阔楔形或近圆形。头状花序单生，顶生或兼有腋生；总花梗略被柔毛；花萼管疏被短柔毛，萼裂片匙形或匙状棒形；花冠管 5 裂，裂片三角状，紫红色。小蒴果长卵状楔形。花果期 5 ~ 12 月。

| **生境分布** | 生于溪边、河边、沙滩等湿润处。分布于广东仁化、翁源、乳源、乐昌、新会、封开、德庆、高要、平远、和平、阳山、英德、连州等。

| **资源情况** | 野生资源较丰富。药材来源于野生。

采收加工	全年均可采挖，洗净，晒干或趁鲜切段晒干。
药材性状	本品长 30 ～ 80 cm，多切成长 5 ～ 6 cm 的段，头部稍粗，向下渐细，直径 2 ～ 3 mm，须根更细；表面浅灰褐色，有浅纵皱纹。根皮薄，可剥离，木部淡黄色。质脆，易折断。气微，味淡、苦、涩。
功能主治	苦、辛，凉。清热解表，活血解毒。
用法用量	内服煎汤，15 ～ 30 g。
凭证标本号	440281190701013LY、440281190817004LY、440281200706002LY。

茜草科 Rubiaceae 猪肚木属 Canthium

猪肚木 *Canthium horridum* Blume

| 药 材 名 |

猪肚木（药用部位：根、树皮、叶。别名：山石榴、跌掌随）。

| 形态特征 |

灌木。小枝圆柱形，被紧贴的土黄色柔毛，具刺，刺对生。叶卵形、椭圆形或长卵形，先端钝、急尖或近渐尖，基部圆或阔楔形。花单生或数朵簇生于叶腋内；花梗短或无；花冠白色，近瓮形，花冠管短，顶部 5 裂，裂片长圆形，先端锐尖；花丝短，花药内藏或微突出；柱头橄榄形，粗糙。核果卵形，单生或孪生。

| 生境分布 |

生于低海拔地区的灌丛中。分布于广东翁源、台山、鹤山、遂溪、徐闻、高州、封开、德庆、高要、博罗、龙门、阳春、英德、郁南及深圳（市区）、珠海（市区）等。

| 资源情况 |

野生资源较少。药材来源于野生。

| 采收加工 |

全年均可采挖根，切片，夏、秋季采剥树皮，夏季采摘叶，鲜用或晒干。

| **功能主治** | 淡、辛，寒。清热利尿，活血解毒。用于痢疾，黄疸，水肿，小便不利，疮毒，跌打肿痛。

| **用法用量** | 内服煎汤，6 ～ 15 g。外用适量，鲜品捣敷。

| **凭证标本号** | 441825190802016LY、440781190709009LY、441284190718543LY。

茜草科 Rubiaceae 猪肚木属 Canthium

大叶鱼骨木

Canthium simile Merr. & Chun

药材名

六大天王（药用部位：根、茎皮、叶。别名：似铁屎米）。

形态特征

直立灌木至小乔木。叶纸质，卵状长圆形，先端短渐尖，基部阔而急尖。不规则的伞房花序式聚伞花序腋生，具总花梗；花梗极短或无；萼管倒圆锥形，萼檐5裂，裂片阔卵状三角形，先端急尖；花药近椭圆形；花柱伸出冠管外，柱头粗糙而膨大。核果倒卵形，压扁，孪生，基部钝；小核平凸；果柄"之"字形。花期1～3月，果期6～7月。

生境分布

生于低海拔至中海拔地区的杂木林内。分布于广东茂名（市区）等。

资源情况

野生资源较少。药材来源于野生。

采收加工

全年均可采挖根，春、夏季采收叶，鲜用或晒干。

功能主治	辛，寒。活血祛瘀，消肿止痛。用于外伤疼痛，跌打损伤，骨折。
用法用量	内服煎汤，10 ~ 13 g。外用适量，鲜品捣敷；或干品研末调敷。
凭证标本号	S. P. Ko 51421（NY）、陈少卿 13869（IBSC）。

茜草科 Rubiaceae | 山石榴属 Catunaregam

山石榴 *Catunaregam spinosa* (Thunb.) Tirveng.

| 药 材 名 | 山石榴（药用部位：根、叶、果实。别名：假石榴、猪肚簕）。

| 形态特征 | 有刺灌木或小乔木。枝粗壮，刺腋生，对生。叶对生，倒卵形或长圆状倒卵形，先端钝或短尖，基部楔形或下延。花单生或 2 ~ 3 簇生于具叶、抑发的侧生短枝的顶部；花冠初时白色，后变为淡黄色，钟状，外面密被绢毛，花冠管较阔，花冠裂片 5，卵形或卵状长圆形，广展，先端圆。浆果大，球形；种子多数。花期 3 ~ 6 月，果期 5 月至翌年 1 月。

| 生境分布 | 生于海拔 30 ~ 1 600 m 的旷野、丘陵、山坡、山谷沟边的林中或灌丛中。分布于广东翁源、宝安、顺德、三水、台山、徐闻、廉江、高州、怀集、德庆、高要、博罗、龙门、大埔、五华、蕉岭、紫金、阳春、

饶平、郁南及广州（市区）等。

| 资源情况 | 野生资源较少。药材来源于野生。

| 采收加工 | 根，全年均可采挖，切段，鲜用或晒干。叶，7 ~ 10 月采收，鲜用或晒干。果实，
成熟时采收，晒干。

| 功能主治 | 苦、涩，凉；有毒。散瘀消肿。

| 用法用量 | 外用适量，根、叶捣敷，果实研末撒；或煎汤洗。

| 凭证标本号 | 441825190711005LY、441523190402012LY、440781190515007LY。

茜草科 Rubiaceae 风箱树属 *Cephalanthus*

风箱树

Cephalanthus tetrandrus (Roxb.) Ridsdale & Bakh. f.

| 药 材 名 | 风箱树（药用部位：根、茎）。

| 形态特征 | 落叶灌木或小乔木。叶对生或轮生，卵形至卵状披针形，先端短尖，基部圆形至近心形；托叶阔卵形，顶部骤尖，常有 1 黑色腺体。头状花序顶生或腋生；花冠白色，裂片长圆形，裂口处通常有 1 黑色腺体；柱头棒形，伸出花冠外。坚果顶部有宿存萼檐；种子褐色，具苍白色的翅状假种皮。花期春末夏初。

| 生境分布 | 生于略背阴的水沟旁或溪畔。分布于广东始兴、仁化、翁源、乳源、新丰、乐昌、南雄、高州、德庆、高要、博罗、惠东、大埔、平远、兴宁、和平、阳春、阳山、英德、连州、饶平及广州（市区）、东莞等。

| **资源情况** | 野生资源较丰富。药材来源于野生。 |

| **采收加工** | 全年均可采挖根，洗净泥土，鲜用或切片晒干。 |

| **药材性状** | 本品根呈圆柱形，稍扭曲，多分枝，大小不等。表面微黄色，有纵沟纹，栓皮易脱落。体轻，质韧，不易折断，断面纤维性，皮部黄棕色，木部棕黄色。气微，味微苦、凉。 |

| **功能主治** | 根，苦，凉。清热解毒，散瘀止痛，止血生肌，祛痰止咳。 |

| **用法用量** | 根，内服煎汤，30 ~ 60 g；或浸酒。外用适量，煎汤含漱；或研末撒；或研末调敷。 |

| **凭证标本号** | 440281200706020LY、441825190807003LY、441225180611018LY。 |

茜草科 Rubiaceae 弯管花属 Chassalia

弯管花 *Chassalia curviflora* Thwaites

| 药 材 名 |

弯管花（药用部位：根。别名：紫枒树、水松罗）。

| 形态特征 |

直立小灌木，通常全株被毛。叶膜质，长圆状椭圆形或倒披针形，先端渐尖或长渐尖，基部楔形，全缘。聚伞花序具多花，顶生，总轴和分枝稍压扁，带紫红色；花梗近无；花萼倒卵形，檐部 5 浅裂，裂片短尖；花冠管弯曲，内外均有毛，裂片 4 ~ 5，卵状三角形，顶部肿胀，具浅沟。核果扁球形，平滑或分核间有浅槽。花期春、夏季间。

| 生境分布 |

生于海拔 800 ~ 2 500 m 的山坡阔叶林的湿地上。分布于广东信宜、封开、博罗、龙门及云浮（市区）等。

| 资源情况 |

野生资源较少。药材来源于野生。

| 采收加工 |

全年均可采挖，洗净，切片，晒干。

| **功能主治** | 辛、苦，寒。清热解毒，祛风湿。用于肺热咳嗽，咽喉肿痛，风湿关节痛。

| **用法用量** | 内服煎汤，6 ～ 15 g。

| **凭证标本号** | 440785180506049LY。

茜草科 Rubiaceae 金鸡纳属 Cinchona

金鸡纳树 *Cinchona ledgeriana* (Howard) Moens ex Trim. [*Cinchona calisaya* Weddell]

| 药 材 名 | 金鸡勒（药用部位：根皮、茎皮。别名：金鸡纳皮）。

| 形态特征 | 乔木。树皮灰褐色，较薄，裂纹多而浅；嫩枝具 4 棱，被褐色短柔毛。叶纸质，长圆状披针形、椭圆状长圆形或披针形，先端钝，稀短尖，基部渐狭或短尖。花序被淡黄色柔毛；花冠白色或浅黄白色，花冠管筒状，稍具 5 棱，裂片披针形。蒴果近圆筒形或圆锥形，被短柔毛；种子长圆形，周围具翅。花果期 6 月至翌年 2 月。

| 生境分布 | 栽培种。广东广州有栽培。

| 资源情况 | 栽培资源稀少。药材来源于栽培。

| 采收加工 | 将树砍倒，剥取树皮，留 1 ~ 2 枝任其生长，待树枝长大后，再将

树皮剥下，晒干或烘干。

| **药材性状** | 本品为筒状卷片。外表面暗灰色或暗棕色，较粗糙，横裂纹较多且较不明显，有明显的纵脊纹及红色疣状突起。气微，味苦、不甚涩。

| **功能主治** | 苦，寒。抗疟，退热。

| **用法用量** | 内服煎汤，3～6g；或研末。

| **凭证标本号** | 邓良 11060（IBSC）。

| **附　　注** | 本种药材为提取奎宁（quinine）的主要原料。

茜草科 Rubiaceae 咖啡属 *Coffea*

小果咖啡 *Coffea arabica* L.

| **药 材 名** | 咖啡（药用部位：种子）。

| **形态特征** | 小乔木或大灌木。老枝灰白色，节膨大；幼枝无毛，压扁。叶卵状披针形或披针形，先端长渐尖，基部楔形或微钝，罕圆形，全缘或呈浅波形。聚伞花序数个簇生于叶腋内；花冠白色，顶部常5裂，裂片常长于花冠管，先端常钝。浆果成熟时阔椭圆形，红色，外果皮硬膜质，中果皮肉质；种子背面凸起，腹面平坦，有纵槽。花期3～4月。

| **生境分布** | 栽培种。广东西部至南部有栽培。

| **资源情况** | 栽培资源丰富。药材来源于栽培。

采收加工	9 ~ 11 月果皮开始变红时采收，晒干或烘干，用脱壳机脱去果皮和种皮，筛去杂质；或鲜果用脱皮机脱皮，分开豆粒与果皮，再将脱去皮的豆粒在水中浸泡脱胶，洗净，干燥，再脱去种皮。
药材性状	本品呈椭圆形或卵形，长 8 ~ 10 mm，直径 5 ~ 7 mm，中部厚 3 ~ 4 mm，背面隆起，腹面平坦，有稍弯曲的纵沟及纸样的种皮痕迹。生品类黄色或暗绿色，焙焦品暗棕色。气特异，味微苦、涩。
功能主治	苦、涩，平。醒神，利尿，健胃。用于精神倦怠，食欲不振。
用法用量	内服煎汤，6 ~ 10 g；或研末。
凭证标本号	陈少卿 17803（IBSC）。

中果咖啡 *Coffea canephora* Pierre ex Froehn.

| 药 材 名 | 咖啡（药用部位：种子）。

| 形态特征 | 小乔木或灌木。叶椭圆形、卵状长圆形或披针形，先端急尖，基部楔形，有时稍钝，全缘或呈浅波形。聚伞花序 1 ~ 3，簇生于叶腋内，每聚伞花序有 3 ~ 6 花；花冠白色，罕浅红色，花冠管在花蕾时较短，盛开时延长，顶部 5 ~ 7 裂。浆果近球形，先端有隆起的花盘，有 2 纵槽和极纤细的纵条纹；种子背面隆起，腹面平坦。花期 4 ~ 6 月。

| 生境分布 | 栽培种。广东西部至南部有栽培。

| 资源情况 | 栽培资源丰富。药材来源于栽培。

| 采收加工 | 同"小果咖啡"。

| 药材性状 | 本品稍大，卵球形，长 9 ~ 11 mm，直径 7 ~ 9 mm，背面隆起，腹面平坦。

| 功能主治 | 同"小果咖啡"。

| 用法用量 | 同"小果咖啡"。

| 凭证标本号 | 邢福武 5659（IBSC）。

茜草科 Rubiaceae 咖啡属 Coffea

大果咖啡 *Coffea liberica* Bull ex Hiern

| 药 材 名 | 咖啡（药用部位：种子）。

| 形态特征 | 小乔木或大灌木。枝开展，幼时呈压扁状。叶薄革质，椭圆形、倒卵状椭圆形或披针形，先端阔急尖，基部阔楔尖，全缘。聚伞花序短小，2 至数个簇生于叶腋或老枝的叶痕上，有极短的总花梗。浆果大，阔椭圆形，成熟时鲜红色，先端冠以凸起的花；种子长圆形，平滑。花期 1 ~ 5 月。

| 生境分布 | 栽培种。广东西部至南部有栽培。

| 资源情况 | 栽培资源丰富。药材来源于栽培。

| 采收加工 | 同"小果咖啡"。

| **药材性状** | 本品长圆形，长约 15 mm，直径约 10 mm，平滑。

| **功能主治** | 同"小果咖啡"。

| **用法用量** | 同"小果咖啡"。

| **凭证标本号** | 何绍颐 00093（IBSC）。

茜草科 Rubiaceae 流苏子属 Coptosapelta

流苏子

Coptosapelta diffusa (Champ. ex Benth.) Van Steenis

| 药 材 名 | 流苏子根（药用部位：根。别名：牛老药藤）。

| 形态特征 | 藤本或攀缘灌木。叶坚纸质至革质，卵形、卵状长圆形至披针形，先端短尖、渐尖至尾状渐尖，基部圆形。花单生于叶腋，常对生；花冠白色或黄色，高脚碟状，外面被绢毛，花冠管圆筒形，裂片 5，长圆形。蒴果稍呈扁球形，中间有 1 浅沟，淡黄色，果皮硬，木质；种子多数，近圆形，薄而扁，棕黑色，边缘流苏状。花期 5 ~ 7 月，果期 5 ~ 12 月。

| 生境分布 | 生于山坡疏林中。分布于广东南部以外的其他地区。

| 资源情况 | 野生资源较少。药材来源于野生。

| 采收加工 | 秋季采挖，除去泥土等杂质，洗净，晒干。

| 功能主治 | 辛、苦，凉。祛风除湿，止痒。用于皮炎，湿疹瘙痒，荨麻疹，风湿痹痛，疥疮。

| 用法用量 | 内服煎汤，6 ~ 15 g。外用适量，煎汤熏洗；或研末调涂。

| 凭证标本号 | 441825190808022LY、440281200707032LY、441823201031053LY。

茜草科 Rubiaceae 虎刺属 *Damnacanthus*

短刺虎刺
Damnacanthus giganteus (Mak.) Nakai

| 药 材 名 | 岩石羊（药用部位：根。别名：树莲藕）。

| 形态特征 | 灌木，罕小乔木。根肉质，链珠状。叶革质，披针形或长圆状披针形，先端渐尖或急尖，基部圆，全缘，具反卷线。花两两成对腋生于短总花梗上，通常仅 1 对，有时 2 ~ 4 对；花冠白色，革质，管状漏斗形，檐部 4 裂，裂片卵形或卵状三角形。核果红色，近球形或三棱形；种子近球形，角质。花期 3 ~ 5 月，果熟期 11 月至翌年 1 月。

| 生境分布 | 生于山地疏密林下和灌丛中。分布于广东翁源、乳源、乐昌、和平、阳江等。

| 资源情况 | 野生资源一般。药材来源于野生。

| 采收加工 | 秋后采收，洗净，切片，晒干。 |

| 药材性状 | 本品常缢缩成链珠状，肉质，长短不一，直径约 1 cm。表面黄褐色，有透明感，皮部断裂处露出木部，木部细小，有细纵纹。气微，味微苦、涩。 |

| 功能主治 | 甘、微苦，平。补血益气，止血。用于体弱血虚，血崩，肠风下血。 |

| 用法用量 | 内服煎汤，鲜品 30 ～ 240 g；或干品研末，10 ～ 15 g。 |

| 凭证标本号 | 王启无 86194（IBSC）。 |

茜草科 Rubiaceae 虎刺属 Damnacanthus

虎刺

Damnacanthus indicus Gaertn. f.

| 药 材 名 | 虎刺（药用部位：全株或根。别名：绣花针、黄脚鸡）。

| 形态特征 | 灌木。根肉质，链珠状。叶常大小叶对相间，小叶卵形、心形或圆形，先端锐尖，全缘，基部常歪斜，钝、圆、平截或心形。花两性，1～2花生于叶腋，2花者花梗基部常合生，有时在顶部叶腋6花排成具短总花梗的聚伞花序；花冠白色，管状漏斗形，檐部4裂，裂片椭圆形。核果红色，近球形。花期3～5月，果熟期冬季至翌年春季。

| 生境分布 | 生于山地和丘陵的林下或灌丛中。分布于广东翁源、乳源、乐昌、南雄、徐闻、怀集、龙川、和平、连州及深圳（市区）等。

| 资源情况 | 野生资源一般。药材来源于野生。

| 采收加工 | 全年均可采收，切碎。

| 药材性状 | 本品多为短段。根较粗大，有的缢缩成链珠状，肉质，长短不一；侧根较细；表面棕褐色、灰褐色或灰白色，有细纵皱纹，皮部常断裂，露出木部，木部细小，有细纵纹，断面类白色。茎圆柱形；表面灰褐色，有纵皱纹；质硬，不易折断，断面不整齐，皮部薄，木部灰白色，有髓。小枝叶腋有成对坚硬的细针刺。叶对生，革质，多卷曲，展平后呈卵形或椭圆形，先端短尖，基部圆形，全缘，有时可见背脉具疏毛；叶柄短。花黄白色。气微，味微苦、甘。

| 功能主治 | 甘、苦，平。祛风除湿，活络，止痛。

| 用法用量 | 内服煎汤，10 ~ 15 g，鲜品 30 ~ 60 g。外用适量，捣敷；或捣汁涂；或研末调敷。

| 凭证标本号 | 440523190801007LY。

茜草科 Rubiaceae 狗骨柴属 Diplospora

狗骨柴 *Diplospora dubia* (Lindl.) Masam.

| **药 材 名** | 狗骨柴（药用部位：根。别名：狗骨仔）。

| **形态特征** | 灌木或乔木。叶革质，卵状长圆形、长圆形、椭圆形或披针形，先端短渐尖、骤尖或短尖，尖端常钝，基部楔形或短尖。花腋生，密集成束或组成具总花梗、稠密的聚伞花序；花冠白色或黄色，裂片长圆形，向外反卷。浆果近球形，有疏短柔毛或无毛，成熟时红色；种子近卵形，暗红色。花期 4 ~ 8 月，果期 5 月至翌年 2 月。

| **生境分布** | 生于海拔 40 ~ 1 500 m 的山坡、山谷沟边、丘陵、旷野的林中或灌丛中。广东各地均有分布。

| **资源情况** | 野生资源较丰富。药材来源于野生。

| **采收加工** | 夏、秋季采挖，洗净，鲜用或切片晒干。

| **功能主治** | 苦，凉。清热解毒，消肿散结。用于瘰疬，背痈，头疖，跌打肿痛。

| **用法用量** | 内服煎汤，30 ～ 60 g。外用适量，鲜品捣敷。

| **凭证标本号** | 441523190405004LY、440781190514012LY、440781190826024LY。

茜草科 Rubiaceae 狗骨柴属 Diplospora

毛狗骨柴 *Diplospora fruticosa* Hemsl.

| 药 材 名 | 毛狗骨柴（药用部位：根）。

| 形态特征 | 灌木或乔木。叶纸质或薄革质，长圆形、长圆状披针形或狭椭圆形，先端短渐尖或尾状渐尖，基部短尖或楔形，少钝圆。伞房状聚伞花序腋生，具多花；花萼被短柔毛，萼管陀螺形，萼檐4浅裂，裂片三角形；花冠白色，少黄色，裂片长圆形，向外反卷。果实近球形，成熟时红色。花期3～5月，果期6月至翌年2月。

| 生境分布 | 生于海拔220～2000 m的山谷、溪边的林中或灌丛中。分布于广东曲江、始兴、仁化、乐昌、高州、信宜、怀集、连山、英德等。

| **资源情况** | 野生资源一般。药材来源于野生。

| **功能主治** | 苦，平。顺气化痰。

| **凭证标本号** | 440983180408043LY。

茜草科 Rubiaceae 拉拉藤属 Galium

拉拉藤 Galium aparine L. var. echinospermum (Wallr.) Cuf. [Galium spurium L.]

| **药 材 名** | 锯锯藤（药用部位：全草）。

| **形态特征** | 多枝、蔓生或攀缘状草本。茎有 4 棱角。叶纸质或近膜质，轮生，带状倒披针形或长圆状倒披针形，先端有针状凸尖头，基部渐狭。聚伞花序腋生或顶生；花冠黄绿色或白色，辐状，裂片长圆形，镊合状排列。果实有 1 或 2 近球状的分果瓣，肿胀，密被钩毛，较粗，每瓣有一平凸的种子。花期 3 ~ 7 月，果期 4 ~ 11 月。

| **生境分布** | 生于山坡、旷野、沟边、河滩、田中、林缘、草地。分布于广东从化、仁化、乳源、梅县、大埔、平远、蕉岭、连山、潮安及惠州（市区）等。

| 资源情况 | 野生资源较丰富。药材来源于野生。 |

| 采收加工 | 秋季采收，鲜用或晒干。 |

| 药材性状 | 本品纤细，易破碎，表面灰绿色或绿褐色。茎具 4 棱，直径 1 ～ 1.5 mm，棱上有多数倒生刺；质脆，易折断，断面中空。叶 6 ～ 8 轮生，无柄；叶片多卷缩破碎，完整者展平后呈披针形或条状披针形，长约 2 cm，宽 2 ～ 4 mm，边缘及下表面中脉上有倒生小刺。聚伞花序腋生或顶生；花小，易脱落。果实小，常呈半球形，密生白色钩毛。气微，味淡。以色绿，有花、果实者为佳。 |

| 功能主治 | 苦，凉。凉血解毒，利尿消肿。用于痈疽肿毒，乳腺炎，阑尾炎，水肿，感冒发热，痢疾，尿路感染，尿血，牙龈出血，刀伤出血。 |

| 用法用量 | 内服煎汤，15 ～ 30 g；或捣汁服。外用适量，捣敷。 |

| 凭证标本号 | 440224190315011LY、441882180409032LY、445222181125002LY。 |

茜草科 Rubiaceae 拉拉藤属 Galium

四叶拉拉藤 Galium bungei Steud.

| 药 材 名 | 四叶草（药用部位：全草）。

| 形态特征 | 多年生丛生直立草本。茎有4棱。4叶轮生；叶纸质，叶片卵状长圆形、卵状披针形、披针状长圆形或线状披针形，先端尖或稍钝，基部楔形。聚伞花序顶生或腋生；花序梗纤细，常3歧分枝，再排成圆锥状花序；花冠黄绿色或白色，辐状，裂片卵形或长圆形。果瓣近球状，常双生，有小疣点、小鳞片或短钩毛。花期4～9月，果期5月至翌年1月。

| 生境分布 | 生于海拔50～2520m的山地、丘陵、旷野、田间、沟边的林中、灌丛或草地。分布于广东从化、始兴、乳源、乐昌、高要、大埔、平远、

英德等。

| **资源情况** | 野生资源较丰富。药材来源于野生。

| **采收加工** | 7 月花期采收，鲜用或晒干。

| **功能主治** | 甘，平。清热解毒，利尿，止血，消食。用于尿路感染，痢疾，咯血，赤白带下，小儿疳积，痈肿疔毒，跌打损伤，毒蛇咬伤。

| **用法用量** | 内服煎汤，15 ～ 30 g。外用适量，鲜品捣敷。

| **凭证标本号** | 粤 73 170（IBSC）。

茜草科 Rubiaceae 拉拉藤属 *Galium*

小叶猪殃殃

Galium trifidum L.

| 药 材 名 | 细叶猪殃殃（药用部位：全草）。

| 形态特征 | 多年生丛生草本。茎具 4 角棱。叶纸质，轮生，倒披针形或狭椭圆形，先端圆或钝，稀近短尖，基部渐狭。聚伞花序腋生和顶生；花冠白色，辐状，花冠裂片 3，稀 4，卵形。果实小，果瓣近球状，双生或单生，干时黑色，光滑无毛。花果期 3 ~ 8 月。

| 生境分布 | 生于海拔 300 ~ 2 540 m 的旷野、沟边、山地林下、草坡、灌丛、沼泽地。分布于广东乐昌、连州、南雄、仁化、始兴等。

资源情况	野生资源较少。药材来源于野生。
功能主治	甘、酸，平。清热解毒，活血化瘀。
凭证标本号	罗献瑞 553（IBSC）。

茜草科 Rubiaceae 栀子属 *Gardenia*

栀子

Gardenia jasminoides J. Ellis

| **药 材 名** | 栀子（药用部位：果实）。

| **形态特征** | 灌木。叶对生，革质，长圆状披针形、倒卵状长圆形、倒卵形或椭圆形，先端渐尖、骤尖或短尖而钝，基部楔形或短尖。花冠白色或乳黄色，高脚碟状，裂片广展，倒卵形或倒卵状长圆形。果实卵形、近球形、椭圆形或长圆形，黄色或橙红色，有 5 ～ 9 翅状纵棱；种子多数，扁，近圆形而稍有棱角。花期 3 ～ 7 月，果期 5 月至翌年 2 月。

| **生境分布** | 生于海拔 10 ～ 1 500 m 的旷野、丘陵、山谷、山坡、溪边的灌丛或林中。广东各地均有分布。

| 资源情况 | 野生资源较丰富，栽培资源较丰富。药材来源于野生和栽培。

| 采收加工 | 10 月中下旬果皮由绿色转为黄绿色时采收，置于蒸笼内微蒸或放入明矾水中微煮，晒干或烘干；或直接晒干、烘干。

| 药材性状 | 本品呈长卵圆形或椭圆形，长 1.5 ~ 3.5 cm，直径 1 ~ 1.5 cm。表面红黄色或棕红色，具 6 翅状纵棱，棱间常有一明显的纵脉纹，并有分枝。先端残存萼片，基部稍尖，有残留的果柄。果皮薄而脆，略有光泽，具 2 ~ 3 隆起的假隔膜。种子多数，扁卵圆形，集结成团，深红色或红黄色，表面具细密的小疣状突起。气微，味微酸、苦。

| 功能主治 | 苦，寒。泻火除烦，清热利湿，凉血解毒。

| 用法用量 | 内服煎汤，5 ~ 10 g；或入丸、散剂。外用适量，研末掺；或研末调敷。

| 凭证标本号 | 441825190501031LY、441523200108005LY、440783190416029LY。

| 附 注 | 本种的重瓣变种白蟾 *Gardenia jasminoides* J. Ellis. var. *fortuniana* (Lindl.) Hara 花大而重瓣，常用于观赏栽培。

茜草科 Rubiaceae 栀子属 Gardenia

狭叶栀子 *Gardenia stenophylla* Merr.

| 药 材 名 | 小果栀子（药用部位：根、果实。别名：水黄栀）。

| 形态特征 | 灌木。叶薄革质，狭披针形或线状披针形，先端渐尖，尖端常钝，基部渐狭，常下延。花单生于叶腋或小枝顶部，芳香；花冠白色，高脚碟状，顶部 5 ~ 8 裂，裂片盛开时向外反卷，长圆状倒卵形，先端钝。果实长圆形，有纵棱或棱不明显，成熟时黄色或橙红色。花期 4 ~ 8 月，果期 5 月至翌年 1 月。

| 生境分布 | 生于海拔 90 ~ 800 m 的山谷、溪边林中、灌丛或旷野河边，常见于岩石上。分布于广东惠东、龙门、五华、阳春及广州（市区）等。

| 资源情况 | 野生资源一般。药材来源于野生。

| 采收加工 | 根，全年均可采挖，洗净，切片，晒干。果实，秋后采收，晒干。

| 功能主治 | 苦，寒。清热利湿，凉血解毒。用于黄疸，感冒发热，吐血，衄血，尿血，肾炎性水肿，疮肿痈疽，烫火伤，跌打损伤。

| 用法用量 | 内服煎汤，10 ～ 15 g。外用适量，研末调敷。

| 凭证标本号 | 441523190515004LY。

茜草科 Rubiaceae 爱地草属 Geophila

爱地草 *Geophila repens* (L.) I. M. Johnst. [*Geophila herbacea* (Jacq.) K. Schum.]

| 药 材 名 | 出山虎（药用部位：全草）。

| 形态特征 | 多年生纤弱匍匐草本。茎下部的节上常生不定根。叶膜质，心状圆形至近圆形，先端圆，基部心形。花单生或 2～3 排成顶生的伞形花序；苞片线形或线状钻形；花冠管狭圆筒状，冠檐裂片 4，卵形或披针状卵形，短尖，花开时伸展。核果球形，光滑，红色；分核平凸，腹面平滑，背面有横皱纹或小横肋。花期 7～9 月，果期 9～12 月。

| 生境分布 | 生于林缘、路旁、溪边等较潮湿处。分布于广东从化、增城、高要、大埔、英德、新兴等。

| **资源情况** | 野生资源较少。药材来源于野生。 |

| **采收加工** | 春、夏季采收，鲜用或晒干。 |

| **功能主治** | 苦、辛，微寒。消肿排脓，散瘀止痛。用于痈疽肿毒，跌打伤痛，毒蛇咬伤。 |

| **用法用量** | 内服煎汤，10 ~ 15 g。外用适量，捣敷。 |

| **凭证标本号** | 440783191103026LY、441284191220617LY、440224181129014LY。 |

茜草科 Rubiaceae 耳草属 Hedyotis

金草

Hedyotis acutangula Champ. ex Benth.

| 药 材 名 |

金草（药用部位：全草。别名：糖果草）。

| 形态特征 |

亚灌木状草本。茎方柱形，有 4 棱或具翅。叶对生，革质，卵状披针形或披针形，先端短尖或短渐尖，基部圆形或楔形。聚伞花序排成圆锥花序或伞房花序，顶生；花冠白色，裂片卵状披针形。蒴果倒卵形，顶部平或微凸，成熟时开裂为 2 果瓣，果瓣腹部直裂，内有数枚种子；种子近圆形，具棱。花期 5 ~ 8 月。

| 生境分布 |

生于低海拔地区的山坡或旷地上。分布于广东从化、怀集、博罗、惠东、大埔、海丰、阳春、连州及深圳（市区）、珠海（市区）、河源（市区）等。

| 资源情况 |

野生资源一般。药材来源于野生。

| 采收加工 |

春、夏季采收，晒干。

| 功能主治 | 甘、微苦，凉。清热解毒，凉血利尿。用于肝炎，咽喉肿痛，目赤肿痛，尿路感染。 |

| 用法用量 | 内服煎汤，10 ～ 15 g。 |

| 凭证标本号 | 441523190403047LY、440781190516024LY、441422190801309LY。 |

茜草科 Rubiaceae 耳草属 Hedyotis

耳草 *Hedyotis auricularia* L.

| 药 材 名 |

耳草（药用部位：全草。别名：鲫鱼胆草、节节花）。

| 形态特征 |

多年生近直立或平卧粗壮草本。小枝被短硬毛，罕无毛，幼时近方柱形，老时呈圆柱形，通常节上生根。叶对生，近革质，披针形或椭圆形，先端短尖或渐尖，基部楔形或微下延。聚伞花序腋生，密集成头状；花冠白色，裂片4。果实球形；种子每室2～6，种皮干后黑色，有小窝孔。花期3～8月。

| 生境分布 |

生于林缘、灌丛中或草地上。分布于广东鹤山、徐闻、封开、德庆、高要、大埔及广州（市区）、深圳（市区）、云浮（市区）等。

| 资源情况 |

野生资源较丰富。药材来源于野生。

| 采收加工 |

夏季采收，鲜用或晒干。

| 药材性状 |　本品长 25 ~ 50（~ 100）cm。根粗壮，坚硬。茎圆柱形；小枝稍具 4 棱，密被短毛，节稍膨大，有须根。叶对生，黄绿色，薄革质，微向内卷，展开后呈卵形或椭圆状披针形，先端渐尖，基部楔形，全缘，上面稍粗糙，下面被柔毛，脉凸出，侧脉 3 ~ 6；托叶 2 合成短鞘状，先端裂成 5 ~ 7 刚毛状裂片，膜质，被柔毛；叶腋间常有残留聚伞花序或小果。气微，味极苦。以叶多、色黄绿、具花果者为佳。

| 功能主治 |　苦，凉。凉血消肿，清热解毒。用于感冒发热，肺热咳嗽，咽喉肿痛，肠炎，痢疾，痔疮出血，崩漏，毒蛇咬伤，乳腺炎，痈疖肿毒，湿疹，跌打损伤。

| 用法用量 |　内服煎汤，10 ~ 15 g。外用适量，捣敷；或煎汤洗。

| 凭证标本号 |　441825190709028LY、440783190522011LY、440781190712009LY。

茜草科 Rubiaceae 耳草属 Hedyotis

广州耳草

Hedyotis cantoniensis How ex Ko

| 药 材 名 | 广州耳草（药用部位：全株）。

| 形态特征 | 直立亚灌木。茎近圆柱形，淡禾秆色。枝和小枝近圆柱形，有条纹。叶对生，薄革质，卵形或长圆状椭圆形，两端短尖。聚伞花序排成狭而短的圆锥花序，顶生或在小枝上部腋生；花冠裂片长圆状披针形，渐尖。蒴果球形，干后表皮有网状脉纹，成熟时开裂为2果瓣，果瓣腹部直裂，内有种子多粒；种子具棱。花期4～8月。

| 生境分布 | 生于疏林下。分布于广东增城、阳春、封开、博罗、龙门等。

| **资源情况** | 野生资源一般。药材来源于野生。

| **功能主治** | 甘、微苦，凉。清热利湿，解毒消肿。

| **凭证标本号** | 南岭队 432（IBSC）。

茜草科 Rubiaceae 耳草属 Hedyotis

剑叶耳草 *Hedyotis caudatifolia* Merr. et Metcalf

| **药 材 名** | 剑叶耳草（药用部位：全株。别名：痨病草、产后茶）。 |

| **形态特征** | 直立灌木。老枝干后灰色或灰白色，圆柱形；嫩枝绿色，具浅纵纹。叶对生，革质，通常披针形，上面绿色，下面灰白色，顶部尾状渐尖，基部楔形或下延。聚伞花序排成疏散的圆锥花序；花冠白色或粉红色，裂片披针形。蒴果长圆形或椭圆形，成熟时开裂为 2 果瓣，果瓣腹部直裂，内有种子数枚；种子小，近三角形，干后黑色。花期 5～6 月。 |

| **生境分布** | 生于丛林下较干旱的砂壤土上、悬崖石壁上或黏壤土草地上。分布于广东从化、乐昌、新会、怀集、封开、高要、博罗、龙门及茂名（市 |

区）等。

| 资源情况 | 野生资源一般。药材来源于野生。

| 采收加工 | 6 ~ 10 月采收，鲜用或晒干。

| 药材性状 | 本品茎圆柱形，上部略四棱形。叶对生，多皱缩，完整者展平后呈披针形，长 4 ~ 10 cm，先端短尖或长尖，基部楔形；托叶卵状三角形，长 2 ~ 3 mm；叶柄长 2 ~ 10 mm。聚伞花序 3 歧分枝，顶生或生于上部叶腋；苞片披针形；花萼陀螺状，长 3 mm，裂片卵状三角形；花冠漏斗状，类白色或淡紫色，长 6 ~ 10 mm，裂片披针形。蒴果椭圆形，长 4 mm，多开裂为 2 果瓣，具宿萼。气微，味淡。

| 功能主治 | 甘，平。润肺止咳，消积，止血。用于小儿发热，咽喉疼痛，腹泻。

| 用法用量 | 内服煎汤，10 ~ 15 g。外用适量，捣敷；或煎汤洗。

| 凭证标本号 | 441825190501023LY、441523190920012LY、440781190321001LY。

茜草科 Rubiaceae 耳草属 *Hedyotis*

金毛耳草
Hedyotis chrysotricha (Palib.) Merr.

| 药 材 名 | 黄毛耳草（药用部位：全草。别名：节节花、翻石草）。

| 形态特征 | 多年生披散草本，被金黄色硬毛。叶对生，薄纸质，阔披针形、椭圆形或卵形，先端短尖或凸尖，基部楔形或阔楔形。聚伞花序腋生，有 1 ~ 3 花；花冠白色或紫色，漏斗形，上部深裂，裂片线状长圆形，先端渐尖。果实近球形，被扩展硬毛，宿存萼檐裂片长 1 ~ 1.5 mm，成熟时不开裂，内有种子数枚。花期几乎全年。

| 生境分布 | 生于山谷杂木林下或山坡灌丛中。分布于广东仁化、翁源、乳源、乐昌、徐闻、高要、龙门、大埔、阳山、英德及河源（市区）、深圳（市区）等。

| 资源情况 | 野生资源丰富。药材来源于野生。

| 采收加工 | 夏、秋季采收，鲜用或晒干。

| 药材性状 | 本品被黄色或灰白色柔毛。茎细，稍扭曲，表面黄绿色或绿褐色，有明显纵沟纹；节上有残留须根；质脆，易折断。叶对生，叶片多向外卷曲，完整者展平后呈卵形或椭圆状披针形，长 1 ~ 2.2 cm，宽 5 ~ 13 mm，全缘，上面绿褐色，下面黄绿色；两面均被黄色柔毛；托叶短，合生；叶柄短。蒴果球形，被疏毛，直径约 2 mm。气微，味苦。以身干、色黄绿、带叶者为佳。

| 功能主治 | 苦，凉。清热利湿，消肿解毒。用于湿热黄疸，泄泻，痢疾，带状疱疹，肾炎性水肿，乳糜尿，跌打肿痛，毒蛇咬伤，疮疖肿毒，血崩，带下，外伤出血。

| 用法用量 | 内服煎汤，10 ~ 30 g。

| 凭证标本号 | 440281190425011LY、440281190625018LY、441823200902024LY。

茜草科 Rubiaceae 耳草属 *Hedyotis*

拟金草

Hedyotis consanguinea Hance

药材名

拟金草（药用部位：全草或根、叶）。

形态特征

直立草本。茎具微棱。叶对生，披针形或长卵形，先端渐尖，基部楔形。花序顶生或生于上部叶腋，聚伞花序排成圆锥花序或总状花序；花冠外面无毛，里面被疏而透明的短毛，裂片披针形。蒴果椭圆形，成熟时开裂为 2 果瓣，果瓣腹部直裂，内有种子多粒；种子细小，具微棱，干后种皮黑褐色。花果期 6 ～ 8 月。

生境分布

生于草地或水沟旁。分布于广东台山、新会、龙门、博罗、惠阳、惠东、五华、乳源、新丰、南海、怀集、封开、高要、海丰、连平、阳春、连州、罗定及深圳（市区）、广州（市区）、珠海（市区）等。

资源情况

野生资源一般。药材来源于野生。

| 功能主治 | 全草，疏风退热，润肺止咳，消积，止血，止泻。根，用于肺痨，咳嗽哮喘，跌打肿痛。叶，用于目疾。

| 凭证标本号 | 441622190528017LY、441622200909028LY、441324180731017LY。

茜草科 Rubiaceae 耳草属 Hedyotis

伞房花耳草

Hedyotis corymbosa (L.) Lam.

| 药 材 名 | 水线草（药用部位：全草）。

| 形态特征 | 一年生柔弱披散草本。茎和枝呈方柱形，直立或蔓生。叶对生，膜质，线形，罕狭披针形，先端短尖，基部楔形。花序腋生，呈伞房花序式排列；花冠白色或粉红色，管形，裂片长圆形。蒴果膜质，球形，有数条不明显的纵棱，顶部平，成熟时顶部室背开裂，每室有种子超过 10；种子有棱，种皮平滑，干后深褐色。花果期几乎全年。

| 生境分布 | 生于水田、田埂或湿润的草地上。广东各地均有分布。

| 资源情况 | 野生资源较丰富。药材来源于野生。

| **采收加工** | 夏、秋季采收，除去泥土，晒干。

| **功能主治** | 甘、淡，微凉。清热解毒，利尿消肿，活血止痛。用于肺热喘嗽，咽喉肿痛，肠痈，疖肿疮疡，毒蛇咬伤，热淋涩痛，水肿，痢疾，肠炎，湿热黄疸，恶性肿瘤。

| **用法用量** | 内服煎汤，15～30g，大剂量可用至60g；或捣汁。外用适量，捣敷。

| **凭证标本号** | 441284190812264LY、440523190711036LY、441225180728014LY。

茜草科 Rubiaceae 耳草属 Hedyotis

白花蛇舌草

Hedyotis diffusa Willd.

| 药 材 名 | 白花蛇舌草（药用部位：全草。别名：蛇脷草、蛇舌草）。

| 形态特征 | 一年生纤细披散草本，无毛，高 20 ~ 50 cm。叶对生，无柄，线形，长 1 ~ 3 cm，宽 1 ~ 3 mm。花 4 基数，常单生于叶腋，花梗短或无；花萼管球形，长 1.5 mm，萼檐裂片长圆状披针形，长 1.5 ~ 2 mm；花冠白色，管形，长 3.5 ~ 4 mm。蒴果膜质，扁球形，成熟时顶部室背开裂。花果期春、夏季。

| 生境分布 | 生于潮湿的田边、沟边、路旁和草地。广东各地均有分布。

| 资源情况 | 野生资源丰富，栽培资源丰富。药材来源于野生和栽培。

| 采收加工 | 夏、秋季采收，除去泥土，晒干。

| **药材性状** | 本品常缠绕成团状，灰绿色或灰褐色。茎圆柱形，纤细而卷曲，无毛，从基部分枝。叶对生，无柄，多皱缩或破碎脱落，完整者展平后呈线形，长 1 ~ 3 cm，宽 1 ~ 3 mm。叶腋可见单一的花或蒴果。气微，味微苦。以叶多、色灰绿、具花果者为佳。 |

| **功能主治** | 甘、淡，凉。清热解毒，利尿消肿，活血止痛。用于肺热喘嗽，咽喉肿痛，肠痈，疖肿疮疡，毒蛇咬伤，热淋涩痛，水肿，痢疾，肠炎，湿热黄疸，恶性肿瘤。 |

| **用法用量** | 内服煎汤，15 ~ 30 g，大剂量可用至 60 g；或捣汁。外用适量，捣敷。 |

| **凭证标本号** | 440281190630004LY、441284190816485LY、441523190402027LY。 |

茜草科 Rubiaceae 耳草属 Hedyotis

鼎湖耳草 *Hedyotis effusa* Hance

| **药 材 名** | 鼎湖耳草（药用部位：全草）。

| **形态特征** | 直立无毛草本。茎柔弱，幼时略扁，灰紫色，后渐坚硬，呈圆柱形，褐灰色。叶对生，纸质，卵状披针形，先端短尖而钝，基部近圆形

或楔形。花序顶生，为二叉分枝的聚伞花序，呈圆锥式排列；花冠漏斗形。蒴果近球形，顶部平，成熟时开裂为 2 果瓣，果瓣腹部直裂，内有种子数枚；种子具棱，细小。花期 7 ~ 9 月。

| **生境分布** | 生于林下、山谷溪旁或湿润的山坡上。分布于广东信宜、鼎湖、高要、大埔、新兴及珠海（市区）等。

| **资源情况** | 野生资源较少。药材来源于野生。

| **功能主治** | 活血化瘀。

| **凭证标本号** | 441284190805115LY、440783200103015LY、440785180715053LY。

茜草科 Rubiaceae 耳草属 Hedyotis

牛白藤

Hedyotis hedyotidea (DC.) Merr.

| 药 材 名 |

牛白藤（药用部位：藤茎。别名：土加藤）。

| 形态特征 |

藤状灌木。嫩枝方柱形，被粉末状柔毛，老时圆柱形。叶对生，膜质，长卵形或卵形，先端短尖或短渐尖，基部楔形或钝。花序腋生和顶生，10～20 花聚集成伞形花序，花冠白色，管形，裂片披针形。蒴果近球形，宿存萼檐裂片向外反卷，成熟时室间开裂为 2 果瓣，果瓣腹部直裂；种子数枚，微小，具棱。花期 4～7 月。

| 生境分布 |

生于低海拔至中海拔地区的沟谷灌丛或丘陵坡地。广东各地均有分布。

| 资源情况 |

野生资源较丰富。药材来源于野生。

| 采收加工 |

7～11 月采收，鲜用或切段晒干。

| 药材性状 |

本品多切成斜片或段，外皮淡黄色或灰褐色，粗糙,有稍扭曲的浅沟槽及细纵纹;皮孔呈点状凸起,常纵向排列成棱线,黄白色;质坚硬,不易折断,断面皮部暗灰色,较窄,木部宽广,深黄色、黄白色或红棕色,有不规则的菊花纹,中心有髓。叶对生,多皱缩,完整者展平后呈卵形或卵状矩圆形,长 4 ～ 10 cm,宽 2.5 ～ 4 cm,先端渐尖,基部近圆形或阔楔形,全缘,上面粗糙,下面叶脉上有粉末状柔毛,侧脉明显;托叶截头状,长 4 ～ 6 mm,先端有 4 ～ 6 刺毛;叶柄长 3 ～ 10 mm。气微,味微甘。

| **功能主治** | 甘、淡,凉。祛风活络,消肿止血。

| **用法用量** | 内服煎汤,10 ～ 30 g。外用适量,捣敷;或煎汤洗。

| **凭证标本号** | 441825190712078LY、441284190816489LY、441324180731038LY。

茜草科 Rubiaceae 耳草属 Hedyotis

粗毛耳草 *Hedyotis mellii* Tutch.

| 药 材 名 | 粗毛耳草（药用部位：全草）。

| 形态特征 | 直立粗壮草本。茎和枝近方柱形，幼时被毛，老时光滑，干后暗黄色。叶对生，纸质，卵状披针形。聚伞花序顶生和腋生，多花，稠密，排成圆锥花序；花冠裂片披针形，先端向外反卷。蒴果椭圆形，疏被短硬毛，脆壳质，成熟时开裂为 2 果瓣，果瓣腹部直裂；种子数枚，具棱，黑色。花期 6 ~ 7 月。

| 生境分布 | 生于山地丛林或山坡上。分布于广东始兴、翁源、乳源、乐昌、德庆、和平、英德等。

| 资源情况 | 野生资源一般。药材来源于野生。

| **功能主治** | 甘，平。清热健胃，解毒，祛风，止血。

| **凭证标本号** | 440281190625009LY、441823190929017LY、445224190503009LY。

茜草科 Rubiaceae 耳草属 Hedyotis

松叶耳草

Hedyotis pinifolia Wall. ex G. Don

| 药 材 名 | 鹦哥舌（药用部位：全草。别名：利尖草）。

| 形态特征 | 一年生纤弱多枝草本。叶对生或轮生，无柄，线形，边缘背卷，两面粗糙，稀被毛；托叶极短，有刺毛。团伞花序有 3 ~ 10 花，顶生和腋生；花梗无；花萼倒圆锥形，被硬毛；花冠白色，筒状，花冠裂片长圆形；雄蕊着生于花冠筒喉部，花药伸出。蒴果卵形，中部以上疏被硬毛，成熟时顶部开裂，萼裂片宿存。花期 5 ~ 8 月。

| 生境分布 | 生于低海拔地区的丘陵、旷地或海滩沙地上。分布于广东台山、遂溪、徐闻、廉江、高要、海丰、陆丰、阳春、新兴及广州（市区）、汕头（市区）等。

| 资源情况 | 野生资源一般。药材来源于野生。

| 采收加工 | 夏、秋季采收，鲜用或切碎晒干。

| 药材性状 | 本品茎黑褐色，多分枝，具4锐棱。叶对生或轮生，叶片极狭，状如松针，长12 ~ 25 mm，急尖，粗糙；托叶合生成短鞘，顶部裂成数条刚毛；叶柄无。团伞花序有花3 ~ 10，无总花梗；苞片披针形；花4基数；萼筒倒圆锥形，被毛；花冠筒状，长约8.5 mm，裂片矩圆形；雄蕊着生于花冠筒喉部。蒴果近卵形，被毛，顶部开裂，有宿萼。气微，味淡。

| 功能主治 | 甘、淡，凉。清热止血，散结消肿。用于小儿疳积，潮热，疮疖痈疽，跌打肿痛，毒蛇咬伤。

| 用法用量 | 内服煎汤，3 ~ 6 g，鲜品30 ~ 45 g。外用适量，捣敷。

| 凭证标本号 | 441283160831002LY、44188120150731027LY、440823140727023LY。

茜草科 Rubiaceae 耳草属 Hedyotis

阔托叶耳草

Hedyotis platystipula Merr.

| **药 材 名** | 大托叶耳草（药用部位：全草）。

| **形态特征** | 直立无毛亚灌木状草本。叶对生，膜质，长圆状卵形或长圆状披针形，先端短渐尖，基部骤狭，微下延；托叶大而薄，肾形，边缘撕裂成针状刺，针刺状裂片先端有黑色小腺体。花序腋生，稠密，团聚；花冠白色，裂片4，披针形。蒴果长圆形，成熟时仅顶部开裂；种子约10，细小，干后黑色，粗糙。花期7～8月。

| **生境分布** | 生于山谷两旁的密林下或溪旁的岩石上。分布于广东阳春及茂名（市区）等。

| **资源情况** | 野生资源一般。药材来源于野生。

| **功能主治** | 用于妇女风肿，骨痛。

| **凭证标本号** | 邓良 2089（IBSC）。

茜草科 Rubiaceae 耳草属 Hedyotis

纤花耳草

Hedyotis tenelliflora Bl.

| **药 材 名** | 石枫药（药用部位：全草。别名：石耳风）。

| **形态特征** | 柔弱披散草本。枝的上部方柱形，有 4 锐棱，下部圆柱形。叶稍草质，线形或线状披针形，先端短尖，边缘背卷；托叶有刚毛。花小，无梗，1 ～ 3 生于叶腋；花冠白色，漏斗形，裂片披针形；雄蕊生于花冠筒喉部，花药伸出。蒴果卵形，顶部室裂；种子多枚。花期夏季。

| **生境分布** | 生于田边、路旁或旷野草丛中。分布于广东始兴、仁化、南雄、南澳、开平、封开、博罗、龙门、大埔、平远、连平、阳山及广州（市区）、深圳（市区）、珠海（市区）等。

| 资源情况 | 野生资源一般。药材来源于野生。

| 采收加工 | 夏、秋季采收，鲜用或晒干。

| 药材性状 | 本品多缠绕成团状，黑色。茎多分枝，上部锐四棱形。叶对生，条形至条状披针形，长 2 ~ 4 cm，先端渐尖，上面黑褐色，下面色较淡；托叶顶部分裂成数条刚毛状刺。花 4 基数，无花梗，2 ~ 3 簇生于叶腋；苞片 2；萼筒倒卵形；花冠白色，漏斗状，裂片长圆形；雄蕊着生于花冠筒喉部。蒴果卵形，长约 2.5 mm，先端开裂，具宿萼。气微，味淡。

| 功能主治 | 微苦，寒。清热解毒，祛瘀止痛。用于肺热咳嗽，慢性肝炎，臌胀，阑尾炎，痢疾，风火牙痛，小儿疝气，跌打损伤，蛇咬伤。

| 用法用量 | 内服煎汤，15 ~ 30 g。外用适量，捣敷。

| 凭证标本号 | 440281190625011LY、440281200706021LY、440781190711016LY。

茜草科 Rubiaceae 耳草属 Hedyotis

方茎耳草 *Hedyotis tetrangularis* (Korth.) Walp.

| 药 材 名 | 方茎耳草（药用部位：全草）。

| 形态特征 | 直立草本。茎方柱形，基部木质，近圆柱形。叶对生，纸质，线形至线状披针形，先端短尖，基部圆。花序顶生或生于侧枝的先端，

罕腋生，聚伞花序 2 至多歧分枝，有时第 2 次分枝上的花常排成穗状花序；花冠白色，管形，裂片长圆形，广展。蒴果近球形；种子具棱，干后黑色。花期 9 ~ 11 月。

| 生境分布 | 生于低海拔地区的旷地、草坡上或田埂上。分布于广东博罗、雷州、遂溪及广州（市区）、清远（市区）等。

| 资源情况 | 野生资源一般。药材来源于野生。

| 功能主治 | 苦，凉。清热解毒。用于热证。

| 凭证标本号 | 陈少卿 6829（IBSC）。

茜草科 Rubiaceae 耳草属 Hedyotis

长节耳草

Hedyotis uncinella Hook. et Arn.

| 药 材 名 |

牙疳药（药用部位：全草）。

| 形态特征 |

多年生直立草本。茎通常单生，四棱柱形。叶对生，纸质，卵状长圆形或长圆状披针形，先端渐尖，基部渐狭或下延。花序顶生和腋生，密集成头状；花冠白色或紫色，裂片长圆状披针形，先端近短尖。蒴果阔卵形，顶部平，成熟时开裂为 2 果瓣，果瓣腹部直裂；种子数枚，具棱，浅褐色。花期 4 ～ 6 月。

| 生境分布 |

生于干旱的空旷地上。分布于广东乳源、乐昌、台山、恩平、高州、信宜、高要、惠东、阳春、阳山、英德、连州、郁南、罗定及广州（市区）、深圳（市区）等。

| 资源情况 |

野生资源一般。药材来源于野生。

| 采收加工 |

夏、秋季采收，鲜用或切碎晒干。

| 药材性状 | 本品茎略具 4 棱，节间长 6 ～ 11 cm。叶对生，多皱缩，完整者展平后呈矩圆状披针形或矩圆状卵形，长 3 ～ 8 cm，先端渐尖，基部下延或楔尖，侧脉 4 ～ 5 对；托叶三角形，基部合生；叶柄短。花序顶生或腋生，密集成头状；花 4 基数；萼筒倒圆锥形，裂片披针形；花冠类白色，裂片披针形；雄蕊着生于花冠筒喉部。蒴果倒卵形，开裂为 2 果瓣，具宿萼。气微，味淡。

| 功能主治 | 辛、甘、微苦，平。祛风除湿，健脾消积。用于风湿性关节炎，小儿疳积，泄泻，痢疾，牙疳，皮肤瘙痒。

| 用法用量 | 内服煎汤，10 ～ 15 g；或浸酒。外用适量，捣敷。

| 凭证标本号 | 445224190725004LY。

茜草科 Rubiaceae 耳草属 Hedyotis

粗叶耳草

Hedyotis verticillata (L.) Lam.

| 药 材 名 | 粗叶耳草（药用部位：全草）。

| 形态特征 | 一年生披散草本。枝条平卧，上部四棱柱形，下部圆柱形。叶对生，椭圆形或椭圆状披针形，先端尖，基部楔形或钝；托叶鞘状，顶部分裂成数根刺毛。团伞花序腋生；苞片披针形；萼筒倒圆锥形，萼裂片 4，披针形；花冠白色，近漏斗形，4 裂。蒴果卵形，被粗毛，成熟时顶部开裂；种子多数，有棱。花期 3 ~ 11 月。

| 生境分布 | 生于低海拔至中海拔地区丘陵地带的草丛、路旁或疏林下。分布于广东从化、仁化、新丰、乐昌、台山、高州、封开、高要、博罗、龙门、大埔、平远、阳春、阳山、郁南及深圳（市区）等。

| 资源情况 | 野生资源较丰富。药材来源于野生。

| 采收加工 | 春、夏季采收，鲜用或切碎晒干。

| 药材性状 | 本品长 25 ~ 50 cm。茎圆柱形，上部四棱形，被短粗毛。叶对生，多皱缩，完整者展平后呈矩圆形或卵状椭圆形，长 2.5 ~ 6.5 cm，宽 6 ~ 20 mm，上面有角质的短硬毛，下面被短硬毛，先端渐尖，基部楔形，近无柄，膜质或纸质；托叶鞘状，先端分裂成多数长刺毛。团伞花序腋生，有 2 ~ 6 花，无总花梗，具披针形的苞片；花 4 基数，无梗；花萼倒圆锥形，被粗毛；花冠类白色，略有香气，裂片披针形，长 1.8 ~ 2 mm。蒴果卵形，长 1.5 ~ 2.5 mm，被粗毛，成熟后先端开裂，具宿萼。气微，味淡。

| 功能主治 | 苦，凉。清热解毒，消肿止痛。用于小儿麻痹症，风湿痹痛，感冒发热，咽喉痛，胃肠炎，蛇虫咬伤，疔疮疖肿。

| 用法用量 | 内服煎汤，15 ~ 30 g，大剂量可用至 60 g。外用适量，捣敷。

| 凭证标本号 | 441284190730616LY、440281200708016LY、445224190726006LY。

茜草科 Rubiaceae 耳草属 Hedyotis

脉耳草

Hedyotis vestita R. Br. ex G. Don [*Hedyotis costata* (Roxb.) Kurz]

| 药 材 名 | 黑节草（药用部位：全草。别名：节节草）。

| 形态特征 | 多年生披散草本。嫩枝方柱形，老时近圆柱形。叶对生，膜质，披针形或椭圆状披针形，先端渐尖，基部楔形而下延。聚伞花序密集成头状，单个腋生或数个排成总状花序式；花冠管状，白色或紫色，裂片长椭圆形，渐尖。果实近球形，宿存萼檐裂片三角形，广展；种子每室 3 ~ 4，三棱形，干后黑色。花果期 7 ~ 11 月。

| 生境分布 | 生于低海拔地区的山谷林缘或草坡旷地上。分布于广东高要、连州等。

| 资源情况 | 野生资源一般。药材来源于野生。

| **采收加工** | 春、夏季采收，洗净，鲜用或切段晒干。

| **功能主治** | 辛、微苦，温。清热除湿，活血消肿。用于疟疾，肝炎，结膜炎，风湿骨痛，骨折肿痛，外伤出血。

| **用法用量** | 内服煎汤，10 ~ 15 g；或浸酒。外用适量，捣汁点眼；或捣敷。

| **凭证标本号** | 440785180930054LY。

龙船花 *Ixora chinensis* Lam.

| **药 材 名** | 龙船花（药用部位：花。别名：山丹、五月花）。

| **形态特征** | 灌木。小枝初时深褐色，有光泽，老时呈灰色，具线条。叶对生，披针形、长圆状披针形至长圆状倒披针形，先端钝或圆形，基部短尖或圆形。花序顶生，具多花；花冠红色或红黄色，顶部4裂，裂片倒卵形或近圆形，扩展或向外反卷，先端钝或圆形。果实近球形，双生，中间有1沟，成熟时红黑色；种子上面凸，下面凹。花期5～7月。

| **生境分布** | 生于海拔200～800 m的山地灌丛中、疏林下、村落附近的山坡和旷野路旁。广东各地均有分布。

| 资源情况 | 野生资源较丰富，栽培资源丰富。药材来源于野生和栽培。

| 采收加工 | 7 ~ 10 月花开后采摘，鲜用或晒干。

| 药材性状 | 本品花序卷曲成团，展开后呈伞房状，具短梗，有红色的分枝。花直径 1 ~ 5 mm，具极短的花梗；花萼 4 裂，萼齿较萼筒短；花冠 4 浅裂，裂片近圆形，红褐色，肉质，花冠筒扭曲，红褐色，长 3 ~ 3.5 cm；雄蕊 4，着生于花冠筒喉部。气微，味微苦。

| 功能主治 | 苦、涩，凉。散瘀止血，调经，降血压。用于高血压，月经不调，闭经，跌打损伤，疮疡疖肿。

| 用法用量 | 内服煎汤，10 ~ 15 g。外用适量，捣敷。

| 凭证标本号 | 440783190715040LY、441823200728001LY、441284190718545LY。

茜草科　Rubiaceae　龙船花属　*Ixora*

黄龙船花

Ixora coccinea L. f. *lutea* (Hutch.) Fosberg & Sachet

| 药 材 名 | 黄龙船花（药用部位：全株）。

| 形态特征 | 灌木，高 2 ~ 3 m。叶对生，无柄或近无柄；托叶基部阔，上部锥尖；叶片卵形至倒卵状长圆形，长 5 ~ 9 cm，先端钝或短锐尖，基部心形或圆形。伞房花序顶生，分枝淡绿色；花黄色，无梗或近无梗；萼齿短尖；花冠筒细弱，长约 2.5 cm，裂片长圆形，长约 8 mm，先端短尖。花期夏季。

| 生境分布 | 栽培种。广东各地均有栽培。

| 资源情况 | 栽培资源丰富。药材来源于栽培。

| 采收加工 | 夏、秋季采收，鲜用或切碎晒干。

| **功能主治** | 甘，凉。活血化瘀，凉血止血。用于跌打肿痛，月经不调，闭经，痛经，风湿关节痛，高血压头痛，胃痛，咯血，吐血。

| **用法用量** | 内服煎汤，6 ~ 15 g。外用适量，捣敷。

| **凭证标本号** | 易桂花 09749（JJF）。

茜草科 Rubiaceae 红芽大戟属 *Knoxia*

红大戟 *Knoxia valerianoides* Thorel ex Pitard [*Knoxia roxburghii* (Sprengel) M. A. Rau]

| 药 材 名 | 红大戟（药用部位：块根）。

| 形态特征 | 直立草本。根肥大，肉质，纺锤形，紫色。叶近无柄，披针形或长圆状披针形，先端渐尖，基部渐狭；托叶短鞘形，基部阔，先端有细小、披针形的裂片。聚伞花序密集成半球形，单生或 3 ~ 5 组成聚伞花序；花冠紫红色、淡紫红色至白色，高脚碟形。蒴果细小，近球形。花期春、夏季间。

| 生境分布 | 生于山坡草地上。分布于广东连州、博罗、惠东、平远及珠海（市区）等。

| 资源情况 | 野生资源一般，栽培资源一般。药材来源于野生和栽培。

采收加工	秋、冬季采挖，除去须根，洗净，置沸水中略烫，晒干。
药材性状	本品略呈纺锤形，偶有分枝，稍弯曲，长 3 ~ 10 cm，直径 0.6 ~ 1.2 cm。表面红褐色或红棕色，粗糙，有扭曲的纵皱纹。上端常有细小的茎痕。质坚实，断面皮部红褐色，木部棕黄色。无臭，味甘、微辛。
功能主治	苦，寒；有小毒。泻水逐饮，消肿散结。用于水肿胀满，痰饮喘急，痈疮肿毒。
用法用量	内服煎汤，1.5 ~ 3 g；或研末，0.3 ~ 1 g；或入丸、散剂；或浸酒。外用适量，捣敷；或煎汤洗。
凭证标本号	P. Srisanga 2172（HITBC）。

茜草科 Rubiaceae 粗叶木属 *Lasianthus*

斜基粗叶木 *Lasianthus attenuatus* Jack

| 药 材 名 | 小叶鸡屎树（药用部位：根）。

| 形态特征 | 灌木。叶片纸质或近革质，通常椭圆状卵形或长圆状卵形，较少披针形或长圆状披针形，先端骤尖，基部心形，两侧明显不对称或稍不对称，全缘。花无梗，数朵簇生于叶腋；苞片和小苞片多数，钻状披针形或线形；花冠白色，近漏斗形，裂片5，近卵形。核果近球形，成熟时蓝色，被硬毛，含（4～）5分核。花期秋季。

| 生境分布 | 生于密林中或林缘。分布于广东恩平、德庆、博罗、惠东、海丰、新兴及茂名（市区）、清远（市区）等。

| 资源情况 | 野生资源一般。药材来源于野生。

| 功能主治 | 舒筋活血。

| 凭证标本号 | 441226160826016LY、441323180920008LY、440232160923016LY。

茜草科 Rubiaceae 粗叶木属 Lasianthus

粗叶木 Lasianthus chinensis (Champ.) Benth.

| 药 材 名 | 粗叶木（药用部位：根。别名：木黄、木鸡矢藤）。

| 形态特征 | 灌木，有时为小乔木。叶薄革质或厚纸质，通常为长圆形或长圆状披针形，很少椭圆形，先端常骤尖或近短尖，基部阔楔形或钝；托叶三角形。花常 3 ~ 5 簇生于叶腋，无苞片；花冠通常白色，有时带紫色，近管状，被绒毛，裂片 6，披针状线形，先端内弯，有 1 刺状长喙。核果近卵球形，成熟时蓝色或蓝黑色，通常有 6 分核。花期 5 月，果期 9 ~ 10 月。

| 生境分布 | 生于林缘或林下。分布于广东增城、高明、新会、台山、恩平、高州、信宜、高要、博罗、惠东、龙门、丰顺、阳春、英德、罗定及深圳

（市区）等。

资源情况	野生资源较少。药材来源于野生。
采收加工	秋后采挖，洗净，切片，晒干。
功能主治	甘、涩，平。补肾活血，行气，祛风，止痛。用于风寒湿痹，筋骨疼痛。
用法用量	内服煎汤，15 ~ 30 g，大剂量可用 60 ~ 120 g。
凭证标本号	441225180722011LY、441523200106012LY、440783200425031LY。

茜草科 Rubiaceae 粗叶木属 Lasianthus

西南粗叶木 *Lasianthus henryi* Hutchins.

| 药 材 名 | 蒙自鸡屎树（药用部位：全株）。

| 形态特征 | 灌木，有时呈小乔木状。小枝常密被贴伏的绒毛。叶纸质，长圆形或长圆状披针形，有时椭圆状披针形，先端渐尖或短尾状渐尖，常具稍钝头，基部钝或圆，有缘毛；托叶小，近三角形，短尖，被毛，毛常脱落。花 2 ~ 4 簇生于叶腋；花冠白色，外面被硬毛，狭管状，喉部略膨大，裂片披针形，渐尖。核果近球形，成熟时蓝色，无毛，含 5 分核。

| 生境分布 | 生于林缘或疏林中。分布于广东乐昌、乳源、英德、佛冈、博罗、丰顺、大埔、怀集、德庆、恩平及深圳（市区）等。

| 资源情况 | 野生资源一般。药材来源于野生。

| 采收加工 | 秋后采收，洗净，切片，晒干。

| 功能主治 | 辛、微甘，温。祛风除湿，活血止痛。

| 用法用量 | 内服煎汤，15 ~ 30 g，大剂量可用 60 ~ 120 g。外用适量，捣敷。

| 凭证标本号 | 440281190815003LY、440224181204030LY、441224180615039LY。

茜草科 Rubiaceae 粗叶木属 *Lasianthus*

日本粗叶木 *Lasianthus japonicus* Miq.

| **药 材 名** | 日本粗叶木（药用部位：叶）。

| **形态特征** | 灌木。枝和小枝无毛或嫩部被柔毛。叶近革质或纸质，长圆形或披针状长圆形，先端骤尖或骤渐尖，基部短尖；托叶小，被硬毛。花无梗，常 2 ~ 3 簇生于同一叶腋；苞片小；花萼钟状，被柔毛，萼齿三角形，短于萼管；花冠白色，管状漏斗形，外面无毛，里面被长柔毛，裂片 5，近卵形。核果球形，内含 5 分核。

| **生境分布** | 生于海拔 200 ~ 1 800 m 的林下。分布于广东从化、曲江、始兴、仁化、翁源、乳源、新丰、乐昌、信宜、怀集、封开、德庆、高要、博罗、龙门、大埔、平远、蕉岭、兴宁、连平、和平、阳山、连山、

英德、连州、饶平及汕头（市区）等。

| **资源情况** | 野生资源一般。药材来源于野生。

| **功能主治** | 消炎止血。

| **凭证标本号** | 441825190804019LY、441523190514026LY、440281190427035LY。

| **附　　注** | 本种有叶呈披针形且无毛的变种榄绿粗叶木 *Lasianthus japonicus* Miq. var. *lancilimbus* (Merr.) Lo。

茜草科 Rubiaceae 粗叶木属 *Lasianthus*

云广粗叶木 *Lasianthus longicaudus* Hook. f.

| **药 材 名** | 云广粗叶木（药用部位：全株。别名：长尾鸡屎树）。

| **形态特征** | 灌木。小枝无毛。叶纸质，线状披针形或披针形，长 5 ~ 12 cm，宽 1 ~ 3 cm，先端长渐尖，基部楔形，具侧脉 5 ~ 10 对；叶柄被疏毛；托叶早落。萼筒上部疏被长硬毛，萼裂片 4；花冠白色或带紫色，筒状漏斗形，内面被长柔毛，裂片密被白色缘毛；雄蕊 4；柱头 4。核果卵球形，无毛，蓝色，有宿存的萼裂片。花期春、夏季，果期秋、冬季。

| **生境分布** | 生于海拔 1 000 ~ 1 900 m 的密林中。分布于广东乳源、信宜、博罗、连州等。

曾佑派提供

| **资源情况** | 野生资源较少。药材来源于野生。 |

| **采收加工** | 夏、秋季采收，晒干。 |

| **功能主治** | 辛、微苦，微温。散寒解表。用于感冒，头身疼痛。 |

| **用法用量** | 内服煎汤，10 ~ 15 g。 |

茜草科 Rubiaceae 巴戟天属 Morinda

海滨木巴戟 *Morinda citrifolia* L.

| 药 材 名 | 橘叶巴戟（药用部位：根。别名：海巴戟、橘叶鸡眼藤、海巴戟天）。

| 形态特征 | 灌木至小乔木。小枝粗壮，钝四棱柱形。叶对生；托叶膜质；叶片长圆状椭圆形或广椭圆形，长 10 ~ 25 cm，宽 5 ~ 10 cm，先端急尖或短渐尖，基部阔楔形，膜质。头状花序常与叶对生，球形；萼筒先端平截；花冠白色，漏斗形，先端 5 裂；雄蕊 5，稍伸出。聚合果长卵形或球形，成熟时白色或黄色，有时最下部小核果的宿存花萼扩大成叶状。花果期 1 ~ 7 月。

| 生境分布 | 栽培种。广东湛江（市区）有栽培。

| 资源情况 | 栽培资源较少。药材来源于栽培。

| **采收加工** | 秋季采挖，洗净，晒干。

| **功能主治** | 苦，凉。清热解毒。用于痢疾，肺结核。

| **用法用量** | 内服煎汤，15 ~ 30 g。

茜草科 Rubiaceae 巴戟天属 *Morinda*

大果巴戟天

Morinda cochinchinensis DC.

| 药 材 名 | 大果巴戟（药用部位：根。别名：白鸡屎藤、黄心藤、酒饼藤）。

| 形态特征 | 攀缘大灌木，被干后变淡黄色、广展的长柔毛。叶对生；托叶膜质，有时具刚毛状附属体 2 ~ 3；叶片椭圆形或长圆形，长 7 ~ 12 cm，宽 3 ~ 5 cm，先端短渐尖，基部圆形或浅心形，上面疏被粗毛，下面密被长柔毛，纸质。花序顶生，呈伞形花序式排列；萼筒近半球形，先端 4 ~ 5 裂；花冠高脚碟形；雄蕊 4 ~ 5。聚合果近球形，成熟时红色。花期 5 月。

| 生境分布 | 生于海拔 1 200 m 以下的山坡、山谷、溪旁林下或灌丛中。分布于广东台山、开平、信宜、怀集、封开、德庆、高要、博罗、阳春、

英德、新兴及河源（市区）等。

| **资源情况** | 野生资源丰富。药材来源于野生。

| **采收加工** | 秋季采挖，洗净，晒干。

| **功能主治** | 辛、微苦，凉。祛风除湿，宣肺止咳。用于风湿痹痛，感冒，支气管炎，上呼吸道感染。

| **用法用量** | 内服煎汤，10 ～ 15 g。

| **凭证标本号** | 441225180611010LY、441324181208014LY。

茜草科 Rubiaceae 巴戟天属 Morinda

巴戟天 *Morinda officinalis* How

| 药 材 名 | 巴戟天（药用部位：根。别名：巴戟、鸡肠风、兔仔肠）。

| 形态特征 | 藤本。茎幼时被褐色粗毛。叶对生，长椭圆形，长 3 ~ 13 cm，先端短渐尖，基部钝、圆形或楔形，全缘，上面嫩时有稀疏的短粗毛，下面沿中脉被短粗毛；托叶膜质，鞘状。头状花序于小枝先端排列成伞形花序；花萼先端不规则齿裂；花冠白色；雄蕊与花冠裂片同数；花柱纤细，2 深裂。核果近球形，成熟时红色。花期 4 ~ 7 月，果期 6 ~ 11 月。

| 生境分布 | 生于山谷、溪边、山地疏林下。广东各地均有分布。

| 资源情况 | 野生资源稀少，栽培资源丰富。药材来源于栽培。

| **采收加工** | 栽种 6 ～ 7 年后，于秋、冬季采挖，洗去泥沙，晒至五六成干，捶扁，再晒至全干。 |

| **药材性状** | 本品呈扁圆柱形，略弯曲，长短不等，直径 0.5 ～ 2 cm。表面灰黄色或暗灰色，具纵纹和横裂纹，有的皮部横向断离而露出木部。质韧，断面皮部厚，紫色或淡紫色，易与木部剥离，木部坚硬，黄棕色或黄白色，直径 1 ～ 5 mm。气微，味甘、微涩。 |

| **功能主治** | 甘、辛，微温。归肾、肝经。补肾阳，强筋骨，祛风湿。用于阳痿遗精，宫冷不孕，月经不调，少腹冷痛，风湿痹痛，筋骨痿软。 |

| **用法用量** | 内服煎汤，3 ～ 10 g；或入丸、散剂；或浸酒；或熬膏。 |

| **凭证标本号** | 441284190722734LY、441623180812017LY、445222181125010LY。 |

| **附 注** | 巴戟天的常见伪品如下。
（1）假巴戟 *Morinda shunghuaensis* C. Y. Chen et M. S. Huang 的根，较细长，连珠状不明显，表皮较粗糙，木心较大，呈星状，皮部薄，紫色，味较涩。
（2）印度羊角藤 *Morinda umbellata* L. 的根，不呈连珠状，表皮粗糙，木心大，呈星状，皮部甚薄，干后只有一层皮，不呈紫色。
（3）虎刺 *Damnacanthus indicus* (L.) Gaertn. f. 的根，呈连珠状，肉质，外表灰白色，木心较小而硬，呈圆形，易折断，皮部较厚，但不呈紫色，味苦。 |

茜草科 Rubiaceae 玉叶金花属 *Mussaenda*

楠藤

Mussaenda erosa Champ.

| **药 材 名** | 楠藤（药用部位：茎叶。别名：马仔藤、啮状玉叶金花、厚叶白纸扇）。

| **形态特征** | 木质藤本。茎红褐色。小枝方形，具托叶环。叶对生；托叶三角形，顶部 2 深裂；叶片长圆形、卵形至卵状椭圆形，长 6 ~ 12 cm，宽 3.5 ~ 5 cm，先端渐尖或锐尖，基部阔楔形，两面无毛或近无毛。顶生伞房状聚伞花序；花萼裂片 5，条状披针形；花冠漏斗状，黄色，外被丝状毛，裂片 5；雄蕊 5。浆果椭圆形或近球形，红褐色。花期 3 ~ 4 月，果期 5 ~ 8 月。

| **生境分布** | 生于海拔 160 ~ 800 m 的山地林中或灌丛中。分布于广东从化、

新丰、台山、高州、信宜、怀集、封开、德庆、高要、博罗、惠东、龙门、阳春、英德、饶平、新兴、郁南、罗定及深圳（市区）等。

| **资源情况** | 野生资源丰富，栽培资源丰富。药材来源于野生和栽培。

| **采收加工** | 夏、秋季采收，鲜用或晒干。

| **功能主治** | 微甘，凉。清热解毒。用于疥疮，疮疡肿毒，烫火伤。

| **用法用量** | 内服煎汤，鲜品 15 ～ 30 g。外用适量，鲜品捣汁涂；或煎汤洗。

| **凭证标本号** | 440781190516039LY、441422190330332LY、441224180614010LY。

茜草科 Rubiaceae 玉叶金花属 *Mussaenda*

大叶白纸扇 *Mussaenda esquirolli* Lévl.

| 药 材 名 | 大叶白纸扇（药用部位：茎叶、根。别名：黐花、贵州玉叶金花、白扇宝心）。

| 形态特征 | 直立或藤状灌木，高 1.3 ~ 2 m。小枝圆形，被柔毛。叶对生；托叶卵状披针形，先端常 2 裂；叶片宽卵形或宽椭圆形，长 10 ~ 25 cm，宽 5 ~ 12 cm，先端渐尖，基部楔形，两面脉上疏被柔毛，膜质或薄纸质。聚伞花序顶生；萼筒陀螺状，1 萼裂片扩大成叶状，白色；花冠黄色；柱头压扁状，2 裂。浆果近球形。花期 6 月，果期 9 月。

| 生境分布 | 生于海拔 300 ~ 900 m 的山谷溪边林中或灌丛中。分布于广东始兴、

仁化、翁源、乳源、新丰、乐昌、南雄、怀集、封开、龙门、梅县、大埔、平远、蕉岭、和平、阳山、连山、英德等。

| **资源情况** | 野生资源丰富。药材来源于野生。

| **采收加工** | 夏季采收茎叶，全年均可采收根，晒干或鲜用。

| **功能主治** | 苦、微甘，凉。清热解毒，解暑利湿。用于感冒，中暑高热，咽喉肿痛，痢疾，泄泻，小便不利，无名肿毒，毒蛇咬伤。

| **用法用量** | 内服煎汤，10 ~ 30 g。外用适量，捣敷。

| **凭证标本号** | 440281190626040LY、441825190801062LY、441882180814094LY。

茜草科 Rubiaceae 玉叶金花属 *Mussaenda*

粗毛玉叶金花 *Mussaenda hirsutula* Miq.

| 药 材 名 | 粗毛玉叶金花（药用部位：茎、叶。别名：胀管玉叶金花）。

| 形态特征 | 攀缘灌木。小枝密被柔毛。叶对生，膜质，椭圆形、长圆形或近卵形，长 7 ~ 13 cm，宽 2.5 ~ 4 cm，先端急尖或渐尖，基部楔形，两面疏被柔毛，下面脉上毛较密；托叶 2 深裂或全裂。聚伞花序顶生或腋生；花萼裂片线形，通常有纵脉 7；花冠黄色，外面被短硬毛。浆果椭圆形或近球形，干时褐色，有浅褐色小斑点。花期 4 ~ 6 月，果期 7 月至翌年 1 月。

| 生境分布 | 生于海拔 50 ~ 1 000 m 的山地、丘陵林中或灌丛中。分布于广东信宜、徐闻及广州（市区）、云浮（市区）等。

| **资源情况** | 野生资源丰富。药材来源于野生。

| **功能主治** | 清热解毒，祛风除湿。

| **用法用量** | 内服煎汤，10 ~ 15 g。

| **凭证标本号** | 440781190514006LY、440224190609021LY、441225181124008LY。

茜草科 Rubiaceae 玉叶金花属 *Mussaenda*

广东玉叶金花 *Mussaenda kwangtungensis* Li

| 药 材 名 | 广东玉叶金花（药用部位：根）。

| 形态特征 | 攀缘灌木，高 1 ~ 2.5 m。小枝褐色，被灰色短柔毛。叶对生，薄纸质，披针状椭圆形，长 7 ~ 8 cm，宽 2 ~ 3 cm，先端长渐尖，基部渐狭，两面被稀疏的短柔毛或近无毛；托叶 2 全裂，裂片线形，早落。聚伞花序顶生；花萼管长圆形，萼裂片线形；花叶长椭圆状卵形；花冠黄色，外面被短柔毛；雄蕊内藏；柱头 2 裂。花期 5 ~ 9 月。

| 生境分布 | 生于海拔 400 ~ 700 m 的山谷林中、路旁、田野。分布于广东乳源、新会、博罗、龙门、五华等。

| 资源情况 | 野生资源较少。药材来源于野生。

| **采收加工** | 夏、秋季采收，切段，晒干。

| **功能主治** | 辛，微温。散热解表。用于外感发热。

| **用法用量** | 内服煎汤，6 ~ 10 g。

| **凭证标本号** | 441882190616012LY、440785180714062LY。

茜草科 Rubiaceae 玉叶金花属 *Mussaenda*

玉叶金花 *Mussaenda pubescens* Ait. f.

| 药 材 名 | 山甘草（药用部位：茎、叶。别名：野白纸扇、凉藤子、凉口茶）、白常山（药用部位：根）。

| 形态特征 | 攀缘灌木。叶对生或轮生，卵状矩圆形或卵状披针形，长 5～8 cm，先端渐尖，基部楔形，上面无毛或被疏毛，下面密被短柔毛；托叶三角形，先端 2 深裂。聚伞花序顶生；萼筒陀螺状，萼裂片条形，有时 1 萼裂片扩大成叶状，白色；花冠黄色。果实肉质，近椭圆形。花期 6～7 月。

| 生境分布 | 生于海拔 400～500 m 的山坡、路旁及灌丛中。广东各地均有分布。

| 资源情况 | 野生资源丰富，栽培资源丰富。药材来源于野生和栽培。

| **采收加工** | 山甘草：夏季采收。
白常山：8 ~ 10 月采挖，晒干。

| **药材性状** | 山甘草：本品茎呈圆柱形，直径 3 ~ 7 mm。表面棕色或棕褐色，具细纵皱纹、点状皮孔及叶痕。质坚硬，不易折断，断面黄白色或淡黄绿色，髓部明显，白色。气微，味淡。

白常山：本品主根多粗直而长，或不规则弯曲，直径 6 ~ 20 mm，侧根多数，并有无数细根。表面灰棕色，具不规则的纵横裂纹。质坚硬，不易折断，断面黄白色或淡黄色，皮部厚，鲜时易剥离，内面光滑，富黏性。气微，味淡。

| **功能主治** | 山甘草：甘、微苦，凉。清热利湿，解毒消肿。用于感冒，中暑发热，咳嗽，咽喉肿痛，泄泻，痢疾，肾炎性水肿，湿热小便不利，疮疡脓肿，毒蛇咬伤。

白常山：苦，寒；有毒。解热抗疟。用于疟疾。

| **用法用量** | 山甘草：内服煎汤，15 ~ 30 g，鲜品 30 ~ 60 g；或捣汁。外用适量，捣敷。
白常山：内服煎汤，6 ~ 10 g。

| **凭证标本号** | 440783190416015LY、441825190707012LY、445224190729006LY。

茜草科 Rubiaceae 腺萼木属 Mycetia

华腺萼木 *Mycetia sinensis* (Hemsl.) Craib

| 药 材 名 |

华腺萼木（药用部位：全株。别名：狭萼腺萼木、毛叶腺萼木）。

| 形态特征 |

小灌木，高约 1 m。幼枝被皱卷柔毛。叶膜质，对生，矩圆状披针形或矩圆形，长 8 ~ 20 cm，先端长渐尖；托叶倒卵形或矩圆形。花序顶生，多回 3 歧分枝；萼筒半球形，萼裂片披针形，与萼筒等长；花冠白色，裂片卵形；雄蕊着生于花冠筒基部。果实近球形，白色，有宿存萼裂片。花期 7 ~ 8 月，果期 9 ~ 11 月。

| 生境分布 |

生于海拔 200 ~ 850 m 的山谷溪边林中。分布于广东信宜、高要、阳春等。

| 资源情况 |

野生资源丰富。药材来源于野生。

| 采收加工 |

夏、秋季采收，晒干。

功能主治	除湿利水。用于小便不利。
用法用量	内服煎汤，15 ～ 20 g。
凭证标本号	441825190804028LY、441523191018027LY、440224181130009LY。

茜草科 Rubiaceae 乌檀属 Nauclea

乌檀 *Nauclea officinalis* (Pierrc ex Pitard) Merr. et Chun

| **药 材 名** | 胆木（药用部位：枝、树皮。别名：山熊胆、熊胆树、树黄柏）。

| **形态特征** | 乔木，高 4 ~ 12 m。小枝光滑。叶对生，纸质，椭圆形，稀倒卵形，长 7 ~ 9 cm，宽 3.5 ~ 5 cm，先端渐尖，稍钝，基部楔形，干后上面深褐色，下面浅褐色；托叶早落。头状花序单个顶生，圆球形；总花梗长 1 ~ 3 cm，中部以下有早落的苞片。小坚果合成 1 球状体，成熟时黄褐色；种子椭圆形，一面平坦，一面拱凸，种皮黑色，有光泽。花期夏季。

| **生境分布** | 生于海拔 300 ~ 700 m 的高山近顶或半山腰背阴潮湿的杂木林中。分布于广东信宜、高要、阳春等。

| **资源情况** | 野生资源稀少，栽培资源丰富。药材来源于栽培。

| **采收加工** | 全年均可采收，洗净，切片，鲜用或晒干。

| **药材性状** | 本品呈不规则的片、块状，浅黄色或棕黄色，有的带皮部，外皮棕黄色，粗糙，较疏松，易剥离。横切面皮部棕褐色，木部黄色或棕黄色。质坚硬。气微，味苦。

| **功能主治** | 苦，寒。清热解毒，消肿止痛。用于感冒发热，支气管炎，肺炎，急性扁桃体炎，咽喉炎，乳腺炎，胆囊炎，肠炎，细菌性痢疾，尿路感染，下肢溃疡，足癣，烧伤感染，疖肿，湿疹。

| **用法用量** | 内服煎汤，15 ~ 30 g。外用适量，鲜品捣敷；或煎汤洗。

茜草科 Rubiaceae 新耳草属 Neanotis

薄叶新耳草

Neanotis hirsuta (L. f.) W. H. Lewis

| **药 材 名** | 薄叶新耳草（药用部位：全草）。

| **形态特征** | 匍匐草本，下部常生不定根。茎柔弱，具纵棱。叶卵形或椭圆形，长 2 ～ 4 cm，宽 1 ～ 1.5 cm，先端短尖，基部下延至叶柄，两面被毛或近无毛；托叶膜质，基部合生，顶部分裂成刺毛状。花序腋生或顶生，常聚集成头状；花白色或浅紫色；萼管管形；花冠漏斗形，裂片比花冠筒短；花柱略伸出，柱头 2 浅裂。蒴果扁球形。花果期7 ～ 10 月。

| **生境分布** | 生于林下或溪旁湿地上。分布于广东始兴、新丰、怀集、高要、和平、阳春、阳山、罗定等。

| **资源情况** | 野生资源丰富。药材来源于野生。

| **采收加工** | 夏、秋季采收，晒干。

| **功能主治** | 辛、苦，寒。清热明目，祛痰利尿。用于目赤肿痛，尿频尿痛。

| **用法用量** | 内服煎汤，10 ~ 15 g。

| **凭证标本号** | 441623180912004LY。

茜草科 Rubiaceae 团花属 Neolamarckia

团花 Neolamarckia cadamba (Roxb.) Bosser

药材名

团花（药用部位：树皮、叶。别名：黄梁木）。

形态特征

落叶大乔木，高达 30 m。树干基部略有板状根。叶对生，薄革质，椭圆形或长圆状椭圆形，长 15 ~ 25 cm，宽 7 ~ 12 cm，先端急尖，基部圆形或平截；托叶披针形，脱落。头状花序单个顶生；萼管无毛，萼裂片被毛；花冠黄白色，漏斗状，裂片披针形。果序黄绿色；种子近三棱形，无翅。花果期6 ~ 11 月。

生境分布

生于山谷溪旁或杂木林下。分布于广东高要及广州（市区）等。

资源情况

野生资源丰富，栽培资源丰富。药材来源于野生和栽培。

采收加工

树皮，全年均可采剥，洗净，鲜用或晒干。叶，夏、秋季采摘，鲜用。

| **功能主治** | 苦，寒。清热。用于高热不退，头晕，头痛，失眠，神经性皮炎，牛皮癣。 |

| **用法用量** | 内服煎汤，10 ~ 15 g；或代茶饮。外用适量，鲜叶捣敷。 |

| **凭证标本号** | 445121190223404LY、445102181229393LY。 |

茜草科 Rubiaceae 薄柱草属 *Nertera*

薄柱草
Nertera sinensis Hemsl.

药 材 名	薄柱草（药用部位：全草。别名：水泽兰、冷水草）。
形态特征	簇生小草本，无毛。茎纤细，柔弱，近匍匐状，逐节生根。叶小型，纸质，长圆状披针形，长 7 ~ 16 mm，宽 3.5 ~ 5 mm，先端急尖或微锐尖，基部楔形，两面有微细秕鳞；托叶三角形，基部与叶柄合生。花小，单个顶生；萼裂片细小；花冠淡绿色，先端 4 裂；雄蕊 4，伸出花冠筒外；花柱 2 深裂。核果深蓝色，球形，内有小核 4。花期 8 ~ 9 月。
生境分布	生于海拔 500 ~ 1 300 m 的山坡、路旁、山谷、草地、山地或水旁。分布于广东始兴、乐昌、怀集、阳山、连山、饶平等。

| **资源情况** | 野生资源丰富，栽培资源丰富。药材来源于野生和栽培。 |

| **采收加工** | 秋季采收，洗净，鲜用或晒干。 |

| **功能主治** | 苦，凉。清热解毒。用于烫火伤，感冒咳嗽。 |

| **用法用量** | 内服煎汤，6 ～ 15 g。外用适量，研末撒；或鲜品捣汁涂。 |

| **凭证标本号** | 441823210205029LY。 |

茜草科 Rubiaceae 蛇根草属 Ophiorrhiza

广州蛇根草

Ophiorrhiza cantoniensis Hance

| 药 材 名 | 朱砂草（药用部位：根茎。别名：紫金莲）。

| 形态特征 | 直立、多分枝草本，高 40 ~ 80 cm。枝四棱形。叶对生，膜质；托叶早落；叶片长圆形或长圆状披针形，长 8 ~ 15 cm，宽 3 ~ 5 cm，先端钝渐尖，基部楔形，干后上面墨绿色，下面淡黄色。聚伞花序呈圆锥花序式排列，顶生；花 5 基数，大部分偏生于分枝一侧；萼筒近球形，萼裂片三角形；花冠白色，上部稍膨大而有膜质的翅；雄蕊内藏。蒴果菱形。花期秋季。

| 生境分布 | 生于海拔 300 ~ 1 300 m 的山谷溪边林下潮湿处。分布于广东仁化、翁源、乳源、台山、信宜、怀集、封开、高要、博罗、惠东、阳春、

阳山、连山、英德、连州、郁南及珠海（市区）等。

| **资源情况** | 野生资源丰富。药材来源于野生。

| **采收加工** | 秋季采挖，洗净，除去须根，鲜用或晒干。

| **功能主治** | 苦，寒。清热止咳，镇静安神，消肿止痛。用于劳伤咳嗽，霍乱吐泻，神经衰弱，月经不调，跌打损伤。

| **用法用量** | 内服煎汤，9 ~ 15 g。外用适量，捣敷。

| **凭证标本号** | 441225181124007LY。

茜草科 Rubiaceae 蛇根草属 Ophiorrhiza

中华蛇根草 Ophiorrhiza chinensis Lo

| 药 材 名 | 中华蛇根草（药用部位：全草）。

| 形态特征 | 草本或亚灌木状，高达 80 cm。叶纸质，披针形或卵形，长 3.5 ～ 15 cm，先端渐尖，基部楔形或圆钝，两侧近对称，两面无毛或近无毛，干后常呈淡红色；托叶早落。花序顶生，常具多花；萼筒陀螺形，萼裂片 5；花冠白色或紫红色，筒状漏斗形，裂片 5；雄蕊 5。果柄粗壮；种子小，有棱角。花期冬季至翌年春季，果期春、夏季。

| 生境分布 | 生于海拔约 1 200 m 的山谷密林中。分布于广东平远、阳山等。

| 资源情况 | 野生资源较少。药材来源于野生。

| 功能主治 | 淡，平。止渴祛痰，活血调经。

| **用法用量** | 内服煎汤，15 ～ 30 g。外用适量，鲜品捣敷。

| **凭证标本号** | 441422190122066LY、445222180716015LY。

茜草科 Rubiaceae 蛇根草属 *Ophiorrhiza*

蛇根草
Ophiorrhiza japonica Bl.

| **药 材 名** | 蛇根草（药用部位：全草。别名：血和散、猪菜、日本蛇根草）。

| **形态特征** | 多年生草本，高 10 ~ 25 cm。幼枝具棱，老枝圆柱形。叶对生；托叶早落；叶片狭卵形、长椭圆状斜卵形或卵形，长 2.5 ~ 7.5 cm，宽 1.5 ~ 3.2 cm，先端钝或稍钝尖，基部圆形或楔形，全缘，下面脉上有毛，干后常变淡红紫色。聚伞花序顶生；萼筒短，萼裂片 5；花冠筒状，先端 5 裂；雄蕊 5；柱头 2 裂。蒴果倒三角形。花期 4 ~ 7月，冬季亦可开花。

| **生境分布** | 生于海拔 200 ~ 1 500 m 的山谷溪边林下湿地。分布于广东增城、从化、曲江、仁化、翁源、乳源、新丰、乐昌、高州、信宜、怀集、

封开、博罗、惠东、龙门、大埔、丰顺、五华、连平、阳春、阳山、连山、英德、连州、饶平、罗定等。

| **资源情况** | 野生资源丰富。药材来源于野生。

| **采收加工** | 夏、秋季采收，晒干或鲜用。

| **药材性状** | 本品皱缩成团，呈紫绿色至紫红色。茎下部圆柱形，节上有不定根。叶对生，多皱缩破碎，完整者展平后呈椭圆形或圆形，先端急尖，基部广楔形，全缘；叶柄长 1 ~ 3 cm。聚伞花序着生于茎先端。气微，味淡。

| **功能主治** | 淡，平。祛痰止咳，活血调经。用于咳嗽，劳伤吐血，便血，痛经，月经不调，筋骨疼痛，扭挫伤。

| **用法用量** | 内服煎汤，15 ~ 30 g。外用适量，鲜品捣敷。

| **凭证标本号** | 441523200109004LY、441825191002020LY、440783200102026LY。

茜草科 Rubiaceae 蛇根草属 *Ophiorrhiza*

短小蛇根草 *Ophiorrhiza pumila* Champ. ex Benth.

| **药 材 名** | 短小蛇根草（药用部位：全草。别名：小蛇根草、山苋菜、溪畔蛇根草）。

| **形态特征** | 矮小草本，高 10 ~ 30 cm。茎被短柔毛，下部匍匐，节上生根。叶对生，薄纸质；托叶早落；叶片狭椭圆形或长圆状披针形，长 3 ~ 8 cm，宽 1 ~ 2.5 cm，先端急尖或渐尖，基部楔形，全缘，两面被短粗毛，下面毛较密；聚伞花序顶生；花萼密被毛，萼筒短；花冠白色，干后变淡黄色，5 裂；雄蕊 5，内藏；柱头 2 裂。蒴果倒心形，被微柔毛。花期 4 ~ 7 月。

| **生境分布** | 生于海拔 150 ~ 800 m 的山谷溪边林中、草丛岩石上。分布于广东

始兴、翁源、新丰、乐昌、怀集、德庆、高要、博罗、惠东、龙门、平远、连平、和平及深圳（市区）、珠海（市区）等。

| **资源情况** | 野生资源丰富。药材来源于野生。

| **采收加工** | 夏、秋季采收，鲜用或晒干。

| **功能主治** | 苦，寒。清热解毒。用于感冒发热，咳嗽，痈疽肿毒，毒蛇咬伤。

| **用法用量** | 内服煎汤，10～30 g。外用适量，捣敷。

| **凭证标本号** | 441825190411013LY、441224180828005LY、441523190403049LY。

茜草科 Rubiaceae 鸡爪簕属 Oxyceros

鸡爪簕
Oxyceros sinensis Lour.

| 药 材 名 | 鸡爪簕（药用部位：全株。别名：凉粉木、猫簕、鸡槌簕）。

| 形态特征 | 有刺灌木，高 2 ~ 5 m，嫩枝和叶柄密被污白色短硬毛，刺粗壮，近平展。叶对生；托叶阔三角形；叶片长圆形至长圆状卵形，长 4 ~ 10 cm，宽 1.5 ~ 4 cm，先端短尖或钝，基部阔楔形或楔形，全缘，下面被小柔毛或沿脉上疏被粗毛。聚伞花序顶生；花大，白色；花萼钟形，被粗毛；花冠高脚碟状，先端 5 裂；花药露出。浆果近球形，成熟时无毛。花期秋、冬季。

| 生境分布 | 生于海拔 20 ~ 1 200 m 的旷野、丘陵、山地的林中、林缘或灌丛中。分布于广东惠阳、博罗、南澳、顺德、南海、新会、台山、阳春、

徐闻、高州、海丰、陆丰及广州（市区）、云浮（市区）、肇庆（市区）等。

| **资源情况** | 野生资源丰富，栽培资源丰富。药材来源于野生和栽培。

| **采收加工** | 全年均可采收，切片，晒干。

| **功能主治** | 甘、涩、微苦，凉。清热解毒，祛风除湿，散瘀消肿。用于痢疾，风湿疼痛，疮疡肿毒，跌打肿痛。

| **用法用量** | 内服煎汤，10 ~ 15 g。外用适量，捣敷。

| **凭证标本号** | 440781190826019LY、440523190723011LY、440882180429016LY。

茜草科 Rubiaceae 鸡矢藤属 *Paederia*

臭鸡矢藤 *Paederia foetida* L.

| 药材名 | 臭鸡矢藤（药用部位：全株或根。别名：鸡屎藤、牛皮冻、解暑藤）。

| 形态特征 | 藤本，有的被柔毛。叶对生，膜质，卵形或披针形，长 5 ~ 10 cm，宽 2 ~ 4 cm，先端急尖或渐尖，基部浑圆或心形，叶面无毛；托叶先端 2 裂。圆锥花序侧生或顶生；花紫蓝色；花萼钟形，萼裂片钝齿形；花冠常被绒毛，裂片短。果实扁球形，光亮，先端冠以圆锥形花盘和微小的宿存萼裂片；小坚果浅黑色，多少具翅。花期 5 ~ 6 月。

| 生境分布 | 生于山坡或灌丛中。分布于广东南部以外的其他地区。

| 资源情况 | 野生资源丰富。药材来源于野生。

| **功能主治** | 甘、微苦，平。祛风利湿，消食化积，止咳，止痛。

| **用法用量** | 内服煎汤，10～15 g。外用适量，煎汤洗；或捣敷。

| **凭证标本号** | 441523190918074LY、441825190803022LY、440281200707031LY。

茜草科 Rubiaceae 鸡矢藤属 *Paederia*

白毛鸡矢藤 *Paederia pertomentosa* Merr. ex Li

| 药 材 名 | 白毛鸡矢藤（药用部位：全株或根、嫩叶。别名：广西鸡矢藤）。

| 形态特征 | 草质或近木质藤本，长约 3.5 m，茎、枝密被短绒毛。叶纸质，卵状椭圆形或长圆状椭圆形，长 6 ~ 11 cm，宽 2.5 ~ 5 cm，先端渐尖，基部浑圆，上面疏被毛，下面密被白色绒毛。花序腋生或顶生；萼管密被绒毛，萼裂片短三角形；花冠筒外密被小柔毛。果实球形，禾草色，有光泽；小坚果黑色，球形，无翅。花期 6 ~ 7 月，果期10 ~ 11 月。

| 生境分布 | 生于低海拔石灰岩山地的矮林内。分布于广东乐昌、乳源、新丰、蕉岭、大埔、和平、封开、连州、惠东等。

| **资源情况** | 野生资源丰富。药材来源于野生。 |

| **功能主治** | 全株，用于痈疮肿毒，毒蛇咬伤。根，用于肺痨。嫩叶，消积食，祛风湿。 |

| **用法用量** | 内服煎汤，10 ~ 15 g。外用适量，煎汤洗；或捣敷。 |

| **凭证标本号** | 441422190723328LY。 |

鸡矢藤 *Paederia scandens* (Lour.) Merr.

| 药 材 名 | 鸡屎藤（药用部位：全株或根。别名：牛皮冻、解暑藤、狗屁藤）、鸡屎藤果（药用部位：果实）。

| 形态特征 | 多年生草质藤本，长 3 ~ 5 m。基部木质，多分枝。叶对生；托叶三角形，早落；叶片卵形、椭圆形、长圆形至披针形，长 5 ~ 15 cm，宽 1 ~ 6 cm，先端急尖至渐尖，基部宽楔形，有的下面稍被短柔毛。聚伞花序排列成顶生大圆锥花序；花紫色；萼筒狭钟状；花冠筒先端 5 裂，内面红紫色；雄蕊 5。浆果球形，成熟时草黄色。花期 7 ~ 8 月，果期 9 ~ 10 月。

| 生境分布 | 生于溪边、河边、路边及灌木林中。分布于广东花都、从化、始兴、

仁化、翁源、乳源、新丰、乐昌、南澳、南海、台山、高州、信宜、怀集、封开、高要、博罗、龙门、梅县、大埔、蕉岭、紫金、和平、阳春、阳山、英德、连州、饶平、新兴、郁南、罗定及深圳（市区）、珠海（市区）等。

| **资源情况** | 野生资源丰富，栽培资源丰富。药材来源于野生和栽培。

| **采收加工** | 鸡屎藤：全株，全年均可采收，晒干或晾干。根，秋季采挖，洗净，切片，晒干。
鸡屎藤果：9 ~ 10 月采摘，鲜用或晒干。

| **药材性状** | 鸡屎藤：本品茎呈扁圆柱形，稍扭曲，老茎栓皮常脱落，易折断，嫩茎黑褐色，质韧，断面纤维性。叶对生，叶片宽卵形或披针形，长 5 ~ 15 cm，宽 2 ~ 6 cm，先端尖，基部楔形、圆形或浅心形，全缘，绿褐色。聚伞花序顶生或腋生，花序轴及花均疏被柔毛。气特异，味微苦、涩。

| **功能主治** | 鸡屎藤：甘、微苦，平。祛风除湿，消食化积，解毒消肿，活血止痛。用于风湿痹痛，食积腹胀，疳积，腹泻，痢疾，中暑，黄疸，肝炎，肝脾肿大，咳嗽，瘰疬，肠痈，无名肿毒，烫火伤，湿疹，皮炎，跌打损伤，蛇蝎咬伤。
鸡屎藤果：解毒生肌。用于毒虫咬伤，冻疮。

| **用法用量** | 鸡屎藤：内服煎汤，10 ~ 15 g，大剂量可用 30 ~ 60 g；或浸酒。外用适量，捣敷；或煎汤洗。
鸡屎藤果：外用适量，捣敷。

| **凭证标本号** | 441825190803033LY、440783190522009LY、440281190702001LY。

茜草科 Rubiaceae 鸡矢藤属 Paederia

毛鸡矢藤 *Paederia scandens* (Lour.) Merr. var. *tomentosa* (Bl.) Hand.-Mazz.

| 药 材 名 | 毛鸡屎藤（药用部位：全株或根。别名：白毛鸡屎藤、臭皮藤、打屁藤）。

| 形态特征 | 藤本。小枝密被白色柔毛。叶对生，具叶柄；叶片卵形、卵状长圆形至披针形，长 5 ~ 7 cm，宽 3 ~ 4.5 cm，先端渐尖，基部心形，两面均密被白色柔毛；托叶卵状披针形，老时脱落。蝎尾状聚伞花序排列成圆锥花序，腋生或顶生；花白紫色或白色，无花梗；萼筒狭钟状，长约 3 mm；花冠筒长 7 ~ 10 mm，被粉状柔毛。果实球形，黄色。花期 4 ~ 6 月。

| 生境分布 | 生于海拔 20 ~ 1 500 m 的山地、丘陵、旷野的林中、林缘或灌丛中。

分布于广东新丰、乐昌、南澳、高要、蕉岭、阳山、连山、连州、郁南及河源（市区）、阳江（市区）等。

| **资源情况** | 野生资源丰富。药材来源于野生。

| **采收加工** | 夏季采收全株，秋季采挖根，洗净，晒干。

| **药材性状** | 本品茎呈扁圆柱形，稍扭曲，被柔毛，易折断，断面平坦，灰黄色至灰白色。叶对生，叶片呈卵形、卵状长圆形至披针形，长 5 ~ 7 cm，宽 3 ~ 4.5 cm，先端渐尖，基部心形，两面均被柔毛。蝎尾状聚伞花序排列成圆锥花序，花白色。气特异，味微苦、涩。

| **功能主治** | 酸、甘，平。祛风除湿，清热解毒，理气化积，活血消肿。用于偏正头痛，湿热黄疸，肝炎，痢疾，食积饱胀，跌打肿痛。

| **用法用量** | 内服煎汤，10 ~ 15 g。外用适量，煎汤洗；或捣敷。

| **凭证标本号** | 440783190715013LY、440281190626066LY、440281200712008LY。

大沙叶
Pavetta arenosa Lour.

| 药 材 名 | 大沙叶（药用部位：根、叶）。

| 形态特征 | 灌木，高 1 ~ 3 m。嫩枝稍扁，干时灰黑色。叶对生，薄纸质，矩
圆形或倒卵状矩圆形，长 9 ~ 18 cm，先端渐尖，上面稍有光泽，

下面密被柔毛，侧脉 6 ~ 8 对；托叶宽三角形，基部合生成鞘状。聚伞花序顶生，伞房状；花 4 基数，大，白色，芳香；花萼小，密被短毛；花冠筒纤细，裂片小，先端钝圆；花药伸出。浆果近球状。花期 4 ~ 5 月。

| 生境分布 | 生于海拔 900 ~ 1 200 m 的山谷林中或溪边。分布于广东博罗、增城、花都、新会、高要、罗定、高州及湛江（市区）、韶关（市区）、清远（市区）等。

| 资源情况 | 野生资源较少。药材来源于野生。

| 功能主治 | 苦，寒。清热解暑，活血祛瘀。

| 用法用量 | 内服煎汤，15 ~ 30 g。

| 凭证标本号 | 445224190503102LY、440785180507022LY。

香港大沙叶

Pavetta hongkongensis Bremek.

| 药 材 名 | 大沙叶（药用部位：全株或茎叶。别名：茜木、广东大沙叶、大叶满天星）。

| 形态特征 | 灌木或小乔木，高 1 ~ 4 m。小枝无毛。叶对生，膜质，长圆形或椭圆状倒卵形，长 8 ~ 15 cm，宽 3 ~ 6.5 cm，先端渐尖，基部楔形，背面沿中脉和脉腋内被短柔毛；托叶阔卵状三角形，里面被白色长毛。花序生于侧枝先端；萼管钟状，先端不明显 4 裂，裂片三角形；花冠白色，花冠筒外面无毛；花丝极短；柱头棒形，全缘。果实球形。花期 3 ~ 4 月。

| 生境分布 | 生于海拔 200 ~ 1 300 m 的灌丛中。分布于广东增城、宝安、新会、

台山、徐闻、高州、信宜、怀集、封开、德庆、高要、博罗、惠东、阳春、阳山、连山、英德及珠海（市区）等。

| **资源情况** | 野生资源丰富。药材来源于野生。

| **采收加工** | 全年均可采收，晒干或鲜用。

| **药材性状** | 本品嫩枝黑色或浅褐色，有棱。叶对生，皱缩，展平后呈椭圆状宽披针形，长8 ~ 15 cm，宽3 ~ 6 cm，先端渐尖，基部楔形，上面浅灰绿色，隐约可见黑色小点；托叶三角形，多脱落。侧枝先端偶见残留的伞房状聚伞花序。气微，味微苦。

| **功能主治** | 苦、辛，寒。清热解毒，活血祛瘀。用于感冒发热，中暑，肝炎，跌打损伤，风毒疥癫。

| **用法用量** | 内服煎汤，15 ~ 30 g。

| **凭证标本号** | 441825190806010LY、440882180331040LY、440785190502006LY。

茜草科 Rubiaceae 南山花属 *Prismatomeris*

南山花 *Prismatomeris tetrantra* (Roxb.) K. Schum.

| **植物别名** | 四蕊三角瓣花。

| **药 材 名** | 黄根（药用部位：根。别名：三角瓣花、狗骨木、白狗骨）。

| **形态特征** | 灌木至小乔木。高 2 ~ 8 m。小枝四棱柱形。叶长圆形至披针形、卵形、倒卵形，近革质，长 4 ~ 18 cm，宽 2 ~ 5 cm，侧脉每边 6 ~ 8，在两面凸起；叶柄长 4 ~ 15 mm；托叶每侧 2，生于叶柄间。伞形花序顶生或侧生。核果近球形，顶部具环状宿萼，成熟时紫蓝色，直径 8 ~ 12 mm；种子 1（~ 2），球形或半球形，角质。花期 5 ~ 6 月，果熟期冬季。

| **生境分布** | 生于海拔 300 ~ 1 400 m 的林下或灌丛中。分布于广东遂溪、廉江及茂名（市区）等。

曾佑派提供

| 资源情况 | 野生资源一般。药材来源于野生。

| 采收加工 | 全年均可采挖，洗净，切片，晒干。

| 药材性状 | 本品呈圆柱形，常不规则扭曲，具分枝，有时切成不规则块片，长短及厚薄不同，直径 0.5 ~ 4 cm。表面黄棕色，具纵皱纹或纵裂纹，栓皮易脱落，脱落处呈红色。质坚硬，横断面皮部极薄，棕黄色，木部发达，具细密的同心环纹及放射状纹理。气微，味淡。以根粗、色黄者为佳。

| 功能主治 | 微苦、辛，平。祛瘀生新，强壮筋骨。用于牙龈出血，贫血，肝炎，风湿性关节炎，跌打损伤，尿路感染。

| 用法用量 | 内服煎汤，10 ~ 30 g。

茜草科 Rubiaceae 九节属 *Psychotria*

九节

Psychotria asiatica L.

| **药材名** | 山大刀（药用部位：嫩枝、叶。别名：山大颜、九节木）。

| **形态特征** | 直立灌木。高 1 ~ 3 m。枝近四方形，后渐变为圆筒形。叶对生，纸质，椭圆状矩圆形，长 8 ~ 20 cm，宽 2 ~ 7 cm，先端长尖，基部渐狭而成柄，背面脉腋内有簇生的毛。聚伞花序常顶生；花萼筒长约 2 mm，裂片短三角形；雄蕊通常 5，着生于花冠喉部；子房下位，2 室，胚珠每室 1。核果近球形，长 5 ~ 7 mm，红色，光滑；小坚果有 4 ~ 5 棱。花果期全年。

| **生境分布** | 生于山野、山坡林缘、沟边疏林下及水边。广东各地均有分布。

| **资源情况** | 野生资源丰富，栽培资源较少。药材来源于野生和栽培。

| **采收加工** | 全年均可采收，晒干或鲜用。

| **药材性状** | 本品嫩枝近四方形。叶纸质，椭圆状矩圆形，长 8 ～ 20 cm，先端长尖，基部渐狭成柄，呈暗红色，背面网脉凸出，较明显；有时残存托叶。气微，味淡。

| **功能主治** | 苦，凉。清热解毒，祛风除湿，活血止痛。用于感冒发热，咽喉肿痛，白喉，痢疾，伤寒，疮疡肿毒，风湿痹痛，跌打损伤，毒蛇咬伤。

| **用法用量** | 内服煎汤，10 ～ 30 g。外用适量，煎汤熏洗；或研末调敷；或捣敷。

| **凭证标本号** | 441523191020001LY。

茜草科 Rubiaceae 九节属 Psychotria

驳骨九节

Psychotria prainii H. Lévl. [*Psychotria siamica* (Craid) Hutch.]

| 药 材 名 | 花叶九节木（药用部位：全株。别名：毛九节、驳骨草、小功劳）。

| 形态特征 | 直立灌木。高 0.5 ~ 2 m。嫩枝、叶下面、叶柄、托叶外面和花序均被暗红色的皱曲柔毛。叶对生，常密生于枝顶，纸质或薄革质，长 3 ~ 15 cm，宽 1.3 ~ 6.5 cm，先端短尖或短渐尖，基部楔形或稍圆，全缘，侧脉 7 ~ 11 对；叶柄长 0.2 ~ 2.2 cm；托叶近卵形，脱落。聚伞花序顶生；花萼裂片狭披针形，内面无毛，外面密被硬毛。核果椭圆形或倒卵形，长 5 ~ 8 mm，直径 4 ~ 5 mm，红色，被疏毛，具纵棱。花期 5 ~ 8 月，果期 7 ~ 11 月。

| 生境分布 | 生于海拔 1 000 ~ 1 640 m 的山坡、山谷溪边、林中、灌丛或岩石上。

分布于广东阳山等。

| **资源情况** | 野生资源较少，栽培资源较少。药材来源于野生和栽培。

| **采收加工** | 全年均可采收，洗净，切片，晒干。

| **功能主治** | 苦，凉。清热解毒，散瘀止血。用于感冒，咳嗽，肠炎，痢疾，风湿骨痛，跌打损伤，骨折。

| **用法用量** | 内服煎汤，9 ~ 15 g。外用适量，研末敷。

茜草科 Rubiaceae 九节属 Psychotria

蔓九节
Psychotria serpens L.

|药 材 名|

匍匐九节（药用部位：全株。别名：穿根藤、
蜈蚣藤）。

|形态特征|

多分枝、攀缘或匍匐藤本。嫩枝稍扁，老枝
圆柱形。叶对生，纸质或革质，叶形变化
很大，年幼植株的叶多呈卵形或倒卵形，年
老植株的叶多呈椭圆形或披针形，先端短尖、
钝或锐渐尖，基部楔形或稍圆，全缘；托叶
膜质，先端不裂，脱落。圆锥状或伞房状聚
伞花序顶生；花冠白色。浆果状核果球形或
椭圆形，常呈白色。花期4～6月，果期全年。

|生境分布|

生于海拔70～1360 m的平原、丘陵、山地、
山谷水旁的灌丛或林中。广东各地均有分布。

|资源情况|

野生资源丰富。药材来源于野生。

|采收加工|

全年均可采收，晒干或鲜用。

| **药材性状** | 本品枝条直径可达 6 mm，黑褐色，着生不定根，横切面中心有髓。叶对生。枝端常有花序或果实，果实棕褐色；表面有棱线，先端具宿萼，横切面有 2 室。以叶多、无根头、无杂质者为佳。

| **功能主治** | 涩、微甘，微温。祛风止痛，舒筋活络。用于风湿关节痛，手足麻木，腰肌劳损，坐骨神经痛，跌打损伤，骨折，毒蛇咬伤。

| **用法用量** | 内服煎汤，25 ~ 50 g，鲜品 30 ~ 60 g；或捣汁；或浸酒。外用适量，捣汁涂；或研末调敷。

| **凭证标本号** | 441825190710024LY。

茜草科 Rubiaceae　茜草属 Rubia

金剑草 *Rubia alata* Roxb.

| 药 材 名 | 四穗竹（药用部位：根及根茎。别名：老麻藤、红丝线）。

| 形态特征 | 草质攀缘藤本。长 1 ~ 4 m 或更长。茎、枝干具 4 棱或 4 翅。4 叶轮生，叶片薄革质，线形、披针状线形或狭披针形，长 3.5 ~ 9 cm，宽 0.4 ~ 2 cm，先端渐尖，基部圆形至浅心形，基出脉 3 或 5；叶柄 2 长 2 短，长柄通常长 3 ~ 7 cm。圆锥花序腋生或顶生；萼管近球形，2 浅裂；花冠稍肉质，白色或淡黄色，裂片 5，卵状三角形或近披针形；雄蕊 5；花柱粗壮，先端 2 裂，柱头球状。浆果成熟时黑色，球形或双球形。花期夏初至秋初，果期秋、冬季。

| 生境分布 | 生于海拔 1 500 m 以下的山坡草地或疏林下。分布于广东从化、曲江、

乐昌、新丰、翁源、乳源、信宜、怀集、龙门、大埔、五华、蕉岭、和平、阳春、阳山、英德、连州、连山、连南等。

| **资源情况** | 野生资源丰富。药材来源于野生。

| **采收加工** | 全年均可采收，洗净，切段，晒干或鲜用。

| **功能主治** | 苦，寒。凉血止血，活血化瘀，清热解毒，利湿退黄，消积杀虫。用于中暑烦渴，感冒发热，咽喉肿痛，胸痛咯血，肾炎，黄疸，泄泻，痢疾，风湿关节痛、疳积，钩虫病，疥疮。

| **用法用量** | 内服煎汤，6 ~ 15 g，鲜品 15 ~ 30 g。

| **凭证标本号** | 440224181114043LY。

茜草科 Rubiaceae 茜草属 Rubia

东南茜草

Rubia argyi (H. Lévl. et Vant) Hara ex L. A. Lauener et D. K. Ferguson

| **药 材 名** | 主线草（药用部位：根及根茎）。

| **形态特征** | 多年生草质藤本。茎、枝均具 4 直棱，无毛。4 叶轮生，通常 1 对叶较大，另 1 对叶较小，叶片纸质，心形至阔卵状心形，先端短尖或骤尖，基部心形；叶柄通常长 0.5 ~ 5 cm，有时长可达 9 cm，具直棱，棱上生许多皮刺。聚伞花序分枝成圆锥花序状；雄蕊 5，花丝短，呈带状；花柱粗短，呈头状。浆果近球形，直径 5 ~ 7 mm，有时呈臀状，宽 9 mm，成熟时黑色。

| **生境分布** | 生于林缘、灌丛或村边园篱等。分布于广东乐昌、乳源、信宜、怀集、连平、和平、英德、连州、阳山、连南、罗定等。

| 资源情况 | 野生资源较丰富。药材来源于野生。

| 采收加工 | 秋季采挖，去净泥土，晒干。

| 功能主治 | 苦，寒。止血化瘀，活血消肿。用于吐血，衄血，崩漏，外伤出血，经闭，关节痹痛，跌打肿痛。

| 用法用量 | 内服煎汤，5 ~ 15 g；或熬膏。

| 凭证标本号 | 441825190709019LY。

■ 茜草科 ■ Rubiaceae ■ 茜草属 ■ Rubia

茜草
Rubia cordifolia L.

| 药 材 名 | 血见愁（药用部位：根。别名：茜根）。

| 形态特征 | 草质攀缘藤本。根茎和节上的须根均呈红色；茎从根茎的节上发出，细长，方柱形，有4棱，棱上具倒生皮刺。通常4叶轮生，叶纸质，披针形或长圆状披针形，先端渐尖，有时钝尖，基部心形，边缘有齿状皮刺；基出脉3。聚伞花序腋生或顶生；花冠淡黄色，花冠裂片近卵形。果实球形，直径通常4～5 mm，成熟时橘黄色。花期8～9月，果期10～11月。

| 生境分布 | 生于海拔1 900 m以下的山坡草地或疏林下。分布于广东乐昌、始兴、乳源、怀集、惠东、大埔、英德、阳山、罗定等。

| **资源情况** | 野生资源较少，栽培资源较少。药材来源于野生和栽培。

| **采收加工** | 6 ～ 8 月采挖，切碎，晒干。

| **药材性状** | 本品呈圆柱形，有时弯曲，完整的老根留有根头，根长 10 ～ 30 cm，直径 0.1 ～ 0.5 cm。表面红棕色，有细纵纹及少数须根痕；皮部及木部较易分离，皮部脱落后呈黄红色。质脆，易断，断面平坦，皮部狭，红棕色，木部宽，粉红色，有多数细孔。气微，味微苦。

| **功能主治** | 苦，寒。凉血，止血，活血，祛瘀，通经。用于血热咯血，吐血，衄血，尿血，便血，崩漏，闭经，产后腹痛，跌打损伤，风湿痹痛，黄疸，疮痈肿痛。

| **用法用量** | 内服煎汤，5 ～ 15 g；或熬膏。

| **凭证标本号** | 440783200103011LY。

茜草科 Rubiaceae 茜草属 Rubia

多花茜草
Rubia wallichiana Decne.

| 药 材 名 | 红丝线（药用部位：根。别名：三爪龙）。

| 形态特征 | 草质攀缘藤本。茎、枝均有 4 钝棱。4 或 6 叶轮生，极薄纸质至近膜质，披针形，先端渐尖或长渐尖，基部圆心形或近圆形，边缘常有短皮刺毛，上面无毛或多少粗糙，下面无毛；基出脉 5。圆锥花序腋生和顶生；花冠紫红色、绿黄色或白色，辐状，花冠管很短，裂片披针形。浆果球形，直径 3.5 ~ 4 mm，黑色。

| 生境分布 | 生于海拔 300 ~ 1 500 m 的林中、林缘和灌丛中。分布于广东曲江、乐昌、仁化、新丰、乳源、博罗、连州及广州（市区）等。

| 资源情况 | 野生资源一般。药材来源于野生。

| 采收加工 | 夏、秋季采收，晒干。

| 功能主治 | 苦，寒。凉血止血，活血祛瘀。用于衄血，吐血，便血，崩漏，月经不调，经闭腹痛，风湿关节痛，肝炎；外用于肠炎，跌打损伤，疖肿，神经性皮炎。

| 用法用量 | 内服煎汤，3 ~ 9 g。外用适量，研末调敷；或煎汤洗。

| 凭证标本号 | 441882180914008LY。

茜草科 Rubiaceae 白马骨属 Serissa

六月雪

Serissa japonica (Thunb.) Thunb.

| 药 材 名 | 满天星（药用部位：茎叶、根。别名：白马骨、路边荆、路边姜）。

| 形态特征 | 小灌木。高 60 ~ 90 cm。叶革质，卵形至倒披针形，长 6 ~ 22 mm，宽 3 ~ 6 mm，先端短尖至长尖，全缘，无毛；叶柄短。花单生，有时数花丛生于小枝顶部或腋生，有被毛且边缘浅波状的苞片；萼檐裂片细小，锥形，被毛；花冠淡红色或白色，长 6 ~ 12 mm，裂片扩展，先端 3 裂；雄蕊突出于花冠管喉部外；花柱长，突出，柱头 2，直，略分开。花期 5 ~ 7 月。

| 生境分布 | 生于河边或丘陵的杂木林内。分布于广东龙门、饶平及广州（市区）、惠州（市区）等。

| 资源情况 | 野生资源一般，栽培资源较少。药材来源于野生和栽培。

| 采收加工 | 4～6月采收茎叶，秋季采挖根，洗净，切段，鲜用或晒干。

| 药材性状 | 本品枝呈深灰色，表面有纵裂隙，栓皮易剥离。嫩枝浅灰色，节处有膜质的托叶。花丛生于枝顶；花萼呈灰白色，5裂，膜质。枝质稍硬，折断面带纤维性。叶多数脱落，少数留存，绿黄色，薄革质，卷曲；质脆，易折断。

| 功能主治 | 淡、微辛，凉。疏风解表，清热除湿，舒筋活络。用于感冒，咳嗽，牙痛，急性扁桃体炎，咽喉炎，肝炎，肠炎，痢疾，疳积，高血压，头痛，风湿性关节炎，带下。

| 用法用量 | 内服煎汤，10～15g，鲜品30～60g。外用适量，烧灰淋汁涂；或煎汤洗；或捣敷。

| 凭证标本号 | 440783200328015LY。

茜草科 Rubiaceae 白马骨属 Serissa

白马骨

Serissa serissoides (DC.) Druce

| **药 材 名** | 鸡骨柴（药用部位：茎叶、根。别名：满天星、路边姜、天星木）。

| **形态特征** | 小灌木。通常高达 1 m。叶通常丛生，薄纸质，倒卵形或倒披针形，长 1.5 ～ 4 cm，宽 0.7 ～ 1.3 cm，先端短尖或近短尖，基部收狭成短柄，下面被疏毛，其余无毛；托叶具锥形裂片，膜质，被疏毛。花无梗，生于小枝顶部，有苞片；苞片膜质，斜方状椭圆形，长渐尖；萼檐裂片 5，坚挺，延伸，呈披针状锥形，极尖锐，长 4 mm，具缘毛；花冠管长 4 mm，裂片 5，长圆状披针形，长 2.5 mm；花柱柔弱，2 裂，裂片长 1.5 mm。花期 4 ～ 6 月。

| **生境分布** | 生于河边或丘陵的杂木林内。分布于广东乐昌、南雄、始兴、仁化、

翁源、新丰、乳源、高要、博罗、兴宁、大埔、平远、蕉岭、连平、阳山、连州及广州（市区）、清远（市区）等。

| **资源情况** | 野生资源丰富，栽培资源较少。药材来源于野生和栽培。

| **采收加工** | 4～6月采收茎叶，秋季采挖根，洗净，切段，鲜用或晒干。

| **药材性状** | 本品枝呈深灰色；表面有纵裂隙，栓皮易剥离。嫩枝浅灰色，节处有膜质的托叶。花丛生于枝顶；花萼呈灰白色，5裂，膜质。枝质稍硬，折断面带纤维性。叶多数脱落，少数留存，绿黄色，薄革质，卷曲；质脆，易折断。

| **功能主治** | 淡、微辛，凉。疏风解表，清热除湿，舒筋活络。

| **用法用量** | 内服煎汤，10～15g，鲜品30～60g。外用适量，烧灰淋汁涂；或煎汤洗；或捣敷。

| **凭证标本号** | 441823190723006LY。

茜草科 Rubiaceae 鸡仔木属 *Sinoadina*

鸡仔木 *Sinoadina racemosa* (Sieb. et Zucc.) Ridsd.

| **药 材 名** | 水冬瓜（药用部位：全株）。

| **形态特征** | 半常绿或落叶乔木。高 4 ~ 12 m。树皮厚，灰黑色，粗糙，具纵横短裂纹；小枝无毛。叶对生；叶柄长 3 ~ 6 cm；托叶 2 裂，裂片圆形，早落；叶片纸质，卵形或宽卵形，长 9 ~ 15 cm，宽 4.5 ~ 9 cm，先端短渐尖，基部圆形至浅心形，上面无毛而有光泽，下面有白色短柔毛。头状花序球形聚伞状圆锥花序式；花 5 基数，被毛，长 8 ~ 9 mm，淡黄色。蒴果楔形，长 4 ~ 5 mm。花期 6 ~ 7 月，果熟期 9 ~ 10 月。

| **生境分布** | 生于海拔 350 ~ 600 m 的山坡疏林中。分布于广东乐昌、南雄、始兴、仁化、乳源、英德、连州、阳山等。

| 资源情况 | 野生资源丰富，栽培资源较少。药材来源于野生和栽培。

| 采收加工 | 全年均可采收，切段，鲜用。

| 功能主治 | 微苦，凉。清热解毒，利尿，消肿，散瘀止痛。用于感冒，腮腺炎，咽喉炎，痢疾，胃痛，疝气，关节炎，疖肿，跌打损伤，骨折，湿疹，水肿，小便不利。

| 用法用量 | 内服煎汤，10 ~ 30 g。外用适量，捣敷；或煎汤洗。

| 凭证标本号 | 440224190608022LY。

茜草科 Rubiaceae 丰花草属 Spermacoce

丰花草

Spermacoce pusilla Wallich [*Borreria stricta* (L. f.) G. Mey.]

| 药材名 |

丰花草（药用部位：全草。别名：假蛇舌草）。

| 形态特征 |

直立纤细草本，高 15 ~ 60 cm。茎单生，很少分枝，四棱柱形。叶近无柄，线状长圆形，长 2.5 ~ 5 cm；托叶近无毛，顶部有数条浅红色长于花序的刺毛。花多朵丛生成球状，生于托叶鞘内，无花梗；花冠白色，顶部 4 裂，近漏斗形，长 2.5 mm。蒴果长圆形或近倒卵形。花果期 10 ~ 12 月。

| 生境分布 |

生于空旷草地、山坡或路旁。分布于广东翁源、乳源、台山、高要、博罗、惠东、郁南及广州（市区）、深圳（市区）、珠海（市区）等。

| 资源情况 |

野生资源较丰富。药材来源于野生。

| 采收加工 |

夏、秋季采收，晒干。

| **药材性状** | 本品灰绿色。茎纤细，四棱柱形，单一或下部分枝。叶对生，近无柄，托叶与叶柄合生，顶部有数条长刺毛；叶片条形或披针状条形，干时边缘背卷。球状聚伞花序腋生，无总花梗；小花数朵至多朵。

| **功能主治** | 苦，凉。活血祛瘀，消肿解毒。

| **用法用量** | 内服煎汤，10 ～ 15 g。外用适量，捣敷。

| **凭证标本号** | 441523190917038LY、440783190813006LY、440781190320030LY。

茜草科 Rubiaceae 乌口树属 *Tarenna*

假桂乌口树 *Tarenna attenuata* (Voigt) Hutchins.

| **药 材 名** | 树节（药用部位：根、叶）。

| **形态特征** | 灌木或乔木。高 1 ～ 8 m。叶纸质或薄革质，长 4.5 ～ 15 cm，宽 1.5 ～ 6 cm，先端渐尖或骤短渐尖，基部楔形或短尖，全缘，侧脉 纤细，5 ～ 10 对，在下面凸起，基部合生，上部渐尖。伞房状的聚 伞花序顶生；花冠白色或淡黄色，喉部有柔毛，顶部 5 裂；雄蕊 5； 花柱无毛或有毛。浆果近球形，顶部有宿存的花萼；种子 2。花期 4 ～ 12 月，果期 5 月至翌年 1 月。

| **生境分布** | 生于海拔 15 ～ 1 200 m 的旷野、丘陵、山地、沟边的林中或灌丛中。 分布于广东宝安、南海、新会、台山、鹤山、徐闻、雷州、封开、

龙门、英德、连州及广州（市区）、珠海（市区）、茂名（市区）、阳江（市区）等。

| **资源情况** | 野生资源丰富，栽培资源较少。药材来源于野生和栽培。

| **采收加工** | 夏、秋季采收，根洗净，切碎，鲜用或晒干，叶鲜用。

| **功能主治** | 辛、酸、微苦，微温。祛风消肿，散瘀止痛。用于跌打损伤，风湿痛，蜂窝织炎，脓肿，胃肠绞痛。

| **用法用量** | 内服煎汤，30 ~ 60 g。外用适量，鲜品捣敷。

| **凭证标本号** | 440781190515006LY。

茜草科 Rubiaceae 乌口树属 *Tarenna*

白花苦灯笼 *Tarenna mollissima* (Hook. et Arn.) Rob.

| 药 材 名 |

密毛乌口树（药用部位：根、叶。别名：乌木、麻糖风）。

| 形态特征 |

灌木或小乔木。高 1 ~ 6 m，全株密被毛，但老枝毛渐脱落。叶纸质，干后变黑褐色；叶柄长 0.4 ~ 2.5 cm；托叶卵状三角形，先端尖。伞房状的聚伞花序顶生；苞片和小苞片线形；萼管近钟形；花冠白色；雄蕊 4 或 5，花药线形；花柱中部被长柔毛，柱头伸出，胚珠每室多颗。果实近球形，被柔毛，黑色，有种子 7 ~ 30。花期 5 ~ 7 月，果期 5 月至翌年 2 月。

| 生境分布 |

生于海拔 200 ~ 1 100 m 的山地、丘陵、沟边的林中或灌丛中。分布于广东南部以外的其他地区。

| 资源情况 |

野生资源丰富，栽培资源较少。药材来源于野生和栽培。

| **采收加工** | 夏、秋季采收，切段，再切成碎片或扎成捆，晒干或鲜用。

| **功能主治** | 甘、苦，凉。清热解毒，凉血，止血。用于阴虚内热，热病发热，肺结核咯血，急性扁桃体炎，风湿性关节炎。

| **用法用量** | 内服煎汤，15 ~ 30 g。外用适量，鲜品捣敷。

| **凭证标本号** | 441825190806017LY。

茜草科 Rubiaceae 钩藤属 *Uncaria*

毛钩藤 *Uncaria hirsuta* Havil.

| **药 材 名** | 台湾风藤（药用部位：带钩的茎枝和根。别名：倒吊风藤）。

| **形态特征** | 藤本。嫩枝纤细，圆柱形或略具 4 棱角，被硬毛。叶革质，卵形或椭圆形，长 8 ~ 12 cm，宽 5 ~ 7 cm，先端渐尖，基部钝，上面稍粗糙，被稀疏硬毛，下面被稀疏或稠密的糙伏毛。叶柄长 3 ~ 10 mm，有毛；托叶阔卵形，裂片卵形。头状花序不计花冠直径 20 ~ 25 mm，单生于叶腋；总花梗具 1 节或呈聚伞状排列，腋生，长 2.5 ~ 5 cm；花冠淡黄色或淡红色，外面有短柔毛，花冠裂片长圆形；柱头长圆状棒形。小蒴果纺锤形，长 10 ~ 13 mm，有短柔毛。花果期全年。

| **生境分布** | 分布于广东花都、从化、乐昌、翁源、信宜、怀集、封开、高要、博罗、大埔、阳春、英德、郁南等。

| **资源情况** | 野生资源丰富，栽培资源较少。药材来源于野生和栽培。 |

| **采收加工** | 夏、秋季采收，晒干。 |

| **功能主治** | 甘、苦，微寒。清热平肝，息风定惊，镇静，镇痉。用于小儿高热抽搐，高血压，神经性头痛，风湿性关节炎。 |

| **用法用量** | 内服煎汤，10 ~ 15 g。外用适量，捣敷。 |

| **凭证标本号** | 441622200908072LY。 |

茜草科 Rubiaceae 钩藤属 *Uncaria*

大叶钩藤
Uncaria macrophylla Wall.

| 药 材 名 | 钩藤（药用部位：带钩茎枝。别名：穷代儿）。

| 形态特征 | 大藤本。嫩枝方柱形或略有棱角，疏被硬毛。叶对生，近革质，卵形或阔椭圆形，长 10 ~ 16 cm，宽 6 ~ 12 cm，被稀疏至稠密的黄褐色硬毛；叶柄长 3 ~ 10 mm；托叶卵形，裂片狭卵形。头状花序直径 15 ~ 20 mm；花序轴有稠密的毛。果序直径 8 ~ 10 cm；小蒴果，有苍白色短柔毛；种子连翅长 6 ~ 8 mm，两端有白色膜质的翅。花期夏季。

| 生境分布 | 生于次生林中。分布于广东高州、信宜、博罗、阳春、新兴等。

| 资源情况 | 野生资源较少，栽培资源较少。药材来源于野生和栽培。

| **采收加工** | 春、秋季采收，晒干或置锅内蒸后晒干。

| **药材性状** | 本品呈圆柱形或类方柱形，长 2 ～ 3 cm，直径 0.2 ～ 0.5 cm。表面红棕色至紫红色，具细纵纹，光滑无毛，黄绿色至灰褐色，有时可见白色点状皮孔，被黄褐色柔毛。多数枝节上对生 2 向下弯曲的钩，或仅一侧有钩，另一侧为凸起的疤痕；钩略扁或稍圆，先端细尖，基部较阔；钩基部的枝上可见叶柄脱落后的窝点状痕迹和环状的托叶痕。质坚韧，断面黄棕色，皮部纤维性，髓部黄白色或中空。无臭，味淡。

| **功能主治** | 甘、苦，微寒。息风止痉，清热平肝。用于惊风，夜啼，热盛动风，子痫，肝阳眩晕，肝火头痛。

| **用法用量** | 内服煎汤，6 ～ 30 g；或入散剂。

| **凭证标本号** | 441226141220017LY。

茜草科 Rubiaceae 钩藤属 *Uncaria*

钩藤 *Uncaria rhynchophylla* (Miq.) Miq. ex Havil.

| 药 材 名 | 钩藤（药用部位：带钩茎枝。别名：鹰爪风、吊藤、金钩藤）、钩藤根（药用部位：根）。

| 形态特征 | 常绿木质藤本。小枝四棱柱形，褐色。叶腋有对生或单生的钩，向下弯曲，先端尖，长 1.7 ~ 2 cm。叶对生，具短柄；叶片卵形，卵状长圆形或椭圆形，长 5 ~ 12 cm，宽 3 ~ 7 cm，先端渐尖，基部宽楔形，全缘，上面光亮，下面在脉腋内常有束毛，略呈粉白色，干后变褐红色；托叶 2 深裂，裂片条状钻形。头状花序单生或呈顶生的总状花序式排列；总花梗纤细；花黄色；花冠合生。蒴果倒卵形或椭圆形，被疏柔毛。花果期 5 ~ 12 月。

| 生境分布 | 生于山谷溪边的疏林或灌丛中。分布于广东从化、乳源、新丰、仁化、

始兴、南雄、乐昌、和平、饶平、龙门、博罗、连山、阳山、连州、英德、德庆、封开、怀集、高要及阳江（市区）、河源（市区）等。

| 资源情况 | 野生资源较少，栽培资源较少。药材来源于野生和栽培。

| 采收加工 | **钩藤：**春、秋季采收，拣去老梗、杂质，洗净，晒干。
钩藤根：夏、秋季采收，洗净，切片，晒干。

| 药材性状 | **钩藤：**本品茎枝呈圆柱形或类方柱形，长 2 ~ 3 cm，直径 0.2 ~ 0.5 cm；表面红棕色至紫红色，具细纵纹，光滑无毛，黄绿色至灰褐色，有时可见白色点状皮孔，被黄褐色柔毛。多数枝节上对生 2 向下弯曲的钩，或仅一侧有钩。质坚韧，断面黄棕色，皮部纤维性，髓部黄白色或中空。无臭，味淡。

| 功能主治 | **钩藤：**甘、苦，微寒。息风止痉，清热平肝。用于惊风，夜啼，热盛动风，子痫，肝阳眩晕，肝火头痛。
钩藤根：甘、苦，微寒。舒筋活络，清热消肿。用于关节痛，半身不遂，癫痫，水肿，跌打损伤。

| 用法用量 | **钩藤：**内服煎汤，6 ~ 30 g，不宜久煎；或入散剂。
钩藤根：内服煎汤，15 ~ 24 g，大剂量可用 30 ~ 90 g。

| 凭证标本号 | 441825190501036LY。

茜草科 Rubiaceae 钩藤属 *Uncaria*

侯钩藤 *Uncaria rhynchophylloides* How

| **药 材 名** | 侯钩藤（药用部位：带钩茎枝、根）。

| **形态特征** | 藤本。嫩枝方柱形；钩刺长约 1 cm。叶薄纸质，卵形或椭圆状卵形，长 6 ~ 9 cm，宽 3 ~ 4.5 cm；枝有 4 直棱；叶柄长 5 ~ 7 mm；托叶 2 深裂，裂片三角形，长 3 ~ 4 mm，脱落。头状花序直径 1.1 cm，单生于叶腋；总花梗腋生，长 5 ~ 7 cm；小苞片线形或线状匙形；花近无梗；花萼管倒圆锥状圆筒形，长 3 ~ 4 mm，密被棕黄色的紧贴长硬毛；花萼裂片长圆形，长 1.5 mm；花冠裂片卵状匙形，花冠管细长，外面无毛或具疏散的毛；花柱伸出花冠喉部外。蒴果无柄，倒卵状椭圆形，被紧贴的黄色长柔毛。花果期 5 ~ 12 月。

| **生境分布** | 生于海拔 90 ~ 600 m 的山地和丘陵的林中、林缘、灌丛中。分布于广东德庆、封开、广宁、阳春、阳山、英德、罗定、新兴及广州（市区）、肇庆（市区）、云浮（市区）等。 |

| **资源情况** | 野生资源较少，栽培资源较少。药材来源于野生和栽培。 |

| **采收加工** | 夏、秋季采收，晒干。 |

| **功能主治** | 甘、苦，微寒。清热，平肝，息风，止痉。用于小儿高热，惊厥，抽搐，夜啼，风热头痛，头晕目眩，高血压，神经性头痛。 |

| **用法用量** | 内服煎汤，6 ~ 15 g。 |

| **凭证标本号** | 440785180506077LY。 |

茜草科 Rubiaceae 钩藤属 Uncaria

白钩藤

Uncaria sessilifructus Roxb.

| 药 材 名 | 侯钩藤（药用部位：带钩茎枝）。

| 形态特征 | 大藤本。嫩枝较纤细，略具 4 棱或呈方柱形，微被短柔毛。叶近革质，卵形、椭圆形或椭圆状长圆形，长 8 ～ 12 cm，宽 4 ～ 6.5 cm，先端短尖或渐尖，基部圆形至楔形，两面均无毛，下面常有蜡被，干时常为粉白色，侧脉 4 ～ 7 对，下面脉上无毛或疏被短柔毛；叶柄长 5 ～ 10 mm，无毛。头状花序除花冠外直径 5 ～ 10 mm，单生于叶腋；花冠黄白色，高脚碟状，花冠管长 6 ～ 10 mm，外面无毛或被疏柔毛，花柱伸出花冠喉部外。果序直径 2.5 ～ 3.5 cm；小蒴果纺锤形，微被短柔毛。花果期 3 ～ 12 月。

| 生境分布 | 生于海拔 260 ～ 1 600 m 的山谷溪边林中。分布于广东广州（市区）、

阳江（市区）等。

| **资源情况** | 野生资源较少，栽培资源较少。药材来源于野生和栽培。

| **采收加工** | 夏、秋季采收，晒干。

| **功能主治** | 甘、苦，微寒。清热，平肝，息风，止痉。用于头痛眩晕，感冒夹惊，惊痫抽搐，子痫，高血压。

| **用法用量** | 内服煎汤，3 ~ 12 g，后下。

茜草科 Rubiaceae | 水锦树属 *Wendlandia*

水锦树

Wendlandia uvariifolia Hance

| **药 材 名** | 猪血木（药用部位：根、叶。别名：饭汤木）。

| **形态特征** | 灌木或乔木。高 2 ~ 15 m；小枝被锈色硬毛。叶纸质，宽椭圆形、长圆形、卵形或长圆状披针形，长 7 ~ 26 cm，宽 4 ~ 14 cm，上面散生短硬毛，稍粗糙，在脉上有锈色短柔毛，下面密被灰褐色柔毛；叶柄长 0.5 ~ 3.5 cm；托叶宿存。圆锥状的聚伞花序顶生，被灰褐色硬毛，多花；小苞片线状披针形，被柔毛；花小，无花梗，常数花簇生；花冠漏斗状，白色，远短于花冠管；花药椭圆形，稍伸出，花丝很短；花柱与花冠近等长或稍长。蒴果小，球形，被短柔毛。花期 1 ~ 5 月，果期 4 ~ 10 月。

| **生境分布** | 生于海拔 65 ~ 540 m 的山坡、山谷溪边、丘陵的林中或灌丛中。分

布于广东顺德、封开、怀集、新会、博罗、阳春、信宜、高州、徐闻、郁南、新兴、罗定及广州（市区）、清远（市区）、肇庆（市区）、阳江（市区）、茂名（市区）、湛江（市区）、云浮（市区）等。

| **资源情况** | 野生资源较少，栽培资源较少。药材来源于野生和栽培。

| **采收加工** | 全年均可采收，根洗净，切片，晒干，叶晒干或鲜用。

| **功能主治** | 微苦，凉。祛风除湿，散瘀消肿，止血生肌。用于风湿骨痛，跌打损伤，外伤出血。

| **用法用量** | 内服煎汤，10 ~ 15 g。外用适量，鲜品捣敷；或煎汤洗。

| **凭证标本号** | 441825190805019LY。

忍冬科 Caprifoliaceae 六道木属 Abelia

糯米条
Abelia chinensis R. Br.

| 药 材 名 | 糯米条（药用部位：茎叶。别名：茶条树、白花树）。

| 形态特征 | 落叶多分枝灌木。叶对生，有时 3 叶轮生，圆卵形至椭圆状卵形，边缘有稀疏的圆锯齿。聚伞花序生于小枝上部叶腋，由多数花序集合成 1 圆锥状花簇；花冠白色至红色，漏斗状，外面被短柔毛，裂片 5；花丝细长，伸出花冠筒外；花柱细长，柱头圆盘形。果实具宿存而略增大的萼裂片。花期 8 ~ 9 月，果期 10 ~ 11 月。

| 生境分布 | 生于山地。分布于广东仁化、乳源、乐昌、南雄、平远、龙川、连平、和平、阳山、连州及肇庆（市区）等。

| 资源情况 | 野生资源一般。药材来源于野生。

| 采收加工 | 春、夏、秋季采收，鲜用或切段晒干。

| 功能主治 | 苦，凉。清热解毒，凉血止血。用于湿热痢疾，痈疽疮疖，衄血，咯血，吐血，便血，跌打损伤。

| 用法用量 | 内服煎汤，6~15 g；或鲜品捣汁。外用适量，煎汤洗；或捣敷。

| 凭证标本号 | 440281190814015LY、441823190928010LY、441622200910027LY。

忍冬科 Caprifoliaceae 忍冬属 Lonicera

淡红忍冬 *Lonicera acuminata* Wall.

| **药 材 名** | 金银花（药用部位：花蕾。别名：巴东忍冬）。

| **形态特征** | 落叶或半常绿藤本。叶对生，薄革质至革质，卵圆形、矩圆状披针形至条状披针形。双花在小枝排列成近伞房状花序或单生于小枝上部叶腋；花冠黄白色，有红晕，漏斗状；雄蕊略伸出花冠外。果实蓝黑色，卵圆形；种子椭圆形，两面中部各有一凸起的脊。花期6月，果熟期 10 ～ 11 月。

| **生境分布** | 生于山坡和山谷的林中、林间空旷地或灌丛中。分布于广东乳源等。

| **资源情况** | 野生资源稀少。药材来源于野生。

| **采收加工** | 夏初花开前采收，晒干。

功能主治	甘，寒。清热解毒，疏散风热，凉血止痢。
用法用量	内服煎汤，10 ～ 20 g；或入丸、散剂。外用适量，捣敷。
凭证标本号	M216（IBSC188225）。

忍冬科 Caprifoliaceae 忍冬属 Lonicera

华南忍冬
Lonicera confusa (Sweet) DC.

| **药 材 名** | 金银花（药用部位：花蕾。别名：土忍冬）。

| **形态特征** | 多年生半常绿藤本。叶对生，纸质，卵形至卵状矩圆形，幼时两面有短糙毛，老时上面变无毛。双花腋生于小枝或侧生于短枝顶部集合成具 2 ~ 4 节的短总状花序，有明显的总苞叶；花冠白色，后变黄色。果实黑色，椭圆形。花期 4 ~ 5 月，有时 9 ~ 10 月再次开花，果熟期 10 月。

| **生境分布** | 生于海拔 800 m 以下丘陵地的山坡、杂木林、灌丛中及平原旷野路旁或河边。分布于广东乳源、南雄、新会、台山、徐闻、高州、信宜、博罗、阳春、新兴、郁南、罗定及广州（市区）、深圳（市区）、惠州（市区）、阳江（市区）、云浮（市区）等。

| 资源情况 | 野生资源较丰富，栽培资源较丰富。药材来源于野生和栽培。

| 采收加工 | 夏初花开前采收，晒干。

| 药材性状 | 本品长 1.3 ~ 5 cm，直径 0.5 ~ 2 mm，红棕色或灰棕色，被倒生的短粗毛；萼齿与萼筒均密被灰白色或淡黄色毛；子房有毛。

| 功能主治 | 甘，寒。清热解毒。用于温病发热，热毒血痢，痈肿疔疮等。

| 用法用量 | 内服煎汤，10 ~ 20 g；或入丸、散剂。外用适量，捣敷。

| 凭证标本号 | 441523190918015LY、440783200312003LY、440281190424051LY。

忍冬科 Caprifoliaceae 忍冬属 Lonicera

水忍冬

Lonicera dasystyla Rehd.

| 药 材 名 |

金银花（药用部位：花蕾、花、叶、藤。别名：毛柱金银花）。

| 形态特征 |

藤本，小枝、叶柄和总花梗均密被灰白色微柔毛。幼枝紫红色，老枝茶褐色。叶纸质，对生，卵形或卵状矩圆形，茎下方的叶有时不规则的 3 ~ 5 回羽状中裂。花冠白色，近基部带紫红色，后变淡黄色，外面略被倒生微柔伏毛或无毛。果实黑色。花期 3 ~ 4 月，果熟期 8 ~ 10 月。

| 生境分布 |

生于水边灌丛中。分布于广东肇庆（市区）、广州（市区）、清远（市区）等。

| 资源情况 |

野生资源较少。药材来源于野生。

| 采收加工 |

夏初花开前采收，晒干。

| 功能主治 |

甘、微苦，寒。清热解毒。

| 用法用量 | 内服煎汤，10 ~ 20 g；或入丸、散剂。外用适量，捣敷。

| 凭证标本号 | 441827180407012LY。

锈毛忍冬 *Lonicera ferruginea* Rehd.

| 药 材 名 | 金银花（药用部位：藤茎、花蕾。别名：老虎合藤）。

| 形态特征 | 藤本，幼枝、叶柄、叶两面、叶缘、花序梗、总花梗、花冠外面被黄褐色糙毛。叶对生，厚纸质，矩圆状卵形或卵状长圆形，上面叶

王华锋提供

脉略下陷，下面叶脉凸起。双花 2 ~ 3 对组成小总状花序，腋生于小枝上方，4 ~ 5 小花序在小枝顶部组成小圆锥花序；花冠初时白色，后变黄色，唇形；花丝下半部疏被糙毛；花柱无毛。果实黑色，卵圆形。花期 5 ~ 6 月，果熟期 8 ~ 9 月。

| **生境分布** | 生于山坡疏、密林中和灌丛中。分布于广东从化等。

| **资源情况** | 野生资源稀少。药材来源于野生。

| **采收加工** | 夏初花开前采收，晒干。

| **功能主治** | 藤茎，清热解毒，舒筋通络。花蕾，清热解毒，利尿消炎，祛风除湿。

| **用法用量** | 内服煎汤，6 ~ 15 g。

| **凭证标本号** | 441421180421156LY、440981150811012LY。

王华锋提供

忍冬科 Caprifoliaceae 忍冬属 Lonicera

菰腺忍冬 *Lonicera hypoglauca* Miq.

| 药 材 名 | 金银花（药用部位：花蕾。别名：山银花）。

| 形态特征 | 落叶藤本。叶对生，纸质，卵形至卵状矩圆形，有无柄或具极短柄的黄色至橘红色蘑菇形腺体。双花单生或集生于侧生短枝上，或于小枝顶部集合成总状；花冠白色，有淡红色晕，后变黄色，唇形，常具无柄或有短柄的腺体；雄蕊与花柱无毛。果实成熟时黑色，有时具白粉。花期 4 ~ 6 月，果熟期 10 ~ 11 月。

| 生境分布 | 生于海拔 200 ~ 700 m 的灌丛或疏林中。广东各地均有分布。

| 资源情况 | 野生资源丰富。药材来源于野生。

| 采收加工 | 夏初花开前采收，晒干。

| 药材性状 |　本品长 1 ~ 5 cm，直径 0.8 ~ 2 mm，黄棕色或棕色；萼筒无毛，萼齿被毛；花冠外无毛或花冠筒有少数倒生的微伏毛，无腺毛。

| 功能主治 |　甘，寒。清热解毒。用于温病发热，热毒血痢，痈肿疔疮等。

| 用法用量 |　内服煎汤，10 ~ 20 g；或入丸、散剂。外用适量，捣敷。

| 凭证标本号 |　441422190414049LY、441324180730012LY、441882180409016LY。

忍冬科 Caprifoliaceae 忍冬属 Lonicera

忍冬 *Lonicera japonica* Thunb.

| 药 材 名 | 金银花（药用部位：花蕾。别名：双花）、金银花子（药用部位：果实）、忍冬藤（药用部位：茎枝）。 |

| 形态特征 | 半常绿藤本。叶对生，纸质，卵形至矩圆状卵形，小枝上部的叶通常两面均密被短糙毛。总花梗通常单生于小枝上部叶腋，与叶柄等长或较叶柄稍短，密被短柔毛，并夹杂腺毛；花冠白色，有时基部向阳面呈微红色，后变黄色，唇形；雄蕊和花柱均伸出花冠外。果实圆形，成熟时蓝黑色。花期 4 ~ 6 月，果熟期 10 ~ 11 月。 |

| 生境分布 | 生于山坡疏林中、灌丛中、村寨旁、路边等处。广东各地均有分布。 |

| 资源情况 | 野生资源丰富，栽培资源丰富。药材来源于野生和栽培。 |

| **采收加工** | **金银花：** 5 月中下旬第 1 次采收，6 月中下旬第 2 次采收，花蕾上部膨大尚未开放、呈青白色时采收，晾干或烘干。

| **药材性状** | **金银花：** 本品呈棒状，上粗下细，略弯曲，长 2 ~ 3 cm，上部直径约 3 mm，下部直径约 1.5 mm；表面黄白色或绿白色，密被短柔毛；开放者花冠筒状；雌蕊 1，子房无毛。气清香，味淡、微苦。

| **功能主治** | **金银花：** 甘，寒。清热解毒。用于温病发热，热毒血痢，痈肿疔疮等。
金银花子： 苦、涩、微甘。清肠化湿。用于肠风泄泻，血痢。
忍冬藤： 甘，寒。清热解毒，通络。用于温病发热，疮痈肿毒，热毒血痢，风湿热痹。

| **用法用量** | **金银花：** 内服煎汤，10 ~ 20 g；或入丸、散剂。外用适量，捣敷。脾胃虚寒及气虚疮疡脓清者忌服。
金银花子： 内服煎汤，3 ~ 9 g。脾胃虚寒及气虚疮疡脓清者忌服。
忍冬藤： 内服煎汤，10 ~ 30 g；或入丸、散剂；或浸酒。外用适量，煎汤熏洗；或熬膏贴；或研末调敷。脾胃虚寒及气虚疮疡脓清者忌服。

| **凭证标本号** | 441523190404038LY、441823210410040LY、441284190806378LY。

忍冬科 Caprifoliaceae 忍冬属 Lonicera

长花忍冬 *Lonicera longiflora* (Lindl.) DC.

| 药 材 名 | 金银花（药用部位：花、叶、藤。别名：卷瓣忍冬）。

| 形态特征 | 藤本。叶对生，纸质或薄革质，卵状矩圆形至矩圆状披针形，侧脉 3 ～ 5 对。双花常集生于小枝顶部成疏散的总状花序；总花梗与叶柄等长或较叶柄略长；花冠白色，后变黄色，外面无毛或散生少数开展的长腺毛，或有倒生糙毛，唇形，花冠筒细，唇瓣长约为花冠筒的 1/2。果实成熟时白色。花期 3 ～ 6 月，果熟期 10 月。

| 生境分布 | 生于疏林内或山地路旁向阳处。分布于广东惠阳、龙门及深圳（市区）等。

| 资源情况 | 野生资源较少。药材来源于野生。

| **采收加工** | 花开前采收,晒干。

| **功能主治** | 甘,寒。清热解毒,凉血止痢。

| **用法用量** | 内服煎汤,3 ~ 9 g。外用适量,捣敷。

| **凭证标本号** | M141(NAS196301)、张寿洲等 0146(PE2004036)。

忍冬科 Caprifoliaceae 忍冬属 Lonicera

大花忍冬
Lonicera macrantha (D. Don) Spreng.

| 药 材 名 | 金银花（药用部位：花、藤、叶。别名：山银花）。

| 形态特征 | 半常绿藤本。叶对生，近革质或厚纸质，卵圆形至披针形，边缘有长糙睫毛。双花腋生，常于小枝先端密集成多节的伞房状花序；苞片、小苞片和萼齿均被糙毛和腺毛；花冠白色，后变黄色，外被开展的糙毛、微毛和小腺毛，唇形；雄蕊和花柱均略伸出花冠外，无毛。果实成熟时黑色。花期 4 ~ 5 月，果熟期 7 ~ 8 月。

| 生境分布 | 生于山谷、山坡林中或灌丛中。分布于广东增城、从化、翁源、乳源、乐昌、台山、信宜、广宁、怀集、封开、龙门、平远、连山、饶平及珠海（市区）、阳江（市区）等。

| **资源情况** | 野生资源较丰富。药材来源于野生。 |

| **采收加工** | 夏初花开前采收，晒干。 |

| **功能主治** | 甘、微苦，寒。清热解毒，疏散风热。 |

| **用法用量** | 内服煎汤，6～15 g。 |

| **凭证标本号** | 440224180401003LY、440224180403033LY、441823200722026LY。 |

忍冬科 Caprifoliaceae 忍冬属 Lonicera

灰毡毛忍冬 *Lonicera macranthoides* Hand.-Mazz. [*Lonicera macrantha* (D. Don) Spreng.]

| 药 材 名 | 金银花（药用部位：花蕾。别名：长吊子银花）。

| 形态特征 | 藤本，幼枝或其先端及总花梗有薄绒状短糙伏毛，有时兼具微腺毛。叶对生，革质，卵形，上面无毛，下面被灰白色或带灰黄色的毡毛。花有香味，双花常密集于小枝先端成圆锥状花序；花冠白色，后变黄色；雄蕊生于花冠筒先端。果实黑色，常有蓝白色粉。花期6月中旬至7月上旬，果熟期10～11月。

| 生境分布 | 生于山谷溪流旁、山坡或山顶混交林内、灌丛中。分布于广东乳源、博罗、连州等。

| 资源情况 | 野生资源一般。药材来源于野生。

| **采收加工** | 夏初花开前采收，晒干。

| **功能主治** | 甘、微苦，寒。清热解毒，疏散风热。

| **用法用量** | 内服煎汤，6～15 g。

| **凭证标本号** | 440783190715019LY、441224180615044LY、441827180407038LY。

忍冬科 Caprifoliaceae 忍冬属 Lonicera

短柄忍冬

Lonicera pampaninii Lévl. [*Lonicera acuminata* Wall.]

| **药 材 名** | 金银花（药用部位：花蕾。别名：肚子银花）。

| **形态特征** | 藤本。幼枝和叶柄密被土黄色卷曲的短糙毛。叶对生，有时 3 叶轮生，薄革质，矩圆状披针形。双花数朵集生于幼枝先端或单生于幼枝上部叶腋，芳香；总花梗极短或几无；花冠白色而常带微紫红色，后变黄色，唇形，唇瓣略短于花冠筒。果实圆形，蓝黑色，直径 5 ~ 6 mm。花期 5 ~ 6 月，果熟期 10 ~ 11 月。

| **生境分布** | 生于林下或灌丛中。分布于广东连州、饶平、乐昌、乳源等。

| **资源情况** | 野生资源一般。药材来源于野生。

| **采收加工** | 夏初花开前采收，晒干。

功能主治	甘、微苦，寒。清热解毒。
用法用量	内服煎汤，9 ～ 15 g。外用适量，捣敷；或煎汤洗。
凭证标本号	刘焕光 738（IBSC249241）。

忍冬科 Caprifoliaceae 忍冬属 Lonicera

皱叶忍冬

Lonicera rhytidophylla Hand.-Mazz. [*Lonicera reticulata* Champ.ex Benth]

| 药 材 名 | 金银花（药用部位：花蕾）。

| 形态特征 | 常绿藤本。叶对生，革质，宽椭圆形。双花成腋生小伞房花序，或在枝端组成圆锥状花序；总花梗基部常具苞状小形叶；花冠白色，后变黄色，外面密生紧贴的倒生短糙伏毛，唇形；雄蕊稍伸出花冠外，花丝无毛或内侧有1行稀疏的白毛；花柱伸出，无毛，柱头直径大。果实蓝黑色。花期6～7月，果熟期10～11月。

| 生境分布 | 生于林下、林缘、山坡、河岸及路旁。分布于广东始兴、乳源、新丰、乐昌、新会、高州、信宜、封开、德庆、博罗、龙门、梅县、大埔、丰顺、五华、平远、蕉岭、兴宁、紫金、和平、阳山、连山、英德、连州、罗定及深圳（市区）、河源（市区）等。

| **资源情况** | 野生资源较丰富。药材来源于野生。

| **采收加工** | 花开前采收，晒干。

| **功能主治** | 甘、微苦，寒。清热解毒。

| **用法用量** | 内服煎汤，6～9g。外用适量。

| **凭证标本号** | 441523190615009LY、441622200923044LY、441882180814071LY。

忍冬科 Caprifoliaceae 接骨木属 Sambucus

接骨草
Sambucus chinensis Lindl. [*Sambucus javanica* Reinw.ex Blume]

| **药 材 名** | 陆英（药用部位：茎、叶。别名：走马箭）、陆英果实（药用部位：果实）、陆英根（药用部位：根）。

| **形态特征** | 高大草本或半灌木，高达 2 m。茎有棱条，髓部白色。羽状复叶，对生；小叶 2 ~ 3 对，互生或对生，狭卵形，近基部或中部以下边缘常有 1 或数枚腺齿。复伞形花序顶生；花冠白色，仅基部连合；花药黄色或紫色；子房 3 室，花柱极短或几无，柱头 3 裂。果实红色，近圆形。花期 4 ~ 5 月，果熟期 8 ~ 9 月。

| **生境分布** | 生于海拔 300 ~ 1 900 m 的山坡、林下、沟边和草丛中。广东各地均有分布。

| **资源情况** | 野生资源丰富。药材来源于野生和栽培。

| **采收加工** | **陆英**：夏、秋季采收，切段，鲜用或晒干。
陆英果实：9 ~ 10 月采收，鲜用。

陆英根：秋后采收，鲜用或切片晒干。

| **药材性状** | **陆英**：本品茎具细纵棱，呈类圆柱形，粗壮，多分枝，直径约 1 cm。表面灰色至灰黑色。质脆，易断，断面可见淡棕色或白色髓部。

| **功能主治** | **陆英**：甘、微苦。祛风，利湿，舒筋，活血。用于风湿痹痛，腰腿疼痛，水肿，黄疸，跌打损伤，恶露不净，风疹瘙痒，丹毒，疮肿。

陆英果实：用于蚀疣。

陆英根：祛风，利湿，活血，散瘀，止血。用于风湿头痛，头风，腰腿疼痛，水肿，淋证，带下，跌打损伤，骨折。

| **用法用量** | **陆英、陆英果实、陆英根**：内服煎汤，15 ~ 30 g；或入丸、散剂。外用适量，捣敷；或煎汤熏洗；或研末撒。

| **凭证标本号** | 441825190801041LY、440882180512008LY、440281190813031LY。

忍冬科 Caprifoliaceae 接骨木属 Sambucus

接骨木 *Sambucus williamsii* Hance

| **药 材 名** | 接骨木（药用部位：茎枝。别名：大婆参）、接骨木叶（药用部位：叶）、接骨木花（药用部位：花）、接骨木根（药用部位：根或根皮）。 |

| **形态特征** | 落叶灌木或小乔木。老枝淡红褐色，具明显的长椭圆形皮孔。奇数羽状复叶，对生；小叶 2 ～ 5 对，有时基部或中部以下具 1 至数枚腺齿。圆锥形聚伞花序顶生；花冠在蕾时带粉红色，花开后白色或淡黄色；雄蕊与花冠裂片等长；柱头 3 裂。果实红色，极少紫黑色。花期 4 ～ 5 月，果熟期 9 ～ 10 月。 |

| **生境分布** | 生于海拔 540 ～ 1 600 m 的山坡、灌丛、沟边、路旁、宅边等地。分布于广东乳源、乐昌等。 |

唐明提供

| 资源情况 | 野生资源较少。药材来源于野生。

| 采收加工 | 接骨木：5 ~ 7 月采收，鲜用或晒干。

接骨木叶：春、夏季采收，鲜用或晒干。

接骨木花：4 ~ 5 月采收，除去杂质，晒干。

接骨木根：9 ~ 10 月采挖，洗净，切片，鲜用或晒干。

| 药材性状 | 接骨木：本品呈圆柱形，长短不等，表面绿褐色，有纵条纹及棕黑色点状凸起的皮孔，有的皮孔呈长椭圆形，皮部剥离后呈浅绿色至浅黄棕色。体轻，质硬。

| 功能主治 | 接骨木：甘、苦，平。祛风利湿，活血，止血。用于风湿痹痛，痛风，大骨节病，肾炎，风疹，跌打损伤，骨折肿痛，外伤出血。

接骨木叶：辛、苦，平。活血，舒筋，止痛，利湿。用于跌打骨折，筋骨疼痛，风湿疼痛，痛风，脚气，烫火伤。

接木骨花：发汗利尿。用于感冒，小便不利。

接木骨根：辛、苦。祛风除湿，活血舒筋，利尿消肿。用于风湿疼痛，痰饮，黄疸，跌打瘀痛，骨折肿痛，肾炎，烫伤。

| 用法用量 | 接骨木：内服煎汤，15 ~ 30 g；或入丸、散剂。外用适量，捣敷；或煎汤熏洗；或研末撒。

接木骨叶：内服煎汤，6 ~ 9 g；或浸酒。外用适量，捣敷；或煎汤熏洗；或研末调敷。

接骨木花：内服煎汤，4.5 ~ 9 g；或代茶饮。

接木骨根：内服煎汤，15 ~ 30 g。外用适量，捣敷；或研末撒或调敷。

| 凭证标本号 | 441882190616026LY。

李仁坤提供

忍冬科 Caprifoliaceae 荚蒾属 Viburnum

水红木

Viburnum cylindricum Buch.-Ham. ex D. Don

| **药 材 名** | 水红木根（药用部位：根）、水红木叶（药用部位：叶、树皮。别名：吊白叶、炒面叶）、水红木花（药用部位：花）。

| **形态特征** | 常绿灌木或小乔木，高 8 ~ 15 m。枝散生小皮孔，冬芽有 1 对鳞片。叶对生，革质，椭圆形，下面散生微小腺点，近基部两侧各有 1 至数个腺体。聚伞花序连同花萼和花冠有时被微细鳞腺；花冠白色或有红晕，钟状。果实卵圆形，红色，后变蓝黑色。花期 6 ~ 10 月，果熟期 10 ~ 12 月。

| **生境分布** | 生于海拔 500 ~ 1 900 m 的阳坡疏林或灌丛中。分布于广东曲江、乳源、乐昌、南海、新会、博罗及广州（市区）等。

| **资源情况** | 野生资源一般。药材来源于野生。

| 采收加工 | 水红木根：全年均可采挖，洗净，鲜用或切段晒干。
水红木叶：全年均可采收叶，春、夏季采剥树皮，鲜用或晒干。
水红木花：夏季采摘，阴干。

| 功能主治 | 水红木根：苦，寒。祛风除湿，活血通络，解毒。用于风湿痹痛，胃痛，肝炎，小儿肺炎，支气管炎，尿路感染，跌打损伤。
水红木叶：苦、涩，凉。利湿解毒，活血。用于赤白痢，泄泻，疝气，痛经，跌打损伤，尿路感染，痈肿疮毒，皮癣，口腔炎，烫火伤。
水红木花：润肺止咳。用于咳嗽。

| 用法用量 | 水红木根：内服煎汤，15 ～ 30 g；或浸酒。
水红木叶：内服煎汤，15 ～ 30 g。外用适量，鲜品捣敷；或研末调敷；或煎汤洗。
水红木花：内服煎汤，9 ～ 15 g。

| 凭证标本号 | 陈邦余等 2737（ISBC620979）、王英强 867（IBSC619985）。

忍冬科 Caprifoliaceae 荚蒾属 Viburnum

荚蒾
Viburnum dilatatum Thunb.

| **药 材 名** | 荚蒾（药用部位：茎、叶。别名：酸汤杆）、荚蒾根（药用部位：根）。

| **形态特征** | 落叶灌木。树皮灰褐色；冬芽由 2 对鳞片包被；嫩枝被星状毛。叶对生，纸质，宽倒卵形，脉腋生簇状毛，近基部两侧有少数腺体，侧脉 6 ~ 8 对。复伞形聚伞花序稠密，生于具 1 对叶的短枝顶部；花冠白色，辐状；雄蕊明显伸出花冠外，花药小，乳白色，宽椭圆形；花柱高出萼齿，柱头 3 裂。果实红色，椭圆状卵圆形，果核扁，卵形，有 3 浅腹沟和 2 浅背沟。花期 5 ~ 6 月，果熟期 9 ~ 11 月。

| **生境分布** | 生于海拔 100 ~ 1 000 m 的山坡或山谷疏林下、林缘及山脚灌丛中。分布于广东仁化、乳源、乐昌、博罗、龙门、丰顺、五华、阳山、连山、连州、信宜及河源（市区）等。

资源情况	野生资源丰富。药材来源于野生。

采收加工	荚蒾：春、夏季采收，鲜用或切段晒干。
	荚蒾根：夏、秋季采挖，洗净，切段，晒干。

功能主治	荚蒾：酸，微寒。清热解毒，疏风解表，活血。用于风热感冒，疔疮发热，产后伤风，跌打骨折。
	荚蒾根：辛、涩，微寒。祛瘀消肿，解毒。用于跌打损伤，牙痛，淋巴结炎。

用法用量	荚蒾：内服煎汤，9 ~ 30 g。外用适量，鲜品捣敷；或煎汤洗。
	荚蒾根：内服煎汤，15 ~ 30 g。

凭证标本号	441422190316428LY、441882180412017LY、440785180507019LY。

忍冬科 Caprifoliaceae 荚蒾属 Viburnum

宜昌荚蒾
Viburnum erosum Thunb.

| **药 材 名** | 宜昌荚蒾（药用部位：根。别名：糯米条荚蒾）。

| **形态特征** | 落叶灌木，高达 3 m。幼枝密被星状毛和柔毛；冬芽小而有毛，具 2 对外鳞片。叶对生，纸质，卵状披针形，长 3.5 ~ 7 cm，宽 1.5 ~ 5 cm，边缘有尖齿，叶面粗糙，上面疏生有疣基的叉毛，近基部两侧有少数腺体，侧脉 7 ~ 14 对，基部有 2 宿存小托叶。复伞形聚伞花序生于具 1 对叶的侧生短枝顶部；花冠白色，辐状；雄蕊略短于至长于花冠，花药黄白色，近圆形；花柱高出萼齿。果实红色，果核扁，具 3 浅腹沟和 2 浅背沟。花期 4 ~ 5 月，果熟期 8 ~ 10 月。

| **生境分布** | 生于海拔 300 ~ 1 900 m 的山坡林下或灌丛中。分布于广东始兴、仁化、翁源、乳源、乐昌、龙门、和平、连山、连州等。

资源情况	野生资源一般。药材来源于野生。
药材性状	本品花冠辐状，裂片圆卵形。
功能主治	涩，平。祛风，除湿。用于风湿痹痛。
用法用量	内服煎汤，6～9g。
凭证标本号	441882180505034LY。

忍冬科 Caprifoliaceae 荚蒾属 Viburnum

南方荚蒾 *Viburnum fordiae* Hance

| **药 材 名** | 南方荚蒾（药用部位：根、茎、叶。别名：酸汤泡）。

| **形态特征** | 灌木或小乔木，高可达 5 m。幼枝、芽、叶柄、花序、花萼和花冠外面均被暗黄色或黄褐色簇状毛。叶对生，纸质，宽卵形或菱状卵形，侧脉 5 ~ 9 对，各级脉上具簇状绒毛，无托叶。复伞形聚伞花序顶生或生于具 1 对叶的侧生小枝顶部；花冠白色，辐状，裂片卵形；雄蕊与花冠等长或较花冠略长；花柱高出萼齿。果实红色，卵圆形，果核扁，长约 6 mm，直径约 4 mm，有 2 腹沟和 1 背沟。花期 4 ~ 5 月，果熟期 10 ~ 11 月。

| **生境分布** | 生于海拔 200 ~ 1 300 m 的山谷溪涧旁疏林、山坡灌丛或平原旷野。广东各地均有分布。

| 资源情况 | 野生资源丰富。药材来源于野生。 |

| 采收加工 | 根，全年均可采收，洗净，切段或片，晒干。茎、叶，秋季采收，鲜用或切段晒干。 |

| 功能主治 | 苦、涩，凉。疏风解表，活血散瘀，清热解毒。用于感冒，发热，月经不调，风湿痹痛，跌打损伤，淋巴结炎，疮疖湿疹。 |

| 用法用量 | 内服煎汤，6 ~ 15 g；或浸酒。外用适量，捣敷；或煎汤洗。 |

| 凭证标本号 | 441523190403014LY、441825191002044LY、440783200328025LY。 |

忍冬科 Caprifoliaceae 荚蒾属 Viburnum

淡黄荚蒾 *Viburnum lutescens* Bl.

| 药 材 名 | 罗盖叶（药用部位：叶。别名：黄荚蒾）。

| 形态特征 | 常绿灌木。枝浅褐色或深褐色。叶对生，宽椭圆形至长圆形，长 6 ~ 12 cm，宽 2.5 ~ 6 cm，先端短渐尖，基部狭窄而多少下延，边缘除基部外有粗大的钝锯齿，侧脉连同中脉在下面凸起。聚伞花序复伞状，被星状毛；花冠白色，辐状，直径约 5 mm，裂片宽卵形，与花冠筒近等长；雄蕊 5，稍高于花冠。核果宽椭圆形，红色，后变黑色，果核扁，有 2 背沟和 1 腹沟。花期 2 ~ 4 月，果熟期 10 ~ 12 月。

| 生境分布 | 生于海拔 180 ~ 1 000 m 的灌丛中、山谷林中以及河边冲积沙地上。分布于广东翁源、高州、信宜、怀集、封开、德庆、高要、英德、新兴等。

| **资源情况** | 野生资源丰富。药材来源于野生。

| **采收加工** | 全年均可采收，鲜用或切段晒干。

| **功能主治** | 辛，温。活血，除湿。用于跌打肿痛，风湿痹痛。

| **用法用量** | 内服煎汤，3 ~ 9 g。外用适量，捣敷。

| **凭证标本号** | 441523200105047LY、441422210225688LY、441225181123014LY。

忍冬科 Caprifoliaceae 荚蒾属 Viburnum

吕宋荚蒾 Viburnum luzonicum Rolfe

| **药 材 名** | 牛伴木（药用部位：茎、叶。别名：果绿勒）。

| **形态特征** | 落叶灌木。幼枝、芽、叶柄、花序及花萼均被黄褐色簇状毛。叶对生，纸质，椭圆状卵形、卵形至宽卵形，上面暗绿色，侧脉 5 ~ 9 对，无托叶。复伞形聚伞花序常生于具 1 对叶的侧生短枝顶部或顶生；总花梗通常极短或几无；花冠白色，辐状，外被簇状短毛，蕾时圆球形，裂片卵形，较花冠筒长；柱头不明显 3 裂。果实红色，卵圆形，果核甚扁，宽卵形，有 2 浅腹沟和 3 浅背沟。花期 4 月，果熟期 10 ~ 12 月。

| **生境分布** | 生于海拔 100 ~ 700 m 的开阔路边、山谷溪边疏林中、山坡灌丛中。分布于广东曲江、德庆、高要、博罗、梅县、大埔、丰顺、蕉岭、

和平、英德、饶平、罗定等。

| **资源情况** | 野生资源较丰富。药材来源于野生。

| **采收加工** | 全年均可采收，鲜用或切段晒干。

| **功能主治** | 辛，温。祛风除湿，活血。用于风湿痹痛，跌打损伤。

| **用法用量** | 内服煎汤，3 ~ 9 g。外用适量，捣敷。

| **凭证标本号** | 441882180814074LY。

忍冬科 Caprifoliaceae 荚蒾属 Viburnum

琼花

Viburnum macrocephalum Fort. f. *keteleeri* (Carr.) Rehd.

| **药 材 名** | 木绣球茎（药用部位：茎。别名：扬州琼花）。

| **形态特征** | 落叶或半常绿灌木。树皮灰褐色或灰白色。芽、幼枝、叶柄及花序均密被灰白色或黄白色簇状短毛，后渐无毛。叶对生，纸质，卵形至椭圆形或卵状矩圆形，边缘有细齿，下面疏生星状毛。聚伞花序直径 3 ～ 4.2 cm，仅周围具大型的不孕花；花冠白色，辐状，裂片倒卵形或近圆形，先端常凹缺，花冠筒甚短；花药小，近圆形，雌蕊不育。果实红色，后变黑色，椭圆形，果核扁，矩圆形至宽椭圆形，有 2 浅背沟和 3 浅腹沟。花期 4 月，果熟期 9 ～ 10 月。

| **生境分布** | 生于湿润、肥沃、排水良好的砂壤土中。分布于广东乐昌等。

| **资源情况** | 野生资源较少。药材来源于野生。

| **采收加工** | 全年均可采收，鲜用或晒干。

| **功能主治** | 苦，凉。燥湿止痒。用于疥癣，湿疹瘙痒。

| **用法用量** | 外用适量，煎汤熏洗。

| **凭证标本号** | 南岭队 3998（ISBC0492691）。

珊瑚树

Viburnum odoratissimum Ker.-Gawl.

| **药 材 名** | 早禾树（药用部位：叶、树皮、根。别名：雷片木）。

| **形态特征** | 常绿灌木或小乔木，高达 10 cm。树皮灰色或灰褐色；枝有凸起的小瘤状皮孔。叶对生，革质，椭圆形、长圆形或长圆状倒卵形至倒卵形，长 7 ~ 20 cm，宽 4 ~ 9 cm，边缘自基部 1/3 以上疏生尖锯齿，有时近全缘，侧脉 5 ~ 6 对。圆锥花序顶生或生于侧生短枝上，无毛或散生簇状毛；花冠白色，后变黄白色，有时微红色，辐状。果实红色，后变黑色，卵圆形或卵状椭圆形，果核椭圆形，扁，有 1 深腹沟。花期 4 ~ 5 月，果熟期 7 ~ 9 月。

| **生境分布** | 生于海拔 600 ~ 1 900 m 的肥沃的山谷密林或山坡灌丛中。广东各

地均有分布。

| **资源情况** | 野生资源丰富。药材来源于野生。

| **采收加工** | 叶，春、夏季采收，鲜用。树皮，春、夏季采收，鲜用或切段晒干。根，全年均可采收，鲜用或切段晒干。

| **功能主治** | 辛，温。祛风除湿，通经活络。用于感冒，风湿痹痛，跌打肿痛，骨折。

| **用法用量** | 内服煎汤，根 9 ～ 15 g，树皮 30 ～ 60 g。外用适量，叶捣敷。

| **凭证标本号** | 441523190405007LY、440783200328007LY、440781190515038LY。

忍冬科 Caprifoliaceae 荚蒾属 Viburnum

蝴蝶戏珠花 *Viburnum plicatum* f. *tomentosum* (Miq.) Rehder

| **药 材 名** | 蝴蝶树（药用部位：根、茎。别名：苦酸汤）。

| **形态特征** | 落叶灌木。当年生小枝浅黄褐色。叶较狭，宽卵形，侧脉 10 ～ 17 对。花序外围有 4 ～ 6 白色大型的不孕花，不孕花具长花梗，花冠直径可达 4 cm，不整齐地 4 ～ 5 裂；花序中央具可孕花，可孕花花冠辐状；萼筒长约 1.5 cm，5 萼齿微小；花冠淡黄色。果实红色，后变黑色，宽卵圆形或倒卵圆形，果核扁，两端钝，有一上宽下窄的腹沟，背面中下部有一短的隆起的脊。花期 4 ～ 5 月，果熟期 8 ～ 9 月。

| **生境分布** | 生于海拔 600 ～ 1 800 m 的山坡、山谷林中。分布于广东乳源等。

| **资源情况** | 野生资源稀少。药材来源于野生。

| **采收加工** | 全年均可采收，切片，晒干。

| **功能主治** | 酸、辛、苦，平。清热解毒，健脾消积，祛风止痛。用于疮毒，淋巴结炎，疳积，风热感冒，风湿痹痛。

| **用法用量** | 内服煎汤，3 ～ 9 g。外用适量，烧存性，研末调敷。

| **凭证标本号** | 郭素白 80353（IBSC107945）。

忍冬科 Caprifoliaceae 荚蒾属 Viburnum

球核荚蒾 *Viburnum propinquum* Hemsl.

| 药 材 名 | 六股筋（药用部位：叶、根。别名：仙人茶）。

| 形态特征 | 常绿灌木，高达 2 m，全体无毛。当年生小枝红褐色，具凸起的皮孔，二年生小枝灰色。叶对生，革质，卵形至卵状披针形或椭圆形至椭圆状长圆形，长 4 ~ 10 cm，宽 2.5 ~ 4.5 cm，具离基三出脉；叶柄纤细。聚伞花序；总花梗纤细；花冠绿白色，辐状，裂片宽卵形，与花冠筒近等长；雄蕊常稍高出花冠。果实蓝黑色，近圆形或卵圆形，果核有一极细的浅腹沟或无沟。花期 4 ~ 5 月，果熟期 9 ~ 10 月。

| 生境分布 | 生于海拔 500 ~ 1 300 m 的山谷林中或灌丛中。分布于广东乳源、连州、乐昌及广州（市区）等。

| 资源情况 | 野生资源一般。药材来源于野生。

| 采收加工 | 春、夏季采收叶，全年均可采收根，鲜用或晒干。

| 功能主治 | 辛、苦，温。散瘀止血，续筋接骨。用于跌打损伤，筋伤骨折，外伤出血。

| 用法用量 | 外用适量，研末撒；或研末调敷；或鲜品捣敷。

| 凭证标本号 | 高锡朋 52743（ISBC52963）。

易咏梅提供

易咏梅提供

忍冬科 Caprifoliaceae 荚蒾属 Viburnum

常绿荚蒾 *Viburnum sempervirens* K. Koch

| 药 材 名 | 白花坚荚树（药用部位：叶。别名：坚荚树）。

| 形态特征 | 常绿灌木，高达 4 m。树皮褐色；当年生枝条淡黄色或灰褐色，四角状，二年生枝条紫褐色或灰褐色，近圆柱状。叶对生，革质，椭圆形至椭圆状卵形，有时长圆形或倒披针形；叶柄无毛或散生簇状毛。复伞形聚伞花序顶生，有红褐色腺点；总花梗四角状或几无；花冠白色，辐状，裂片近圆形，与花冠筒近等长。果实红色，卵圆形，果核圆形，腹面深凹陷，背面凸起。花期 5 月，果熟期 10 ~ 12 月。

| 生境分布 | 生于海拔 100 ~ 1 800 m 的溪涧旁、山谷密林、疏林及丘陵山地灌丛中。分布于广东曲江、仁化、翁源、乳源、乐昌、南雄、封开、高要、博罗、龙门、梅县、丰顺、大埔、海丰、紫金、连平、阳春、

连山、连州、英德及东莞、广州（市区）、深圳（市区）、肇庆（市区）、河源（市区）、阳江（市区）、清远（市区）等。

| 资源情况 | 野生资源较丰富。药材来源于野生。

| 采收加工 | 春、夏季采收，洗净，晒干或鲜用。

| 功能主治 | 苦、寒。活血散瘀，续伤止痛。用于跌打损伤，瘀血肿痛。

| 用法用量 | 内服煎汤，3 ~ 10 g。外用适量，捣敷。

| 凭证标本号 | 441523190404009LY、441622190531001LY、440781190518012LY。

忍冬科 Caprifoliaceae 荚蒾属 *Viburnum*

茶荚蒾 *Viburnum setigerum* Hance

| 药 材 名 | 鸡公柴（药用部位：根。别名：饭汤子）。

| 形态特征 | 落叶灌木，高达 4 m。芽及叶干后变黑色或灰褐色；当年生小枝淡黄色，后变灰褐色；冬芽长通常不及 5 mm。叶对生，纸质，卵状长圆形至卵状披针形，长 7 ~ 12 cm，宽 3.5 ~ 7 cm，侧脉 6 ~ 8 对。复伞形聚伞花序无毛或稍被长伏毛，有极小的红褐色腺点，常弯垂；花冠白色，辐状；雄蕊与花冠几等长。果序弯垂；果实红色，卵圆形，果核扁，长 8 ~ 10 cm，凹凸不平。花期 4 ~ 5 月，果熟期 9 ~ 10 月。

| 生境分布 | 生于海拔 200 ~ 1 650 m 的山谷溪涧旁疏林中或山坡灌丛中。分布于广东曲江、乳源、乐昌等。

| **资源情况** | 野生资源较少。药材来源于野生。

| **采收加工** | 秋后采挖，洗净，切片，晒干。

| **功能主治** | 微苦，平。清热利湿，活血化瘀。用于淋浊，肺痈，经闭。

| **用法用量** | 内服煎汤，15 ~ 30 g。

| **凭证标本号** | 440281200706009LY、441825191002011LY。

忍冬科 Caprifoliaceae 锦带花属 *Weigela*

半边月

Weigela japonica Thunb. var. *sinica* (Rehd.) Bailey

| 药 材 名 | 水马桑（药用部位：根。别名：铃钟花）。

| 形态特征 | 落叶灌木，高达 6 m。叶对生，长卵形；叶柄有柔毛。单花或具 3 花的聚伞花序生于短枝叶腋或先端；花冠白色或淡红色，花开后逐渐变红色，漏斗状钟形，花冠筒基部呈狭筒形，中部以上突然扩大，裂片开展，近整齐。果实先端有短柄状喙；种子具狭翅。花期 4 ~ 5 月。

| 生境分布 | 生于海拔 450 ~ 1 800 m 的山坡林下、山顶灌丛和沟边等地。分布于广东连山、连州等。

| 资源情况 | 野生资源较少。药材来源于野生。

| 采收加工 | 秋、冬季采挖，洗净，切片，晒干。

| 功能主治 | 甘，平。益气健脾。用于气虚食少，消化不良。

| 用法用量 | 内服煎汤，9 ～ 15 g；或炖鸡蛋或猪肉。

| 凭证标本号 | 谭沛祥 60095（PE757966）。

败酱科 Valerianaceae 败酱属 Patrinia

败酱

Patrinia scabiosaefolia Fisch. ex Trev.

| **药 材 名** | 败酱草（药用部位：全草。别名：黄花龙芽、黄花败酱）。

| **形态特征** | 多年生草本。高 70 ～ 130 cm。地下根茎细长，有特殊臭气。基生叶丛生，茎生叶对生。聚伞状圆锥花序集成疏而大的伞房状花序；花萼短，萼齿 5，不明显；花冠黄色，上部 5 裂；雄蕊 4；子房 3 室，1 室发育。瘦果长椭圆形，边缘稍扁，由背部向两侧延展成窄翅状。花期 7 ～ 9 月，果期 9 ～ 10 月。

| **生境分布** | 生于山坡林下、林缘、灌丛中、路边、田埂边的草丛中。分布于广东仁化、翁源、乳源、乐昌、始兴、怀集、封开、博罗、大埔、五华、连平、和平、龙川、紫金、阳山、连山、连州、英德、连南及云浮（市

区）、广州（市区）等。

| **资源情况** | 野生资源较丰富。药材来源于野生和栽培。

| **采收加工** | 野生者夏、秋季采收，栽培者当年花开前采收，洗净，晒干。

| **药材性状** | 本品根茎圆柱形，紫棕色或暗棕色；断面纤维性，中央木心棕色。根长圆锥形或长圆柱形，表面有纵纹，断面黄白色。茎圆柱形。叶对生，多卷缩或破碎。小花黄色。瘦果长椭圆形，无膜质翅状苞片。气特异，味微苦。

| **功能主治** | 苦、辛，凉。清热利湿，解毒排脓，活血祛瘀。用于肠痈，肺痈，痈肿，痢疾，产后瘀滞腹痛。

| **用法用量** | 内服煎汤，9 ~ 15 g。外用适量，鲜品捣敷。

| **附　　注** | 本种和攀倒甑 *Patrinia villosa* (Thunb.) Juss. 均为败酱草的基原。

| **凭证标本号** | 陈少卿 5654（IBSC）。

败酱科 Valerianaceae 败酱属 Patrinia

攀倒甑

Patrinia villosa (Thunb.) Juss.

| 植物别名 |

白花败酱。

| 药 材 名 |

败酱草（药用部位：全草。别名：苦斋、苦菜）。

| 形态特征 |

多年生草本。高 50 ~ 100 cm。根茎有臭味。茎枝被粗白毛，后毛渐脱落。基生叶丛生，叶片卵形、菱状卵形或窄椭圆形。聚伞圆锥花序；花萼小，萼齿 5，不明显；花冠白色，先端 5 裂；雄蕊 4，伸出；子房下位，花柱稍短于雄蕊。瘦果倒卵形，与宿存苞片贴生；苞片近圆形，膜质，网脉明显。花期 8 ~ 10 月，果期 9 ~ 11 月。

| 生境分布 |

生于山地林下、林缘或灌丛、草丛中。分布于广东和平、连平、紫金、博罗、信宜、丰顺、五华、佛冈、连南、连州、阳山、英德、乐昌、南雄、仁化、乳源、始兴、翁源、新丰、封开、广宁、怀集及广州（市区）、清远（市区）、肇庆（市区）、东莞、中山等。

| **资源情况** | 野生资源丰富。药材来源于野生。 |

| **采收加工** | 野生者夏、秋季采收，栽培者当年花开前采收，洗净，晒干。 |

| **药材性状** | 本品根茎短，长约 10 cm，有的具细长的匍匐茎，断面无棕色木心。茎光滑，直径达 1.1 cm。完整叶卵形或长椭圆形，不裂或基部具 1 对小裂片。花白色；苞片膜质，多具 2 主脉。 |

| **功能主治** | 苦、辛，凉。清热利湿，解毒排脓，活血祛瘀。用于肠痈，肺痈，痈肿，痢疾，产后瘀滞腹痛。 |

| **用法用量** | 内服煎汤，10 ~ 15 g。外用适量，鲜品捣敷。 |

| **凭证标本号** | 441825191002027LY、440224181114030LY、441823190117021LY。 |

| **附　注** | 本种与败酱 *Patrinia scabiosaefolia* Fisch. ex Trev. 均为败酱草的基原。 |

菊科 Asteraceae 金钮扣属 Acmella

金钮扣 Acmella paniculata (Wall. ex DC.) R. K. Jansen [Spilanthes paniculata Wall. ex DC.]

| **药 材 名** | 天文草（药用部位：全草。别名：雨伞草、散血草）。

| **形态特征** | 一年生草本。茎直立，带紫红色，有明显的纵纹；茎枝被短柔毛或近无毛。叶具波状钝齿，两面无毛或近无毛，叶卵形、宽卵圆形或椭圆形，基部宽楔形或圆。头状花序单生或呈圆锥状排列；总苞卵钟形；总苞片约8，先端钝或稍尖；托片膜质，倒卵形；舌状花少数，黄色；管状花稍多数。瘦果长形，暗褐色，基部缩小，有白色软骨质边缘，上端稍厚。花果期4～11月。

| **生境分布** | 生于海拔800～1900 m的田边、溪旁潮湿处及林缘等。分布于广东和平、东源、紫金、佛冈、阳山、英德、从化、惠东、信宜、丰顺、

五华、乐昌、翁源、郁南及深圳（市区）、茂名（市区）等。

| 资源情况 | 野生资源较丰富。药材来源于野生。

| 采收加工 | 春、夏季采收，洗净，鲜用或切段晒干。

| 药材性状 | 本品根细长而弯曲。茎呈近圆柱形，具纵条纹；断面中部有髓。叶皱缩，展平后呈卵形、宽卵圆形或椭圆形，先端短尖或稍钝，基部宽楔形至圆形，叶缘具波状钝锯齿。头状花序黄色，呈圆锥形或卵圆形。气微，味辛、苦。

| 功能主治 | 辛、苦，微温；有小毒。解毒利湿，止咳定喘，消肿止痛。用于疟疾，牙痛，肠炎，痢疾，咳嗽，哮喘，百日咳，肺结核；外用于毒蛇咬伤，狗咬伤，痈疖肿毒。

| 用法用量 | 内服煎汤，5 ~ 15 g；或研末，1 ~ 1.5 g；或浸酒。

| 凭证标本号 | 440825150902009LY。

| 附　　注 | 《广东省中药材标准·第一册》（2004 年版）收载的"金钮扣"为茄科植物水茄 *Solanum torvum* Swarts 的茎、根，应予以区分。

菊科 Asteraceae 和尚菜属 Adenocaulon

和尚菜
Adenocaulon himalaicum Edgew.

| 药 材 名 | 腺梗菜（药用部位：全草。别名：土冬花）。

| 形态特征 | 根茎匍匐，直径 1 ～ 1.5 cm，自节上生出多数的纤维根。茎直立，高 30 ～ 100 cm。根生叶或下部的茎生叶花期凋落。头状花序排成狭或宽大的圆锥状花序；花梗短，被白色绒毛，花后伸长，长 2 ～ 6 cm，密被稠密的头状具柄腺毛；总苞半球形，总苞片 5 ～ 7，宽卵形，全缘，果期向外反曲。瘦果棍棒状，被多数头状的具柄腺毛。花果期 4 ～ 6 月。

| 生境分布 | 生于河岸、湖旁、峡谷、阴湿密林下、干燥山坡。分布于广东乳源等。

| 资源情况 | 野生资源较少。药材来源于野生。

| 采收加工 | 夏、秋季采收，晒干或鲜用。

| 功能主治 | 辛、苦，温。宣肺平喘，利水消肿，散瘀止痛。用于咳嗽气喘，水肿，小便不利，产后瘀血腹痛，跌打损伤。

| 用法用量 | 内服煎汤，9 ~ 15 g。外用适量，鲜品捣敷。

菊科 Asteraceae 下田菊属 Adenostemma

下田菊

Adenostemma lavenia (L.) O. Kuntze

药材名

风气草（药用部位：全草。别名：白龙须、水胡椒、见肿消）。

形态特征

一年生草本。高 30 ～ 100 cm。茎直立，基部稍平卧，着地生根。叶对生；叶片广卵形或卵状椭圆形，基部楔形，有柄，边缘有粗锯齿，叶面略有皱纹，具疏毛。头状花序小，少数，稀多数在假轴分枝先端排列成松散的伞房状或伞房圆锥状花序。瘦果倒披针形，全体具腺点或细瘤；先端有 3 ～ 4 短而硬的刺毛状冠毛，冠毛的先端有腺体分泌物。花果期 8 ～ 10 月。

生境分布

生于林下、林缘、河边阴湿地、水旁以及灌丛中。分布于广东乳源、翁源、仁化、乐昌、和平、连平、大埔、龙门、博罗、从化、连山、阳山、连州、英德、封开、怀集、高要、阳春、郁南、新兴、罗定、信宜及深圳（市区）、珠海（市区）等。

资源情况

野生资源丰富。药材来源于野生。

| **采收加工** | 夏、秋季采收，洗净，晒干或鲜用。

| **功能主治** | 苦，寒。归肺、肝、胃经。清热解毒，祛风除湿。用于感冒发热，黄疸性肝炎，肺热咳嗽，咽喉肿痛，风湿热痹，乳痈，痈肿疮疖，毒蛇咬伤。

| **用法用量** | 内服煎汤，9 ~ 15 g。外用适量，鲜品捣敷。

菊科 Asteraceae 藿香蓟属 Ageratum

藿香蓟 *Ageratum conyzoides* L.

| 药 材 名 | 白花臭草（药用部位：全草。别名：胜红蓟、白花草、七星菊）。

| 形态特征 | 一年生草本。高 50 ~ 100 cm。茎粗壮，全部茎枝淡红色。叶对生，叶基部钝或宽楔形，基出脉 3 或不明显五出脉，先端急尖，边缘具圆锯齿。头状花序 4 ~ 18 在茎顶排成紧密的伞房状花序，少有排成松散伞房花序状的；花梗被尘状短柔毛；总苞钟状或半球形，总苞片 2 层；花冠淡紫色。瘦果黑褐色，具 5 棱，有白色的稀疏细柔毛。花果期全年。

| 生境分布 | 生于山谷、山坡林下、林缘、河边、山坡草地、田边或荒地上。广东各地均有分布。

| **资源情况** | 野生资源丰富。药材来源于野生。 |

| **采收加工** | 夏、秋季采收，洗净，鲜用或晒干。 |

| **功能主治** | 辛、微苦，凉。清热解毒，止血，止痛。用于感冒发热，咽喉肿痛，口舌生疮，咯血，衄血，崩漏，脘腹疼痛，风湿麻痹，跌打损伤，外伤出血，痈肿疮毒，湿疹瘙痒。 |

| **用法用量** | 内服煎汤，15 ~ 30 g。外用适量，鲜品捣敷；或干品研末撒敷；或绞汁滴耳；或煎汤洗。 |

菊科 Asteraceae 藿香蓟属 Ageratum

熊耳草

Ageratum houstonianum Miller

| 药 材 名 |

心叶藿香蓟（药用部位：全草。别名：紫花藿香蓟）。

| 形态特征 |

一年生草本。高 30 ~ 70 cm，全株均被柔毛。茎直立或下部茎枝平卧而节生不定根。叶对生或上部的叶近互生，卵形或三角状卵形；中部茎生叶长 2 ~ 6 cm；叶柄长 0.7 ~ 3 cm，边缘有规则的圆锯齿。头状花序在茎枝先端排成伞房或复伞房花序；总苞钟状，直径 6 ~ 7 mm，苞片 2 层，狭披针形，全缘；花冠淡紫色，5 裂。瘦果黑色。花果期全年。

| 生境分布 |

生于温暖且阳光充足的环境中。分布于广东平远、台山及广州（市区）、肇庆（市区）等。

| 资源情况 |

野生资源一般。药材来源于野生。

| 采收加工 |

全年均可采收，晒干。

| **功能主治** | 微苦，凉。清热解毒，祛风，消炎，止血。

| **用法用量** | 内服煎汤，6～15 g。

菊科 Asteraceae 兔儿风属 Ainsliaea

杏香兔儿风 *Ainsliaea fragrans* Champ.

药 材 名

白走马胎（药用部位：全草。别名：杏香兔耳风、金边兔耳）。

形态特征

多年生草本。全株除苞片外均被绒毛、柔毛或疏毛。茎直立，高 25 ~ 60 cm。叶聚生于茎的基部，呈莲座状或假轮生状；叶片厚纸质，卵形或卵状长圆形，长 2 ~ 11 cm，上面绿色，下面淡绿色或带紫红色。头状花序具 3 小花，于花葶的顶部形成间断的总状花序；花两性，白色，开放时具杏仁香气。瘦果棒状圆柱形或近纺锤形，栗褐色。花期 11 ~ 12 月。

生境分布

生于海拔 30 ~ 1 000 m 的山坡、灌木林下、路旁沟边草丛中。分布于广东乳源、翁源、始兴、乐昌、曲江、连平、平远、南澳、惠东、博罗、从化、增城、连山、阳山、连州、怀集及深圳（市区）等。

资源情况

野生资源丰富。药材来源于野生。

| 采收加工 | 夏、秋季采收，晒干或鲜用。

| 功能主治 | 苦、辛，平。清热解毒，消积散结，止咳，止血。用于虚劳骨蒸，肺痨咯血，崩漏，湿热黄疸，水肿，痈疽肿毒，瘰疬结核，跌打损伤，毒蛇咬伤。

| 用法用量 | 内服煎汤，9 ~ 15 g。外用适量，鲜品捣敷。

菊科 Asteraceae 兔儿风属 Ainsliaea

纤枝兔儿风 *Ainsliaea gracilis* Franch.

| 药 材 名 | 纤枝兔儿风（药用部位：全草）。

| 形态特征 | 多年生草本。茎被淡褐色长柔毛。叶聚生于茎中下部，近轮生，卵形或卵状披针形，长 2 ~ 6 cm，先端具刺芒状尖头，基部心形或近心形，边缘具细齿，上面亮绿色，下面紫红色，被长柔毛；叶柄纤细，被长柔毛。头状花序具 3 花，排成总状花序；总苞圆筒形，总苞片 7 层，绿色；花两性，长 1.2 ~ 1.3 cm。瘦果纺锤形；冠毛淡红色。花期 9 ~ 11 月。

| 生境分布 | 生于山地丛林或涧旁石缝中。分布于广东乳源、乐昌、阳山、连州、封开、高要、信宜等。

| **资源情况** | 野生资源一般。药材来源于野生。

| **采收加工** | 夏、秋季采收，晒干或鲜用。

| **功能主治** | 微辛，凉。清热解毒。

| **用法用量** | 内服煎汤，9 ~ 15 g。外用适量，鲜品捣敷。

菊科 Asteraceae 兔儿风属 *Ainsliaea*

灯台兔儿风 *Ainsliaea macroclinidioides* Hayata

| **药 材 名** | 铁灯兔耳风（药用部位：全草。别名：高脚一支香）。

| **形态特征** | 多年生草本。高 25 ~ 65 cm。根茎短，有须根。茎直立或平卧，下部淡紫色，密被棕色长柔毛。叶聚生于茎的上部，呈莲座状或散生；叶柄长 3 ~ 8 cm；叶片阔卵形至卵状披针形，稀近椭圆形，长 4 ~ 10 cm。头状花序有 3 小花，无梗或具短梗，数花排成总状花序；总苞长约 1 cm，总苞片约 6 层。瘦果有条纹，稍有毛；冠毛羽毛状，污白色。花期 8 ~ 11 月。

| **生境分布** | 生于山坡、山谷及林下湿处。分布于广东翁源、乐昌、和平及深圳（市区）、云浮（市区）等。

| **资源情况** | 野生资源丰富。药材来源于野生。

| **采收加工** | 夏、秋季采收，晒干。

| **功能主治** | 微辛，凉。清热解毒。用于鹅口疮。

| **用法用量** | 内服煎汤，15 ~ 30 g。

菊科 Asteraceae 兔儿风属 Ainsliaea

莲沱兔儿风 Ainsliaea ramosa Hemsl.

| **药 材 名** | 莲沱兔儿风（药用部位：全草。别名：分枝兔儿风、多枝兔耳风、红孩莲）。

| **形态特征** | 多年生草本。根细弱，簇生。茎直立，除花序外不分枝，高25～70 cm。基生叶密集，呈莲座状；叶片厚，硬纸质，卵形、卵状长圆形或卵状披针形，长5～14 cm，宽3～9 cm。头状花序具3花，有纤弱的短梗；于茎顶聚集成圆锥花序，花序轴和头状花序梗密被锈色柔毛；花两性；花冠管状，长约9 mm。瘦果纺锤形，干时棕栗色，具10纵棱，被短柔毛。花期5～11月。

| **生境分布** | 生于水旁潮湿处或山地密林中。分布于广东新丰、翁源、仁化、连

平、博罗、从化、增城、连山、连州、怀集等。

| **资源情况** | 野生资源较丰富。 药材来源于野生。

| **采收加工** | 秋季采收，鲜用或切段晒干。

| **功能主治** | 清热解毒，润肺止咳。

| **用法用量** | 内服煎汤，10 ~ 20 g。

菊科 Asteraceae 香青属 Anaphalis

珠光香青

Anaphalis margaritacea (L.) Benth. et Hook. f.

| 药 材 名 | 大叶白头翁（药用部位：全草。别名：大火青、毛女儿草、山荻）。

| 形态特征 | 根茎具短匍枝。茎高 30 ~ 60 cm，被灰白色绵毛，下部木质。中部叶线形或线状披针形，长 5 ~ 9 cm，基部稍狭或急狭；上部叶渐小；全部叶稍革质，上面被蛛丝状毛，下面被厚绵毛。头状花序多数，在茎端和枝端排列成复伞房状，稀排列成伞房状；花序梗长 4 ~ 17 mm；总苞宽钟状或半球状。瘦果长椭圆形，有小腺点。花果期 8 ~ 11 月。

| 生境分布 | 生于荒坡草地。分布于广东乳源、仁化、乐昌等。

| 资源情况 | 野生资源较少。药材来源于野生。

| **采收加工** | 夏、秋季采收，切段，晒干。 |

| **功能主治** | 微苦、甘，平。清热止咳，散瘀止血。用于感冒头痛，肺热咳嗽，外伤出血。 |

| **用法用量** | 内服煎汤，10 ~ 15 g。外用适量，捣敷或研末撒。 |

菊科 Asteraceae 香青属 Anaphalis

香青

Anaphalis sinica Hance

| **药 材 名** | 通肠香（药用部位：全草。别名：籁箫、荻）。

| **形态特征** | 多年生草本。茎直立，高 20 ~ 50 cm，被白色或灰白色绵毛。
下部叶在花期枯萎；中部叶长圆形、倒披针状长圆形或线形，长

2.5 ～ 9 cm；上部叶披针状线形或线形；全部叶上被绵毛和腺毛。头状花序密集成复伞房状或多次复伞房状；总苞钟状或近倒圆锥状。雌株头状花序有多层雌花；雄株头状花托有缝状短毛。瘦果被小腺点。花期 6 ～ 9 月。

| **生境分布** | 生于低海拔地区的山坡、路旁、草地或灌丛中。分布于广东乳源、仁化等。

| **资源情况** | 野生资源较少。药材来源于野生。

| **采收加工** | 夏、秋季采收，鲜用或晒干，切段。

| **功能主治** | 辛、微苦，微温。祛风解表，宣肺止咳。用于感冒，气管炎，肠炎，痢疾。

| **用法用量** | 内服煎汤，10 ～ 30 g。

菊科 Asteraceae 山黄菊属 Anisopappus

山黄菊

Anisopappus chinensis (L.) Hook. & Arn.

| 药 材 名 |

金菊花（药用部位：全草。别名：旱山菊、葡涧菊、广东旋覆花）。

| 形态特征 |

一年生草本。全株被柔毛、锈色尘状密柔毛和疏毛。茎直立，高 40 ～ 100 cm，单生，稀簇生。基生叶及下部茎生叶花后脱落；中部茎生叶卵状披针形或狭长圆形，长 3 ～ 6 cm，纸质，具钝锯齿；上部茎生叶渐小。头状花序单生或数个排列成顶生的伞房状花序；总苞半球形，总苞片 3 层，狭披针形或宽线形，缕状；雌花黄色。瘦果圆柱形。花期 8 ～ 11 月。

| 生境分布 |

生于山坡、沙地、荒地、林缘或路旁及宅旁的杂草丛中。分布于广东新丰、翁源、始兴、乐昌、和平、连平、蕉岭、博罗、阳山、英德、怀集、新兴、台山、阳春、徐闻及深圳（市区）、广州（市区）、茂名（市区）、惠州（市区）等。

| 资源情况 |

野生资源丰富。药材来源于野生。

| **采收加工** | 夏、秋季采收，切段，晒干。

| **功能主治** | 苦，凉。清热化痰。用于感冒发热，肺热咳嗽，咽痛。

| **用法用量** | 内服煎汤，5 ~ 10 g。

菊科 Asteraceae 牛蒡属 Arctium

牛蒡
Arctium lappa L.

药 材 名	牛蒡子（药用部位：果实。别名：大力子、大牛子、黑风子）、牛蒡茎叶（药用部位：茎叶。别名：大夫叶）、牛蒡根（药用部位：根。别名：恶实根、牛菜）。
形态特征	二年生草本。具粗大的肉质直根。茎直立，粗壮，高达 2 m，通常带紫红色或淡紫红色，有多数高起的条棱。基生叶宽卵形，长达 30 cm。头状花序多数或少数，在茎枝先端排成疏松的伞房花序或圆锥状伞房花序；花序梗粗壮；总苞卵形或卵球形，总苞片多层，多数，全部苞片近等长，先端有软骨质钩刺。冠毛多层，浅褐色；冠毛刚毛糙毛状。花果期 6 ~ 9 月。
生境分布	栽培种。广东中部、东部和北部有栽培。

| **资源情况** | 栽培资源丰富。药材来源于栽培。

| **采收加工** | 牛蒡子：夏、秋季采收，晒干。
牛蒡茎叶：夏、秋季采收，晒干或鲜用。
牛蒡根：夏、秋季采收，晒干。

| **药材性状** | 牛蒡子：本品呈长倒卵形，略扁，微弯曲；表面灰褐色，带紫黑色斑点。有数条纵棱，通常中间 1 ～ 2 纵棱较明显，先端钝圆，稍宽，顶面有圆环，中间具点状花柱残迹，基部略窄。果皮较硬，淡黄白色，富油性。无臭，味苦，后微辛而稍麻舌。

| **功能主治** | 牛蒡子：辛、苦，寒。疏散风热，宣肺透疹，解毒散结。用于风热咳嗽，咽喉肿痛，斑疹不透，风疹瘙痒，疮疡肿毒。
牛蒡茎叶：苦、微甘，凉。清热除烦，消肿止痛。用于风热头痛，心烦口干，咽喉肿痛，小便短涩，痈肿疔疮，皮肤瘙痒，白屑风。
牛蒡根：苦、辛，寒。清热解毒，疏风利咽。用于风热感冒，头痛，咳嗽，热毒面肿，咽喉肿痛，牙龈肿痛，风湿痹痛，癥瘕积聚，痈疖恶疮，痔疮脱肛。

| **用法用量** | 牛蒡子：内服煎汤，5 ～ 10 g；或入散剂。外用适量，煎汤含漱。
牛蒡茎叶：内服煎汤，10 ～ 15 g，鲜品加倍；或捣汁。外用适量，鲜品捣敷；或绞汁涂；或熬膏涂。
牛蒡根：内服煎汤，6 ～ 15 g；或捣汁；或研末；或浸酒。外用适量，捣敷；或熬膏涂；或煎汤洗。

菊科 Asteraceae 蒿属 Artemisia

黄花蒿 *Artemisia annua* L.

| **药 材 名** | 青蒿（药用部位：全草。别名：细叶蒿、香青蒿、苦蒿）、青蒿子（药用部位：果实。别名：青草蒿子）。

| **形态特征** | 一年生或二年生草本。全体平滑无毛。高 100 ～ 200 cm，基部直径可达 1 cm。茎圆柱形，表面有细纵槽，下部稍木质化，上部叶腋间有分枝。叶互生，第一回裂片椭圆形，第二回裂片线形，全缘或每边 1 ～ 3 羽状浅裂。头状花序排列成总状圆锥花序，头状花序侧生，稍下垂；总苞半球形，边缘膜质。瘦果矩圆形至椭圆形，褐色。花果期 8 ～ 11 月。

| **生境分布** | 生于河岸、沙地及海边。分布于广东乳源、新丰、翁源、乐昌、梅县、

阳山、连州、英德、怀集、郁南、阳春及广州（市区）等。

| **资源情况** | 野生资源丰富。药材来源于野生。

| **采收加工** | **青蒿**：花苗期采收，切碎，晒干或鲜用。
青蒿子：秋季果实成熟时采收，晒干。

| **药材性状** | **青蒿**：本品茎呈圆柱形，上部多分枝；表面黄绿色或棕黄色，具纵棱线；质略硬，易折断，断面中部有髓。叶互生，暗绿色或棕绿色，卷缩易碎，完整者展平后为3回羽状深裂，裂片及小裂片矩圆形或长椭圆形，两面被短毛。气香特异，味微苦。

| **功能主治** | **青蒿**：苦、微辛，寒。清热解暑，除蒸截疟。用于暑热，暑湿，湿温，阴虚发热，疟疾，黄疸。
青蒿子：甘，凉。清热明目，杀虫。用于劳热骨蒸，痢疾恶疮，疥癣。

| **用法用量** | **青蒿**：内服煎汤，6～15 g，不宜久煎，鲜品用量加倍；或入丸、散剂。外用适量，研末调敷；或鲜品捣敷；或煎汤洗。
青蒿子：内服煎汤，3～6 g；或研末。外用适量，煎汤洗。

菊科 Asteraceae 蒿属 Artemisia

奇蒿

Artemisia anomala S. Moore

| 药 材 名 |

刘寄奴（药用部位：全草。别名：南刘寄奴、千粒米、六月霜）。

| 形态特征 |

多年生草本。主根稍明显，侧根多数。茎单生，高 80 ～ 150 cm，具纵棱，黄褐色或紫褐色；上半部有分枝，枝弯曲，斜向上或略开展，长 5 ～ 15 cm。叶厚纸质或纸质，上面绿色或淡绿色。头状花序长圆形或卵形，在分枝上端或分枝的小枝上排成密穗状花序，并在茎上端组成狭窄或稍开展的圆锥花序。瘦果倒卵形或长圆状倒卵形。花果期 6 ～ 11 月。

| 生境分布 |

生于低海拔地区的林缘、路旁、沟边、河岸、灌丛及荒坡。分布于广东乳源、新丰、翁源、始兴、乐昌、和平、连平、从化、连山、阳山、连州、英德、德庆、怀集、信宜等。

| 资源情况 |

野生资源丰富。药材来源于野生。

| 采收加工 | 夏、秋季采收，切段，晒干或鲜用。

| 功能主治 | 辛、苦，平。逐瘀通经，止血消肿，消食化积。用于经闭，痛经，产后瘀滞腹痛，恶露不尽，癥瘕，跌打损伤，金疮出血，风湿痹痛，便血尿血，痈疮肿毒，烫伤，食积腹痛，泄泻痢疾。

| 用法用量 | 内服煎汤，5～10 g；或入散剂。外用适量，鲜品捣敷；或干品研末敷。

菊科 Asteraceae 蒿属 *Artemisia*

艾

Artemisia argyi H. Lévl. & Van.

药 材 名	艾叶（药用部位：地上部分。别名：艾蒿、家艾、端阳蒿）。
形态特征	多年生草本。高 80 ~ 150 cm。全株密被白色茸毛，中部以上或仅上部有开展及斜升的花序枝。叶互生；叶片羽状或浅裂，裂片边缘有齿，上面被蛛丝状毛，有白色的密或疏腺点，下面被白色或灰色密茸毛。头状花序，排列成复总状花序，花后下倾；总苞片 3 ~ 4 层，边缘膜质，背面被绵毛；外层花雌性，内层花两性。瘦果无毛。花果期 7 ~ 10 月。
生境分布	生于荒地、林缘。分布于广东仁化、乐昌、和平、连州、英德等。
资源情况	野生资源丰富。药材来源于野生。

| **采收加工** | 培育当年 9 月或翌年 6 月花未开时采收，摘取叶片、嫩梢，晒干。 |

| **功能主治** | 苦、辛，温。散寒除湿，温经止血，祛湿止痒。用于吐血，衄血，咯血，便血，崩漏，妊娠下血，月经不调，痛经，胎动不安，心腹冷痛，泄泻久痢，霍乱转筋，带下，疥癣，痔疮，痈疡。 |

| **用法用量** | 内服煎汤，3 ~ 10 g；或入丸、散剂；或捣汁。外用适量，捣绒做炷或制成艾条熏灸；或捣敷；或煎汤熏洗；或炒热温熨。 |

菊科 Asteraceae 蒿属 Artemisia

茵陈蒿
Artemisia capillaris Thunb.

| 药 材 名 | 茵陈（药用部位：地上部分。别名：绵茵陈、白茵陈、绒蒿）。

| 形态特征 | 草本。有浓烈的香气，被柔毛或无毛。根茎直立，高 40 ~ 120 cm。基生叶呈莲座状；叶卵圆形或卵状椭圆形，长 2 ~ 4 cm，2 回羽状全裂，每侧有裂片 2 ~ 3，小裂片狭线形或狭线状披针形；中部叶的基部裂片常半抱茎。头状花序卵球形，排成复总状花序，在茎上端组成圆锥花序；苞片淡黄色。瘦果长圆形或长卵形。花果期 7 ~ 10 月。

| 生境分布 | 生于温暖及阳光充足的环境。分布于广东始兴、翁源、乐昌、蕉岭、大埔、梅县、南澳、惠东、徐闻及广州（市区）等。

| 资源情况 | 野生资源较丰富。药材来源于野生。

| **采收加工** | 夏、秋季采收，晒干。

| **功能主治** | 苦、辛，微寒。清热利湿，利胆退黄。

| **用法用量** | 内服煎汤，6 ~ 15 g。外用适量，煎汤熏洗。

菊科 Asteraceae 蒿属 Artemisia

青蒿
Artemisia carvifolia Buch.-Ham. & Roxb.

| 药 材 名 | 青蒿（药用部位：全草。别名：蒿子、臭蒿、香蒿）。

| 形态特征 | 一年生草本。植株有香气。主根单一，垂直，侧根少。茎单生，高 30 ~ 150 cm。叶两面青绿色或淡绿色。头状花序半球形或近半球形，

直径 3.5 ~ 4 mm，具短梗，下垂，基部有线形的小苞叶，在分枝上排成穗状花序式的总状花序，并在茎上组成中等开展的圆锥花序；总苞片 3 ~ 4 层；花序托球形；花淡黄色。瘦果长圆形至椭圆形。花果期 6 ~ 9 月。

| **生境分布** | 生于低海拔地区湿润的河岸边沙地、山谷、林缘、路旁等。广东各地均有分布。

| **资源情况** | 野生资源一般。药材来源于野生。

| **采收加工** | 夏、秋季采收，切段，晒干或鲜用。

| **功能主治** | 辛、苦，凉。散风火，解暑热，止汗。

| **用法用量** | 内服煎汤，6 ~ 15 g，鲜品加倍；或浸水绞汁；或入丸、散剂。外用适量，研末调敷；或鲜品捣敷；或煎汤洗。

菊科 Asteraceae 蒿属 Artemisia

五月艾 *Artemisia indica* Willd.

| 药 材 名 | 小野艾（药用部位：全草。别名：大艾）。

| 形态特征 | 亚灌木状草本。植株具浓香。茎单生，高 80 ～ 150 cm，分枝多；茎、枝初被柔毛。叶被绒毛；基生叶与茎下部叶卵形或长卵形；茎中部叶卵形、长卵形或椭圆形，长 5 ～ 8 cm；茎上部叶羽状全裂。头状花序直立或斜展，在分枝排成穗形总状花序或复总状花序，在茎上组成圆锥花序；总苞片背面被绒毛；两性花紫色。瘦果长圆形或倒卵圆形。花果期 8 ～ 10 月。

| 生境分布 | 生于低海拔或中海拔湿润地区的路旁、林缘、坡地及灌丛中。分布于广东始兴、乐昌、五华、南澳、博罗、阳山、封开、怀集、高要、

新兴、郁南、罗定、台山、阳春、徐闻及深圳（市区）、珠海（市区）、广州（市区）等。

| **资源情况** | 野生资源一般。药材来源于野生。

| **药材性状** | 本品茎呈圆柱形；表面灰绿色或棕褐色，具纵棱线，稀被灰白色茸毛或无毛；质略硬，易折断，断面中部有髓。叶互生，皱缩卷曲，完整者展开后呈卵状椭圆形，边缘有不规则的粗锯齿。气清香，味苦。

| **采收加工** | 夏、秋季枝叶茂盛时采收，晒干或阴干。

| **功能主治** | 辛、苦，温。祛风消肿，止痛止痒，调经止血。用于偏头痛，月经不调，崩漏下血，风湿痹痛，疟疾，痈肿，疥癣，皮肤瘙痒。

| **用法用量** | 内服煎汤，3 ~ 6 g。外用适量，煎汤熏洗。

菊科 Asteraceae 蒿属 Artemisia

牡蒿

Artemisia japonica Thunb.

| 药 材 名 |

牡蒿（药用部位：全草。别名：齐头蒿、土柴胡）、牡蒿根（药用部位：根。别名：齐头蒿根）。

| 形态特征 |

多年生草本。茎直立，高 50 ~ 130 cm。叶互生；茎中部以下的叶倒卵形或宽匙形，基部楔形，先端羽状 3 裂，中间裂片较宽，又羽状 3 裂；茎中部以上的叶线形，全缘；叶两面绿色，无毛。头状花序球形，排列成穗状或总状花序；总苞球形；花托球形，上生两性花及雌花；花冠均为管状；雌花位于花托的外围；中央为两性花。瘦果椭圆形，无毛。花果期 7 ~ 10 月。

| 生境分布 |

生于山坡路旁或荒地。分布于广东南部以外的其他地区。

| 资源情况 |

野生资源丰富。药材来源于野生。

| 采收加工 |

牡蒿：夏、秋季采收，晒干或鲜用。

牡蒿根：秋季采挖，除去泥土，洗净，晒干。

| **药材性状** | 牡蒿：本品茎圆柱形；表面黑棕色或棕色；质坚硬，折断面呈纤维状，黄白色，中央有白色的疏松髓。残留叶片黄绿色至棕黑色，多破碎不全，皱缩卷曲；质脆，易脱落。花序黄绿色；苞片内可见长椭圆形的褐色种子数枚。气香，味微苦。

| **功能主治** | 牡蒿：苦、微甘，平。清热，凉血，解暑。用于夏季感冒，肺结核潮热，咯血，小儿疳热，衄血，便血，崩漏，带下，黄疸性肝炎，丹毒，毒蛇咬伤。

牡蒿根：苦、微甘，平。祛风补虚，杀虫截疟。用于产后伤风感冒，风湿痹痛，劳伤乏力，虚肿，疟疾。

| **用法用量** | 牡蒿：内服煎汤，10 ~ 15 g，鲜品加倍。外用适量，煎汤洗；或鲜品捣敷。

牡蒿根：内服煎汤，15 ~ 30 g。

菊科 Asteraceae 蒿属 *Artemisia*

白苞蒿
Artemisia lactiflora Wall. ex DC.

| 药 材 名 |

鸭脚艾（药用部位：全草或根。别名：四季菜、甜菜子、刘寄奴）。

| 形 态 特 征 |

多年生草本。全株无毛。茎直立，高 50 ～ 200 cm。下部叶花时凋落；中部叶有柄和假托叶；叶片广卵形，羽状分裂，先端圆钝或短尖，基部楔形，边缘具尖锐复锯齿，通常 3 浅裂。头状花序卵圆形，无梗，密集成穗状的圆锥花序；总苞钟状卵形，最外层苞片卵形，内层椭圆形；外层雌花；中央两性花，均为管状花。瘦果椭圆形。花果期 8 ～ 11 月。

| 生 境 分 布 |

生于林下、林缘、灌丛边缘及山谷。分布于广东乳源、新丰、翁源、始兴、南雄、乐昌、和平、大埔、龙门、博罗、宝安、从化、南海、阳山、封开、怀集、高要、郁南、罗定、新会及阳江（市区）等。

| 资 源 情 况 |

野生资源丰富。药材来源于野生。

| 采收加工 | 夏、秋季采收，切段，晒干或鲜用。

| 功能主治 | 甘、微苦，微温。活血散瘀，理气化湿。用于血瘀痛经，经闭，产后瘀滞腹痛，慢性肝炎，肝脾肿大，食积腹胀，寒湿泄泻，疝气，脚气，阴疝肿痛，跌打损伤，烫伤。

| 用法用量 | 内服煎汤，10 ~ 15 g，鲜品加倍；或捣汁饮。外用适量，鲜品捣敷；或绞汁涂；或研末撒；或研末调敷。

菊科 Asteraceae 蒿属 Artemisia

矮蒿
Artemisia lancea Van

| 药 材 名 | 牛尾蒿（药用部位：全草。别名：小艾、野艾蒿、小蓬蒿）。 |

| 形态特征 | 半灌木状草本。根茎粗短，有营养枝。茎丛生，高 80 ～ 150 cm，紫褐色或绿褐色，纵棱明显；茎、枝幼时被短柔毛，后毛渐稀疏或无。叶互生，长 3 ～ 6 cm，上面微被短柔毛，下面毛较密，宿存；上部叶与苞叶指状 3 深裂或不分裂。头状花序多数；两性花不育，花冠管状，花药线形。瘦果小，长圆形或倒卵形。花果期 8 ～ 10 月。 |

| 生境分布 | 生于山坡、草原、疏林下及林缘等。分布于广东乳源、翁源、始兴、乐昌、连平、梅县、封开、怀集、高要、台山等。 |

| 资源情况 | 野生资源丰富。药材来源于野生。 |

| **采收加工** | 秋季采收，鲜用或扎把后晾干。

| **功能主治** | 苦、微辛，凉。散寒温经，止血安胎，清热祛湿，消炎驱虫。

| **用法用量** | 内服煎汤，3 ~ 10 g。外用适量，鲜品捣敷；或干品制成艾条熏灸；或煎汤洗。

菊科 Asteraceae 蒿属 *Artemisia*

野艾蒿
Artemisia lavandulifolia DC.

| 药 材 名 | 野艾（药用部位：叶。别名：大叶艾蒿、艾叶、苦艾）。

| 形态特征 | 多年生草本。茎直立，高 50 ~ 120 cm，圆形，有沟棱；质硬，基部木质化，被灰白色软毛，茎从中部以上有分枝。叶纸质，上面绿色，

具密集的白色腺点及小凹点，背面除中脉外密被绵毛；基生叶与茎下部叶宽卵形或近圆形。头状花序钟状圆形，淡褐色，花后稍下垂，排列成窄长的总状花序。瘦果长圆形。花果期 8 ~ 10 月。

| **生境分布** | 生于路旁、荒野草地。分布于广东乳源、翁源、乐昌、连平、梅县、封开、怀集、高要等。

| **资源情况** | 野生资源丰富。药材来源于野生。

| **采收加工** | 夏、秋季开花前采收，鲜用或晒干。

| **功能主治** | 辛、苦，温。温经止血，散寒止痛，祛湿止痒。

| **用法用量** | 内服煎汤，3 ~ 15 g。外用适量，鲜品捣敷；或干品制成艾条熏灸；或煎汤洗。

菊科 Asteraceae 蒿属 *Artemisia*

魁蒿
Artemisia princeps Pamp.

| 药 材 名 |

艾蒿（药用部位：叶。别名：野蓬头、五月艾）。

| 形态特征 |

多年生草本。主根稍粗，侧根多；根茎直立或斜上，偶有营养枝。茎少数，高 60 ~ 150 cm，紫褐色或褐色；茎、枝初时被薄毛，后茎下部毛渐脱落至无毛。叶厚纸质或纸质；叶面深绿色，背面密被绒毛。总苞片覆瓦状排列；雌花花冠狭管状；两性花花冠管状，黄色或檐部紫红色，外面有疏腺点。瘦果椭圆形或倒卵状椭圆形。花果期 7 ~ 11 月。

| 生境分布 |

生于低海拔或中海拔地区的路旁、山坡、灌丛、林缘及沟边。分布于广东始兴、乐昌、五华、南澳、博罗、阳山、封开、怀集、高要、郁南、新兴、罗定、台山、阳春、徐闻及深圳（市区）、珠海（市区）、广州（市区）等。

| 资源情况 |

野生资源丰富。药材来源于野生。

| **采收加工** | 夏、秋季采收，晒干。

| **功能主治** | 辛、微苦，微温。祛风消肿，止痛止痒，调经止血。

| **用法用量** | 内服煎汤，6 ~ 15 g。

菊科 Asteraceae 蒿属 Artemisia

猪毛蒿
Artemisia scoparia Waldst. & Kit.

| 药 材 名 | 茵陈蒿（药用部位：地上部分。别名：绵茵陈、白蒿、扫把艾）。

| 形态特征 | 多年生草本。茎直立，高 40 ～ 130 cm，木质化，老枝光滑，幼枝被细柔毛。叶片 2 ～ 3 回羽裂或掌状裂，小裂片线形或卵形，密被白色绢毛；花枝上的叶无柄，羽状全裂，基部裂片抱茎，绿色，无毛。头状花序多数，密集成圆锥状；总苞球形，苞片 3 ～ 4 层；花杂性，淡紫色，均为管状花；两性花略长，先端膨大，裂片三角形。瘦果长圆形，无毛。花果期 7 ～ 10 月。

| 生境分布 | 生于山坡、河岸、砂砾地。分布于广东翁源、始兴、乐昌、蕉岭、大埔、梅县、南澳、惠东、徐闻及广州（市区）等。

资源情况	野生资源丰富。药材来源于野生。
采收加工	夏、秋季采收，晒干。
功能主治	苦、辛，微寒。清热利湿，利胆退黄。用于黄疸，小便不利，湿疮瘙痒。
用法用量	内服煎汤，9 ～ 15 g。

菊科 Asteraceae　蒿属 Artemisia

蒌蒿

Artemisia selengensis Turcz. ex Bess.

| 药 材 名 | 芦（药用部位：全草。别名：蒿、芦蒿、水蒿）。

| 形态特征 | 多年生草本。高 60 ～ 150 cm。根茎略粗，直立或斜向上，地下茎匍匐。茎初时绿褐色，后紫红色，有纵棱。叶互生；下部叶在花期枯萎；中部叶密集，羽状深裂，侧裂片 1 ～ 2 对，线状披针形或线形，边缘有疏尖齿；上部叶 3 裂或线形而全缘，上面绿色，下面有绵毛。头状花序近球形；花黄色，外层花雌性，内层花两性，均结实。瘦果卵状椭圆形，略压扁。花果期 7 ～ 10 月。

| 生境分布 | 生于低海拔地区的山坡草地、路边荒野、河岸。分布于广东乐昌等。

| 资源情况 | 野生资源稀少。药材来源于野生。

| **采收加工** | 春季采收，鲜用。

| **功能主治** | 苦、辛，温。利膈开胃。用于食欲不振。

| **用法用量** | 内服煎汤，5 ~ 10 g。

菊科 Asteraceae 蒿属 Artemisia

南艾蒿

Artemisia verlotorum Lamotte

| 药 材 名 | 白蒿（药用部位：根、叶。别名：大青蒿、紫蒿、红陈艾）。

| 形态特征 | 多年生草本。茎被白毛，多分枝，高 50 ~ 100 cm。叶有柄，1 ~ 2
回羽状深裂或全裂，裂片宽线形、线形或近披针形，上面绿色，毛
较少，下面灰绿色，密生白毛。头状花序半球形，排成圆锥状花序；
总苞片密被白毛，最外列的苞片线形，灰黄绿色；小花管状，紫红色。
瘦果狭长倒卵形，具纵纹，黄褐色。花果期 7 ~ 10 月。

| 生境分布 | 生于河边、草地、荒地。分布于广东从化、封开及深圳（市区）等。

| 资源情况 | 野生资源较丰富。药材来源于野生。

| 采收加工 | 夏、秋季采收，鲜用或扎把后晾干。

| 功能主治 | 散寒，消炎，止痛，止血。用于风寒湿痹，黄疸，热痢，疥癣恶疮。

| 用法用量 | 内服煎汤，5 ~ 10 g。

菊科 Asteraceae 紫菀属 Aster

三脉紫菀 *Aster ageratoides* Turcz.

| 药 材 名 | 山白菊（药用部位：全草或根。别名：三脉叶马兰、鸡儿肠）。

| 形态特征 | 多年生草本。高 40 ~ 100 cm。根茎粗壮。茎有棱及沟，被柔毛或粗毛。上部叶渐小，全缘或有浅齿，有离基三出脉。头状花序排成伞房状或圆锥伞房状；总苞倒锥状或半球状，总苞片覆瓦状排列，线状长圆形；舌状花紫色、浅红色或白色；管状花黄色；冠毛浅红褐色或污白色。瘦果倒卵状长圆形，灰褐色，有边肋，被短粗毛。花果期 7 ~ 12 月。

| 生境分布 | 生于路边、水沟边、旷野草丛中。分布于广东乳源、仁化、乐昌、封开、台山等。

| **资源情况** | 野生资源一般。药材来源于野生。

| **采收加工** | 夏、秋季采收，洗净，鲜用或扎把后晾干。

| **功能主治** | 苦、辛，凉。清热解毒，祛痰止咳，凉血止血。用于感冒发热，扁桃体炎，支气管炎，肝炎，肠炎，痢疾，热淋，血热吐血，痈肿疔毒，蛇虫咬伤。

| **用法用量** | 内服煎汤，15 ~ 60 g。外用适量，鲜品捣敷。

菊科 Asteraceae 紫菀属 Aster

白舌紫菀 *Aster baccharoides* (Benth.) Steetz.

| **药 材 名** | 白舌紫菀（药用部位：全草）。

| **形态特征** | 木质草本或亚灌木。有粗壮、扭曲的根。茎直立，高 50 ~ 100 cm，多分枝。全部叶上面被短糙毛，下面被短毛、腺点或仅沿脉有粗毛，中脉在下面凸起，侧脉 3 ~ 4 对。头状花序在枝端排列成圆锥伞房状或单生于短枝上；苞叶在梗端密集且渐变为总苞片，总苞倒锥状，总苞片覆瓦状排列。瘦果狭长圆形，稍扁，密被短毛。花期 7 ~ 10 月。

| **生境分布** | 生于山坡路旁、草地和沙地。分布于广东大埔、梅县、龙门及深圳（市区）、广州（市区）等。

| **资源情况** | 野生资源一般。药材来源于野生。 |

| **采收加工** | 夏、秋季采收，切段，晒干。 |

| **功能主治** | 甘、辛，平。清热解毒，凉血止血。 |

| **用法用量** | 内服煎汤，25 ～ 50 g。外用适量，研末撒。 |

菊科 Asteraceae 紫菀属 Aster

马兰

Aster indicus L. [*Kalimeris indica* (L.) Sch.-Bip.]

| 药 材 名 | 马兰（药用部位：全草或根。别名：马兰头、田边菊）。

| 形态特征 | 多年生草本。根茎有匍匐枝，基部渐狭成具翅的长柄。叶边缘从中部以上有具小尖头的钝齿、尖齿或羽状裂片；上部叶小，全缘。头状花序单生于枝端，排列成疏伞房状；总苞半球形；总苞片2～3层；舌状花1层，舌片淡紫色；管状花多数，花冠黄色。瘦果倒卵状长圆形，极扁，褐色，边缘有纵肋，上部被腺点及短柔毛；冠毛不等长，易脱落。花期5～9月，果期8～10月。

| 生境分布 | 生于林缘、草丛、溪岸及沙地上。分布于广东紫金、惠东、信宜、丰顺、五华、佛冈、连州、阳山、英德、乐昌、仁化、乳源、始兴、

翁源、新丰、阳春、郁南、封开及东莞、广州（市区）、茂名（市区）、韶关（市区）、深圳（市区）、肇庆（市区）、江门（市区）等。

| **资源情况** | 野生资源较丰富。药材来源于野生。

| **采收加工** | 夏、秋季采收，洗净，鲜用或晒干。

| **药材性状** | 本品根茎呈细长圆柱形，着生多数浅棕黄色细根。茎圆柱形，有细纵纹；质脆，断面中央有白色髓。叶互生，皱缩卷曲，完整者展平后呈倒卵形、椭圆形或披针形。有的枝顶可见头状花序。瘦果长圆形，扁平。气微，味淡、微涩。

| **功能主治** | 苦、辛，寒。凉血止血，清热利湿，解毒消肿。用于吐血，衄血，血痢，崩漏，创伤出血，黄疸，水肿，淋浊，感冒，咳嗽，咽痛喉痹，痔疮，痈肿，丹毒，小儿疳积。

| **用法用量** | 内服煎汤，10 ~ 30 g，鲜品 30 ~ 60 g；或捣汁。外用适量，捣敷；或煎汤熏洗。

| **凭证标本号** | 441825190412004LY、441523190921003LY、440783190716009LY。

| **附　　注** | 本品收载于《中华人民共和国药典》（1977 年版）。孕妇慎服。

菊科 Asteraceae 紫菀属 Aster

琴叶紫菀
Aster panduratus Nees ex Walp.

|药材名|

大风草（药用部位：全草或根。别名：岗边菊、福氏紫菀）。

|形态特征|

多年生草本。全株除苞片外均被粗毛、短毛和柔毛。茎直立，高 50 ~ 100 cm，单生或丛生，常有腺；叶全缘或有疏齿，下部叶匙状长圆形；中部叶长圆状匙形，基部半抱茎；上部叶卵状长圆形，基部心形，抱茎。头状花序直径 2 ~ 2.5 cm，在枝端单生或排列成疏散伞房状；花序梗线状披针形或卵形；总苞半球形，苞片披针形；舌片浅紫色。瘦果两面有肋，卵状长圆形。花果期 2 ~ 10 月。

|生境分布|

生于山坡灌丛、草地、溪岸、路旁。分布于广东汕头（市区）等。

|资源情况|

野生资源较少。药材来源于野生。

|采收加工|

夏、秋季采收，切段，晒干。

| **功能主治** | 苦、辛，温。温肺止咳，散寒止痛。用于肺寒咳喘，胃脘冷痛。 |

| **用法用量** | 内服煎汤，15 ~ 30 g。 |

菊科 Asteraceae 紫菀属 Aster

短舌紫菀
Aster sampsonii (Hance) Hemsl.

| **药 材 名** | 桑氏紫菀（药用部位：全草或根。别名：黑根紫菀）。

| **形态特征** | 多年生草本。高 50 ～ 80 cm，基部木质，有根出条及不定根。茎被开展或稍曲的短粗毛，全缘或有 1 ～ 2 对锯齿。全部叶被短糙毛，下面有腺点，有离基三出脉。头状花序排列成疏散伞房状，有渐变为总苞片的钻形苞叶，总苞片覆瓦状排列；舌片白色或浅红色，裂片上部有腺。冠毛白色，有微糙毛；瘦果长圆形，稍扁，被短密毛。花果期 7 ～ 10 月。

| **生境分布** | 生于山坡草地或灌丛中。分布于广东乳源、仁化及广州（市区）、云浮（市区）等。

| 资源情况 | 野生资源丰富。药材来源于野生。

| 采收加工 | 夏、秋季采收,晒干。

| 功能主治 | 苦,温。理气活血,消积,止汗。

| 用法用量 | 内服煎汤,4.5 ~ 10 g;或入丸、散剂。

菊科 Asteraceae 紫菀属 Aster

三基脉紫菀 *Aster trinervius* D. Don

| **药 材 名** | 三脉叶马兰（药用部位：全草）。 |

| **形态特征** | 多年生草本。全株被细毛、粗毛、糙毛和缘毛。茎直立，高 60 ~ 200 cm，粗壮。茎生叶卵圆状披针形，边缘有浅锯齿，上部叶卵圆形或披针形；叶厚或近革质，有腺点，有 3 基出脉。头状花序排列成伞房状或圆锥伞房状；总苞倒锥状或半球状，总苞片 3 层，上部绿色，舌片常白色；管状花黄色。瘦果倒卵圆形，灰褐色，有 2 边肋。花期 7 ~ 12 月。 |

| **生境分布** | 生于山坡、草原、灌丛中。分布于广东乳源、乐昌、饶平、信宜等。 |

| **资源情况** | 野生资源一般。药材来源于野生。 |

| **采收加工** | 夏、秋季采收，洗净，鲜用或扎把后晾干。 |

| **功能主治** | 苦、辛，凉。清热化湿，祛风止痛。 |

| **用法用量** | 内服煎汤，10 ～ 60 g。外用适量，鲜品捣敷。 |

菊科 Asteraceae 苍术属 Atractylodes

苍术 *Atractylodes lancea* (Thunb.) DC.

| 药 材 名 | 赤术（药用部位：根。别名：术、茅术、关苍术）。

| 形态特征 | 多年生草本。全株被疏毛或无毛，高 30 ~ 100 cm。中部叶片较大，卵形，无柄，不裂；下部叶常 3 裂，卵形，无柄或有柄。头状花序生于茎枝先端；叶状苞片 1 列；总苞圆柱形，总苞片卵形至披针形；两性花或单性花多异株；花冠白色或稍带红色，先端 5 裂成条形；单性花一般为雌花，具 5 线状的退化雄蕊。瘦果倒卵圆形，被黄白色柔毛。花期 7 ~ 8 月。

| 生境分布 | 生于低山的阴坡灌丛、林下较干燥处。分布于广东连山、阳山、连州等。

资源情况	野生资源丰富。药材来源于野生。
采收加工	采收后除去杂质，洗净，润透，切厚片，干燥，过筛。
药材性状	本品呈不规则连珠状或结节状圆柱形，略弯。表面灰棕色，有皱纹、横曲纹及残留须根，先端具茎痕或残留茎基。质坚实，断面黄白色或灰白色，散有橙黄色或棕红色油室，暴露稍久可析出白色的细针状结晶。气香特异，味微甘、辛、苦。
功能主治	辛、苦，温。燥湿健脾，祛风散寒，明目。用于脘腹胀满，泄泻，水肿，风湿痹痛，风寒感冒，夜盲。
用法用量	内服煎汤，3～9 g；或入丸、散剂。

菊科 Asteraceae 苍术属 Atractylodes

白术 *Atractylodes macrocephala* Koidz.

药材名

于术（药用部位：根。别名：冬术、浙术、种术）。

形态特征

多年生草本。高 20 ～ 60 cm，根茎结节状。茎直立，通常自中下部分枝，全部光滑无毛。全部叶质薄，纸质，两面绿色，无毛，边缘或裂片边缘有针刺状缘毛或细刺齿。头状花序单生于茎枝先端；苞叶绿色，针刺状羽状全裂，总苞片覆瓦状排列，全部苞片先端钝；小花紫红色。瘦果倒圆锥状，被白色长直毛。花果期 8 ～ 10 月。

生境分布

栽培种。广东连山、连州有栽培。

资源情况

栽培资源一般。药材来源于栽培。

采收加工

冬季下部叶枯黄、上部叶变脆时采挖，除去泥沙，烘干或晒干，再除去须根。

| 药材性状 | 本品呈不规则的肥厚团块状。表面灰黄色或灰棕色，有瘤状突起及断续的纵皱纹和沟纹，有须根痕，先端残留茎基和芽痕。质坚硬，不易折断，断面不平坦，黄白色至淡棕色，散生棕黄色的点状油室。气清香，味甘、微辛，嚼之略带黏性。

| 功能主治 | 甘、微苦，温。健脾益气，燥湿利水，止汗，安胎。用于脾气虚弱，神疲乏力，食少腹胀，大便溏薄，水饮内停，小便不利，水肿，痰饮眩晕，湿痹酸痛，气虚自汗，胎动不安。

| 用法用量 | 内服煎汤，3 ~ 15 g；或熬膏；或入丸、散剂。

菊科 Asteraceae 云木香属 Aucklandia

云木香
Aucklandia costus Falc. [*Aucklandia lappa* Decne., *Saussurea lappa* C. B. Clarke]

| 药 材 名 | 广木香（药用部位：根。别名：青木香、木香）。

| 形态特征 | 多年生草本。高 1.5 ~ 2 m，主根粗大。茎被稀疏短柔毛。茎生叶有长柄，叶片三角状卵形或长三角形，基部心形，下延，呈不规则分裂的翅状，边缘不规则浅波状或浅裂，具稀疏的刺，两面有短毛。头状花序顶生或腋生；总苞片约 10 层；花冠暗紫色，5 裂；雄蕊 5，聚药；子房下位。瘦果长锥形。花果期 5 ~ 8 月。

| 生境分布 | 栽培于海拔 1 500 ~ 1 900 m 的高山上。广东北部有栽培。

| 资源情况 | 栽培资源丰富。药材主要来源于栽培。

| 采收加工 | 秋、冬季采挖，除去杂质，切段，干燥后撞去粗皮。

| 药材性状 | 本品呈圆柱形或半圆柱形。表面黄棕色至灰褐色，有明显的皱纹、纵沟及侧根痕。质硬，不易折断，断面灰褐色至暗褐色，周边灰黄色或浅棕黄色，形成层环棕色，有放射状纹理，散生褐色的点状油室。气香特异，味微苦。

| 功能主治 | 辛、苦，温。行气止痛，温中和胃。用于胸腹胀痛，呕吐，泄泻，痢疾。

| 用法用量 | 内服煎汤，1.5 ~ 9 g；或入丸、散剂。

菊科 Asteraceae 鬼针草属 Bidens

婆婆针
Bidens bipinnata L.

| 药 材 名 |

鬼针草（药用部位：全草。别名：刺针草、盲肠草、一包针）。

| 形态特征 |

一年生草本。无毛或上部被稀疏柔毛。茎直立，高 30 ~ 120 cm。叶对生，叶片长 5 ~ 14 cm，2 回羽状分裂，边缘有稀疏的不规则粗齿。头状花序；总苞杯状，外层苞片 5 ~ 7，条形，草质，椭圆形，背面褐色；舌状花 1 ~ 3，不育，舌片黄色，椭圆形或倒卵状披针形。瘦果条形，有 3 ~ 4 棱，具瘤状突起及小刚毛，先端芒刺具倒刺毛。花期 8 ~ 10 月。

| 生境分布 |

生于路旁、荒地、山坡及田间。分布于广东乳源、和平、怀集及云浮（市区）、广州（市区）等。

| 资源情况 |

野生资源一般。药材来源于野生。

| 采收加工 |

夏、秋季采收，鲜用或切段晒干。

| 功能主治 | 苦，平。归脾、胃、大肠经。清热解毒，祛风除湿，活血消肿。用于咽喉肿痛，泄泻，痢疾，黄疸，肠痛，疔疮肿毒，蛇虫咬伤，风湿痹痛，跌打损伤。

| 用法用量 | 内服煎汤，15 ~ 30 g，鲜品加倍；或捣汁。外用适量，捣敷或捣汁涂；或煎汤熏洗。

菊科 Asteraceae 鬼针草属 Bidens

金盏银盘 *Bidens biternata* (Lour.) Merr. & Sherff

| **药 材 名** | 黄花雾（药用部位：全草。别名：黄花母、虾钳草、金杯银盏）。

| **形态特征** | 一年生草本。高 30 ~ 150 cm。茎直立，呈四棱形。叶对生，一回羽状复叶。头状花序，具长梗；总苞绿色，基部被细柔毛，苞片 7 ~ 10；花杂性，舌状花淡黄色，不规则的 3 ~ 5 裂；管状花两性，黄褐色，长约 4.5 mm，5 裂；雄蕊 5；雌蕊 1，柱头 2 裂。瘦果条形，略扁，黑色，具 4 棱，有硬毛。花果期 8 ~ 10 月。

| **生境分布** | 生于村旁、路边及荒地中。分布于广东翁源、新丰、海丰、龙门、博罗、连山、连南、阳春、徐闻及肇庆（市区）、云浮（市区）等。

| **资源情况** | 野生资源丰富。药材来源于野生。

| 采收加工 | 春、夏季采收，鲜用或切段晒干。

| 药材性状 | 本品长 30 ~ 50 cm。茎直径 3 ~ 8 mm，呈棱柱状，浅棕褐色，有棱线。叶纸质而薄，一回羽状复叶，干枯，易脱落，有叶柄。花序干枯。瘦果易脱落而残存圆形的花托。气微，味淡。以干燥、无杂质者为佳。

| 功能主治 | 苦，平。清热解毒，祛风活血。用于感冒，扁桃体炎，痢疾，肠炎，黄疸，痔疮出血，吐血，痈疽疔疮。

| 用法用量 | 内服煎汤，10 ~ 30 g；或浸酒。外用适量，捣敷；或煎汤洗。

菊科 Asteraceae 鬼针草属 Bidens

鬼针草 Bidens pilosa L.

| **药 材 名** | 刺针草（药用部位：全草。别名：三叉枪、一把针、粘身草）。

| **形态特征** | 一年生草本。茎直立，高 30 ～ 100 cm，钝四棱形，无毛或上部被极稀疏的柔毛。茎下部叶较小，3 裂或不分裂。总苞基部被短柔毛，苞片 7 ～ 8，条状匙形，外层托片披针形，干膜质，背面褐色，具黄色边缘，内层托片条状披针形；盘花筒状。瘦果黑色，条形，略扁，具棱，上部具稀疏瘤状突起及刚毛，先端具芒刺 3 ～ 4，具倒刺毛。花期全年。

| **生境分布** | 生于村旁、路边及荒地中。分布于广东乳源、和平、蕉岭、平远、五华、连山、阳山、封开、开平、台山、新会、信宜及汕头（市区）、

深圳（市区）、广州（市区）、云浮（市区）等。

| **资源情况** | 野生资源丰富。药材来源于野生。

| **采收加工** | 夏、秋季采收，切段，晒干或鲜用。

| **功能主治** | 苦，平。清热解毒，利湿健脾。用于时行感冒，咽喉肿痛，黄疸性肝炎，暑湿吐泻，肠炎，痢疾，肠痈，小儿疳积，血虚黄肿，痔疮，蛇虫咬伤。

| **用法用量** | 内服煎汤，15 ~ 60 g。外用适量，鲜品捣敷。

菊科 Asteraceae 鬼针草属 *Bidens*

白花鬼针草
Bidens pilosa L. var. *radiata* Sch.-Bip.

| **药 材 名** | 鬼针草（药用部位：全草）。

| **形态特征** | 一年生草本。高 30 ～ 100 cm。茎直立，四棱形，疏生柔毛或无毛。中、下部叶对生，叶片 3 ～ 7 深裂至羽状复叶，下部叶有长叶柄，叶柄向上逐渐变短；上部叶互生，3 裂或不裂，线状披针形。头状花序有长梗；总苞片匙形，边缘有细软毛；舌状花白色，部分不育；管状花黄褐色，5 裂。瘦果线形，成熟后黑褐色，有硬毛。花期全年。

| **生境分布** | 生于路边、荒野。分布于广东乳源、翁源、始兴、乐昌、连平、蕉岭、五华、大埔、饶平、龙门、惠东、博罗、从化、连南、连山、阳山、英德、德庆、封开、郁南、新兴、罗定、台山、阳春、信宜及深圳（市

区）、珠海（市区）等。

| **资源情况** | 野生资源丰富。药材来源于野生。

| **采收加工** | 夏、秋季采收，切段，晒干或鲜用。

| **功能主治** | 苦，平。清热解毒，祛风活血。

| **用法用量** | 内服煎汤，15 ~ 60 g。外用适量，鲜品捣敷。

菊科 Asteraceae 鬼针草属 Bidens

狼杷草 *Bidens tripartita* L.

| 药 材 名 |

狼杷草（药用部位：地上部分。别名：矮狼杷草）。

| 形态特征 |

一年生草本。高 20 ～ 150 cm。茎圆柱形或具钝棱而稍呈四方形，绿色或带紫色，无毛，上部分枝。叶对生。头状花序单生，具较长的花序梗；总苞盘状；托片线状披针形，背面有褐色条纹，边缘透明；筒状花两性，冠檐 4 裂；花药基部钝，先端有椭圆形附属器，花丝上部变宽。瘦果扁，楔形或倒卵状楔形，边缘有倒刺毛。花期 7 ～ 10 月。

| 生境分布 |

生于路边荒野及水边湿地。分布于广东翁源、始兴、南雄、乐昌、和平、怀集等。

| 资源情况 |

野生资源丰富。药材来源于野生。

| 采收加工 |

夏、秋季采收，晒干或鲜用。

药材性状	本品茎略呈方形，表面绿色略带紫红色。叶对生，叶柄具狭翅；中部叶常羽状分裂，裂片椭圆形或矩圆状披针形，边缘有锯齿；上部叶 3 裂或不分裂。头状花序顶生或腋生；总苞片披针形；花黄棕色，无舌状花。气微，味微苦。
功能主治	甘、微苦，凉。清热解毒，利湿，通经。用于肺热咳嗽，咯血，咽喉肿痛，赤白痢，黄疸，月经不调，闭经，疳积，瘰疬结核，毒蛇咬伤。
用法用量	内服煎汤，10 ~ 30 g，鲜品加倍；或捣汁饮。外用适量，捣敷；或研末撒；或研末调敷。

菊科 Asteraceae 艾纳香属 Blumea

馥芳艾纳香 *Blumea aromatica DC.*

| 药 材 名 |

山风（药用部位：全草。别名：香艾纳、香艾、香六耳铃）。

| 形态特征 |

粗壮草本或亚灌木状。茎直立，高 0.5 ～ 3 m，基部木质，有分枝，具粗沟纹，被绒毛或上部花序轴被开展的密柔毛，杂有腺毛，叶腋常有束生的白色或污白色糙毛。头状花序多数；花序梗被柔毛，杂有卷腺毛，腋生或顶生，排列成具叶的大型圆锥花序；总苞圆柱形或近钟形，总苞片 5 ～ 6 层，绿色。瘦果圆柱形，有 12 棱。花期 10 月至翌年 3 月。

| 生境分布 |

生于低山林缘、荒坡或山谷路旁。分布于广东乳源、乐昌、和平、博罗、惠阳、从化、阳山、阳春等。

| 资源情况 |

野生资源丰富。药材来源于野生。

| 采收加工 |

夏、秋季采收，切段，晒干或鲜用。

| 药材性状 | 本品茎分枝，密被灰黄色绒毛和腺毛；质较轻脆，易折断，断面圆形，皮部薄，髓部白色，占茎的大部分。头状花序顶生或腋生，疏圆锥状；总苞半球状或近钟形。揉搓后有清香气，味辛、微苦。

| 功能主治 | 辛、微苦，温。祛风除湿，止痒止血。用于风寒湿痹，关节疼痛，风疹，湿疹，皮肤瘙痒，外伤出血。

| 用法用量 | 内服煎汤，15 ~ 25 g；或浸酒；或煎汤冲酒服。外用适量，煎汤洗；或鲜品捣敷；或研末撒。

菊科 Asteraceae 艾纳香属 Blumea

艾纳香
Blumea balsamifera (L.) DC.

| 药 材 名 |

艾纳香（药用部位：全草。别名：大风艾、牛耳艾、再风艾）。

| 形态特征 |

多年生草本或亚灌木。茎粗壮，高 1 ~ 3 m，直立。下部叶宽椭圆形或长圆状披针形，具柄，柄两侧有 3 ~ 5 对狭线形的附属物；上部叶长圆状披针形或卵状披针形，柄的两侧通常有 3 对狭线形的附属物。头状花序多数；总苞钟状；花托蜂窝状；花黄色，雌花多数，花冠细管状；两性花较少数，花冠管状。瘦果圆柱形，被密柔毛。花期近全年。

| 生境分布 |

生于林缘、林下、河床谷地或草地上。分布于广东花都、高要、台山、阳春及深圳（市区）等。

| 资源情况 |

野生资源丰富。药材来源于野生。

| 采收加工 |

全年均可采收，晒干。

| 药材性状 | 本品干燥的叶略皱缩或破碎，边缘具细锯齿。上面灰绿色，略粗糙，被短毛，下面密被白色长绢毛，嫩叶两面均密被银色长绢毛，叶脉带黄色，下面凸出较明显；叶柄半圆形，密被短毛。叶质脆，易碎。

| 功能主治 | 辛、微苦，温。祛风除湿，温中止泻，活血解毒。用于风寒感冒，头风头痛，风湿痹痛，绦虫病，毒蛇咬伤，跌打伤痛，癣疮。

| 用法用量 | 内服煎汤，10～30 g。

菊科 Asteraceae 艾纳香属 Blumea

七里明
Blumea clarkei Hook. f.

| 药 材 名 | 东风草（药用部位：全草或根）。

| 形态特征 | 多年生草本。高 60 ～ 150 cm。茎直立或呈攀缘状，不分枝，有条棱，幼枝被短绒毛。上部叶长圆形，无柄，长 3 ～ 5 cm，先端尖至凸尖，基部稍狭，边缘有细尖齿。头状花序多数；总苞片 4 层；花黄色；雌花多数，花冠细管状；两性花花冠管状，常被多细胞节毛和腺体。瘦果圆柱形，有 10 棱，被疏毛；冠毛白色，糙毛状，易脱落。花期 10 月至翌年 4 月。

| 生境分布 | 生于阴湿林谷中或湿润草地。分布于广东始兴、南雄、蕉岭、博罗、从化、封开、徐闻及深圳（市区）等。

| **资源情况** | 野生资源丰富。药材来源于野生。

| **采收加工** | 夏、秋季采收，鲜用或切段晒干。

| **药材性状** | 本品茎不分枝，具条棱，表面有黄色短绒毛。完整叶片展开后呈长圆状卵形或长圆状倒披针形，叶缘具疏齿，上面有糙短毛或近无毛，下面密生短毡毛和腺毛。头状花序干枯，顶生或腋生；花黄色。气香，味苦。

| **功能主治** | 苦，寒。清热解毒，利尿消肿。用于咽喉肿痛，胃火牙痛，湿热泄泻，瘰疬结核，毒蛇咬伤。

| **用法用量** | 内服煎汤，15 ~ 30 g；或捣汁。外用适量，捣敷。

菊科 Asteraceae 艾纳香属 Blumea

台北艾纳香 *Blumea formosana* Kitam.

| **药 材 名** | 台湾艾纳香（药用部位：全草）。

| **形态特征** | 草本。根簇生。茎直立，高 40 ~ 80 cm，被白色长柔毛。中部叶狭或宽倒卵状长圆形，长 12 ~ 20 cm，边缘疏生点状细齿或小尖头，上面被短柔毛，下面被白色绒毛，有密腺体；上部叶长圆形或长圆状披针形；最上部叶苞片状。头状花序排成顶生圆锥花序；花序梗被白色绒毛；总苞球状钟形，总苞片 4 层，绿色。瘦果圆柱形。花期 8 ~ 11 月。

| **生境分布** | 生于低山山坡、草丛、溪边或疏林下。分布于广东乳源、新丰、仁化、乐昌、龙门、博罗、从化等。

| 资源情况 | 野生资源一般。药材来源于野生。

| 采收加工 | 秋季采收，切段，晒干。

| 功能主治 | 苦、辛，凉。清热化湿，祛风止痛。用于肺热咳嗽，气喘，痰黄稠，苔黄脉数，湿热痢疾，腹痛腹泻，痈疽疮疡，热淋，水肿，小便不利。

| 用法用量 | 内服煎汤，3 ～ 10 g。外用适量，研末调敷。

菊科 Asteraceae 艾纳香属 Blumea

毛毡草

Blumea hieracifolia (Sprengel) Candolle.

| 药 材 名 | 毛毡草（药用部位：全草。别名：臭草、鹅掌风、走马风）。

| 形态特征 | 草本。高 50 ～ 150 cm。全株被疏毛、柔毛和腺毛。茎上部分枝。叶茎生，叶片展开后呈椭圆形或长椭圆形，长 7 ～ 10 cm，上部叶较小；先端短尖或小凸尖，边缘有硬尖齿。头状花序簇生，排列成穗状圆锥花序；总苞圆柱形或钟形，苞片 4 ～ 5 层，上部淡紫色，丝状；花黄色；雌花多数；两性花较少数，有疏毛和腺体。瘦果圆柱形。花期 12 月至翌年 4 月。

| 生境分布 | 生于田畦、路旁、草地或低山灌丛中。分布于广东南雄、博罗、从化、封开、阳春及深圳（市区）等。

资源情况	野生资源较丰富。药材来源于野生。
采收加工	夏、秋季采收,切段,晒干。
功能主治	微辛,凉。清热解毒。用于泄泻,毒虫蜇伤。
用法用量	内服煎汤,10 ~ 15 g。外用适量,煎汤洗;或捣汁涂。

菊科 Asteraceae 艾纳香属 Blumea

见霜黄 Blumea lacera (Burm. f.) DC.

| **药 材 名** | 红头草（药用部位：全草。别名：红根、土蒿枝、黄花地胆头）。

| **形态特征** | 一年生直立草本。高 18 ~ 100 cm，全体密生绒毛，不分枝。叶互生，叶片展开后呈倒披针状椭圆形，长 1 ~ 3.5 cm，叶缘具不规则尖齿；上部叶近无柄。头状花序，排列成紧缩的圆锥花序，顶生或近顶腋生；总苞片约 4 层，线形；花托平，中央稍凹；花黄色，雌花多数，花冠细管状；两性花花冠管状，被疏柔毛和腺体。瘦果，先端密生白色绢毛。花期 2 ~ 6 月。

| **生境分布** | 生于田野、河沟边。分布于广东阳春、信宜、徐闻及广州（市区）等。

| **资源情况** | 野生资源丰富。药材来源于野生。

| 采收加工 | 春、夏季采收，切碎，晒干或鲜用。

| 药材性状 | 本品茎枝具条棱，被白色绢毛状绒毛或密短绒毛，有时脱毛。完整叶片展开后呈倒披针状椭圆形，长 1 ~ 3.5 cm，宽 0.7 ~ 2 cm，叶缘具不规则的尖齿，叶柄长 0.5 ~ 1.5 cm；上部叶无柄。头状花序干缩；花黄棕色。气微，味苦。

| 功能主治 | 苦，寒。清热解毒，消肿止痛。用于肺热咳嗽，咽喉肿痛，口舌生疮，胃火牙痛，疟腮，痈肿疮毒。

| 用法用量 | 内服煎汤，10 ~ 15 g，鲜品加倍。外用适量，捣敷。

六耳铃

Blumea laciniata (Roxb.) DC.

| 药 材 名 | 走马风（药用部位：全草。别名：吊钟黄）。

| 形态特征 | 多年生草本。全株均被柔毛。茎直立，高 0.5 ~ 1.5 m，多分枝。叶片倒卵状长圆形或倒卵形，叶琴状分裂，长 10 ~ 30 cm，中脉在下面凸起，基部不扩大，不抱茎，基部下延成长柄，边缘有粗齿。头状花序多数，长圆形的圆锥花序顶生；总苞圆柱形至钟形，带紫红色；花托扁平至微凸，蜂窝状；花黄色；雌花多数。瘦果圆柱形。花期10 月至翌年 5 月。

| 生境分布 | 生于田畔、草地、山坡、河边、林缘。分布于广东始兴、乐昌、南海、梅县、信宜、徐闻及广州（市区）、肇庆（市区）等。

| **资源情况** | 野生资源较丰富。药材来源于野生。

| **药材性状** | 本品叶片干燥，急缩，完整叶片展开后呈倒卵状长圆形或倒卵形，有时琴状羽裂，裂片三角形至三角状长圆形，先端渐尖，基部下延成长柄，具不规则的锯齿、粗齿，或全缘，叶面均被短柔毛，中脉在下面凸起。气微，味苦、微辣。

| **采收加工** | 夏、秋季采收，切段，晒干。

| **功能主治** | 苦、微辛，温。归心、脾、肾经。祛风除湿，通经止痛。用于伤风感冒，头风头痛，风寒湿热，关节酸痛，跌打损伤，痈肿疮疖，湿疹，蛇咬伤。

| **用法用量** | 内服煎汤，30 ~ 60 g。外用适量，捣敷；或煎汤洗。

菊科 Asteraceae 艾纳香属 Blumea

千头艾纳香

Blumea lanceolaria (Roxb.) Druce

| 药 材 名 |

火油草（药用部位：全草。别名：走马风）。

| 形态特征 |

高大草本或亚灌木。茎直立，有分枝，高1～3m，基部木质，有棱条，无毛或被短柔毛。上部叶狭披针形或线状披针形，长7～15cm，基部渐狭，下延成翅状。头状花序多数，常3～4簇生，排列成顶生、塔形的大型圆锥花序；总苞圆柱形或近钟形，总苞片5～6层，绿色或紫红色，弯曲；花黄色。瘦果圆柱形，有5条棱，被毛。花期1～4月。

| 生境分布 |

生于林缘、山坡、路旁、草地或溪边。分布于广东乳源、乐昌、博罗及佛山（市区）、肇庆（市区）等。

| 资源情况 |

野生资源丰富。药材来源于野生。

| 采收加工 |

夏、秋季采收，晒干或鲜用。

| **功能主治** | 辛，平。祛风活血，通络止痛。用于头风疼痛，风湿痹痛，跌打肿痛。

| **用法用量** | 内服煎汤，15 ～ 30 g，鲜品加倍。外用适量，鲜品捣敷；或煎汤洗。

菊科 Asteraceae 艾纳香属 Blumea

东风草 Blumea megacephala (Randeria) Chang & Tseng

| 药 材 名 | 大头艾纳香（药用部位：全株。别名：九里明、九里光、千里光）。

| 形态特征 | 攀缘状草质藤本或基部木质。茎圆柱形，多分枝，长 1～3 m 或更长。小枝上部的叶较小，椭圆形或卵状长圆形，长 2～5 cm，具短柄，边缘有细齿。头状花序疏散，通常 1～7 在腋生小枝先端排列成总状或近伞房状花序，再排成大型的具叶圆锥花序；总苞半球形，总苞片 5～6 层；花黄色。瘦果圆柱形，有 10 棱，被疏毛。花期 7～12 月。

| 生境分布 | 生于林缘、灌丛中、山坡、丘陵阳处。分布于广东新丰、翁源、始兴、乐昌、博罗、从化、阳山、连州、英德、德庆、怀集、高要、台山、

阳春、信宜及深圳（市区）、云浮（市区）等。

| **资源情况** | 野生资源丰富。药材来源于野生。

| **采收加工** | 夏、秋季采收，切段，晒干或鲜用。

| **功能主治** | 微苦、淡，微温。清热明目，祛风止痒，解毒消肿。用于目赤肿痛，翳膜遮睛，风疹，疥疮，皮肤瘙痒，痈肿疮疖，跌打红肿。

| **用法用量** | 内服煎汤，25～50 g。外用适量，鲜品捣敷。

菊科 Asteraceae 艾纳香属 Blumea

柔毛艾纳香
Blumea mollis (D. Don) Merr.

| 药 材 名 |

红头小仙（药用部位：全草。别名：紫背倒提壶、肥儿宝、那猪草）。

| 形态特征 |

草本。全株均被柔毛，杂有具柄腺毛。茎直立，高 60 ~ 90 cm。叶有短柄，叶片倒卵形，基部楔状渐狭，先端圆钝，边缘有不规则的密细齿，中脉在下面明显凸起。头状花序多数，密集成聚伞状花序，再排成大型圆锥花序；总苞圆柱形，总苞片 4 层，草质，紫色至淡红色；花紫红色；雌花多数，花冠管状，具乳头状突起。瘦果圆柱形。花期近全年。

| 生境分布 |

生于干燥的阴坡、路旁。分布于广东乳源、翁源、蕉岭、大埔及广州（市区）、清远（市区）、肇庆（市区）、云浮（市区）等。

| 资源情况 |

野生资源较丰富。药材来源于野生。

| 采收加工 |

夏、秋季采收，切段，晒干。

| 功能主治 | 苦，平。清肺止咳，解毒止痛。用于肺热咳喘，疳积，头痛，鼻渊，胸膜炎，口腔炎，乳腺炎。

| 用法用量 | 内服煎汤，9 ~ 15 g。

菊科 Asteraceae 艾纳香属 Blumea

长圆叶艾纳香
Blumea oblongifolia Kitam.

| 药材名 | 大黄草（药用部位：全草。别名：七里明、大红草、白叶）。 |

| 形态特征 | 多年生草本。全株被疏毛、柔毛及粗毛。茎直立，高 0.5 ~ 1.5 m。基部叶较小；中部叶长圆形或狭椭圆状长圆形，长 9 ~ 14 cm，基部楔状渐狭，边缘反卷，有重锯齿；上部叶渐小，边缘具尖齿或角状疏齿，稀全缘。头状花序多数，排列成顶生的圆锥花序；总苞球状钟形，长约 1 cm，绿色；花黄色；雌花多数。瘦果圆柱形。花期 8 月至翌年 4 月。 |

| 生境分布 | 生于路旁、田边、草地或山谷溪边。分布于广东新丰、翁源、龙川、博罗、惠阳、从化等。 |

| **资源情况** | 野生资源较丰富。药材来源于野生。

| **采收加工** | 夏、秋、冬季采收，晒干。

| **功能主治** | 苦、微辛，凉。清热解毒，利水消肿。用于急性支气管炎，肠炎，痢疾，急性肾小球肾炎，尿路感染，多发性疖肿。

| **用法用量** | 内服煎汤，25 ~ 100 g。

菊科 Asteraceae 金盏花属 Calendula

金盏花 Calendula officinalis L.

| **药 材 名** | 金盏菊（药用部位：花序。别名：盏盏菊）。

| **形态特征** | 一年生或二年生草本。茎直立，高 20 ~ 75 cm，有纵棱，上部多分枝，被短毛。单叶互生，长 15 ~ 20 cm，长倒卵形或广披针形，先端渐尖或钝，基部楔形或略圆，全缘或微呈浅波状，被短毛。头状花序；边花舌状，鲜黄色或橙红色，雌性；盘花管状，两性，不结实，黄色；苞片线状披针形。瘦果，棕色至棕褐色。花期 4 ~ 9 月。

| **生境分布** | 栽培于阳光充足的环境。广东各地均有栽培。

| **资源情况** | 栽培资源丰富。药材来源于栽培。

| **采收加工** | 夏、秋季盛花期采摘，晒干。

| **药材性状** | 本品呈扁球形或不规则类球形，花瓣多皱缩卷曲；总苞片 1 ~ 2 层，线状披针形，苞片深绿色；边花花瓣舌状，展平后呈线状狭披针形。有时可见结的果实，两端向内弯曲成弧形。气微香，味淡。 |

| **功能主治** | 苦，寒。清热解毒，活血调经。用于中耳炎，月经不调。 |

| **用法用量** | 内服煎汤，10 ~ 30 g。 |

菊科 Asteraceae 天名精属 Carpesium

天名精 *Carpesium abrotanoides* L.

| **药 材 名** | 天名精（药用部位：全草。别名：天蔓青、地菘、野叶子烟）、鹤虱（药用部位：果实。别名：北鹤虱、鬼虱）。 |

| **形态特征** | 多年生粗壮草本。全株被柔毛。茎高 60 ~ 100 cm，圆柱状。基生叶于开花前凋萎；茎下部叶广椭圆形或长椭圆形，长 8 ~ 16 cm，上面深绿色，下面淡绿色，有细小腺点；茎上部叶长椭圆形或椭圆状披针形。头状花序多数，着生于茎端或沿茎、枝生于叶腋，排列成穗状花序；总苞钟状球形，外层苞片卵圆形，内层苞片长圆形。瘦果。花期 8 ~ 10 月，果期 10 ~ 12 月。 |

| **生境分布** | 生于低海拔地区的村旁、路边、荒地及溪边林缘。分布于广东乳源、 |

翁源、始兴、乐昌、和平、龙门、阳山、英德、高要等。

| **资源情况** | 野生资源较丰富。药材来源于野生。

| **采收加工** | **天名精**：夏、秋季采收，切段，晒干。

鹤虱：夏、秋季采收，晒干。

| **功能主治** | **天名精**：苦、辛，寒。归肝、肺经。清热，化痰，解毒，杀虫，破瘀，止血。
用于乳蛾，喉痹，惊风，牙痛，疔疮肿毒，痔疮，皮肤痒疹，毒蛇咬伤，虫积，
血瘕，吐血，衄血，血淋，创伤出血。

鹤虱：苦、辛，平；有小毒。杀虫消积。用于蛔虫病，蛲虫病。

| **用法用量** | **天名精**：内服煎汤，9 ～ 15 g；或研末，3 ～ 6 g；或捣汁；或入丸、散剂。

鹤虱：内服煎汤，5 ～ 10 g；或入丸、散剂。

菊科 Asteraceae 天名精属 *Carpesium*

烟管头草

Carpesium cernuum L.

| 药 材 名 | 杓儿菜（药用部位：全草或根。别名：烟袋草）。

| 形态特征 | 多年生草本。全株均被柔毛。茎高 50 ~ 100 cm，具细纵纹。基生叶多于开花前凋萎；茎下部叶较大，具长柄，叶片长椭圆形或匙状长椭圆形，长 6 ~ 12 cm，上面绿色，下面淡绿色；茎中部叶椭圆形至长椭圆形；茎上部叶渐小。头状花序单生于茎端及枝端；花梗向下弯曲，近倒悬状；雌花狭筒状；两性花筒状。瘦果。花果期 6 ~ 10 月。

| 生境分布 | 生于山坡路旁及山谷草地。分布于广东乳源、翁源、仁化、南雄、梅县、连州、封开及广州（市区）等。

| **资源情况** | 野生资源较丰富。药材来源于野生。

| **采收加工** | 夏、秋季采收，切段，晒干。

| **药材性状** | 本品茎具细纵纹；表面绿色或黑棕色，被白色茸毛；折断面粗糙，皮部纤维性强，髓部疏松，最外 1 层表皮易剥落。叶多破碎不全，两面均被茸毛。头状花序着生于分枝的先端；花梗向下弯曲，近倒悬状；花黄棕色。气香，味苦、微辣。

| **功能主治** | 微苦，寒。清热解毒，消炎退肿。用于感冒发热，高热惊风，咽喉肿痛，疟腮，牙痛，尿路感染，淋巴结结核，疮疡疖肿，乳腺炎。

| **用法用量** | 内服煎汤，3 ~ 9 g。外用适量，捣敷。

菊科 Asteraceae 天名精属 Carpesium

金挖耳

Carpesium divaricatum Sieb. & Zucc.

| 药 材 名 | 挖耳草（药用部位：全草或根、果实。别名：朴地菊、劳伤草、野烟）。

| 形态特征 | 多年生草本。全株被白色毛。茎直立，高 25 ~ 150 cm，质略硬，有槽。叶互生，长 5 ~ 12 cm；茎下部叶卵状长圆形；茎上部叶小，披针形，近全缘。头状花序，单生于茎端或分枝的先端，下垂；总苞扁球形，外层苞片长披针形，内层苞片膜质，椭圆状披针形；全部为管状花，黄色，外围数层为雌花，中央为两性花。瘦果细长。花期 7 ~ 10 月，果期 10 ~ 11 月。

| 生境分布 | 生于山坡、荒地。分布于广东始兴、大埔、龙门等。

| 资源情况 | 野生资源较丰富。药材来源于野生。

| 采收加工 | 花期采收。

| 药材性状 | 本品茎细而长，全体被丝状毛，幼嫩处毛尤为浓密，灰绿色至暗棕色。叶多皱缩破碎，呈卵状长圆形，灰绿色至棕绿色。茎基部丛生细根，长 5 ~ 10 cm，暗棕色。有时具头状花序，呈枯黄色。有青草气，味涩。

| 功能主治 | 苦、辛，凉。清热解毒，消肿止痛。用于感冒发热，头风，风火赤眼，咽喉肿痛，疟腮，牙痛，乳痈，疮疖肿毒，痔疾出血，腹痛泄泻，急惊风。

| 用法用量 | 内服煎汤，10 ~ 15 g；或捣汁。外用适量，煎汤洗；或捣敷。

菊科 Asteraceae 红花属 Carthamus

红花 *Carthamus tinctorius* L.

| 药 材 名 |

草红花（药用部位：花。别名：刺红花、红蓝花）。

| 形态特征 |

一年生草本。全体光滑无毛。茎直立，高 20 ~ 150 cm，基部木质化，上部多分枝。叶互生，质硬，近无柄而抱茎，卵形或卵状披针形，基部渐狭，先端尖锐，边缘具刺齿；上部叶逐渐变小，呈苞片状，围绕头状花序。花序大，顶生；总苞片多列；花托扁平；管状花多数，通常两性，橘红色。瘦果椭圆形或倒卵形，白色。花果期 5 ~ 8 月。

| 生境分布 |

栽培种。广东乐昌、阳山、连州、英德及肇庆（市区）、广州（市区）等有栽培。

| 资源情况 |

栽培资源丰富。药材来源于栽培。

| 采收加工 |

夏季花由黄色变红色时采摘，除去杂质，阴干、烘干或鲜用。

| **药材性状** | 本品为不带子房的管状花，长 1 ～ 2 cm。表面红黄色或红色。花冠筒细长，先端 5 裂，裂片呈狭条形，长 5 ～ 8 mm；雄蕊 5，花药聚合成筒状，黄白色；柱头长圆柱形，先端微分叉。质柔软。气微香，味微苦。

| **功能主治** | 辛，温。活血通经，祛瘀止痛。用于痛经，闭经，产后瘀阻腹痛，胸痹心痛，癥瘕积聚，跌打损伤，关节疼痛，中风偏瘫，斑疹。

| **用法用量** | 内服煎汤，5 ～ 10 g；或入散剂；或浸酒；或鲜品捣汁。外用适量，研末撒。

菊科 Asteraceae 石胡荽属 Centipeda

石胡荽 *Centipeda minima* (L.) A. Br. & Aschers

| **药 材 名** | 鹅不食草（药用部位：全草。别名：球子草、地胡椒、小拳头）。 |

| **形态特征** | 一年生小草本。茎高 5 ~ 20 cm，匍匐状，微被蛛丝状毛或无毛。叶楔状倒披针形，长 7 ~ 18 mm，无毛或背面微被蛛丝状毛。头状花序小，扁球形，单生于叶腋；无花序梗或花序梗极短；总苞半球形，总苞片椭圆状披针形，绿色，边缘透明，膜质；边缘花雌性，淡绿黄色；盘花两性，淡紫红色，下部有明显的狭管。瘦果椭圆形，具 4 棱。花期 6 ~ 10 月。 |

| **生境分布** | 生于山坡路旁、荒野阴湿处。广东各地均有分布。 |

| **资源情况** | 野生资源丰富。药材来源于野生。 |

| **采收加工** | 夏、秋季采收，切段，晒干。

| **功能主治** | 辛，温。祛风通窍，解毒消肿。用于感冒，头痛，鼻渊，鼻息肉，咳嗽，哮喘，喉痹，耳聋，目赤翳膜，疟疾，痢疾，风湿痹痛，跌打损伤，肿毒，疥癣。

| **用法用量** | 内服煎汤，6～9 g；或捣汁。外用适量，捣敷；或捣烂塞鼻；或研末敷。

菊科 Asteraceae 茼蒿属 *Chrysanthemum*

茼蒿
Chrysanthemum coronarium L. [*Chrysanthemum coronarium* L. var. *spatiosum* Bailey.*]

| 药 材 名 | 艾菜（药用部位：全草。别名：同蒿、蓬蒿、蓬蒿菜）。

| 形态特征 | 茎高可达 70 cm，不分枝或自中上部分枝。中、下部茎生叶长椭圆形或长椭圆状倒卵形；上部茎生叶小。头状花序单生于茎顶或茎枝

先端，但不形成明显的伞房花序；总苞片内层先端膜质，扩大成附片状。舌状花瘦果有 3 狭翅肋，肋间有 1 ~ 2 间肋；管状花瘦果有 1 ~ 2 椭圆形凸起的肋及不明显的间肋。花果期 6 ~ 8 月。

| **生境分布** | 栽培于肥沃的砂壤土中。广东各地均有栽培。

| **资源情况** | 栽培资源丰富。药材来源于栽培。

| **采收加工** | 春、夏、冬季采收，鲜用。

| **功能主治** | 辛、甘，平。安心气，健脾胃，消痰饮，利肠胃。用于消化不良，痰饮，便秘。

| **用法用量** | 内服煎汤，15 ~ 30 g。外用适量，捣敷。

菊科 Asteraceae 蓟属 Cirsium

湖北蓟 *Cirsium hupehense* Pamp.

| **药 材 名** | 线叶蓟（药用部位：茎叶、根。别名：野红花、山红花）。

| **形态特征** | 多年生草本。高 30 ～ 150 cm。根纺锤形，稀疏分枝，肉质。茎直立，上部分枝，有白色的蛛丝状毛或细软毛。基部叶于花后凋落；中部叶近无柄，长椭圆状披针形，上面粗糙，下面被稀疏的白色蛛丝状毛，边缘浅裂或不裂，有尖刺；上部叶渐小，线状披针形。头状花序顶生；总苞圆球形，紫红色；花为管状花，紫红色。瘦果偏斜楔状倒卵形。花果期 8 ～ 11 月。

| **生境分布** | 生于海拔 500 ～ 2 500 m 的山坡灌木林中或林缘、草丛、荒地、田间。分布于广东乐昌、阳山、连州等。

| **资源情况** | 野生资源较丰富。药材来源于野生。

| **采收加工** | 秋季采挖根，鲜用或晒干。

| **功能主治** | 酸，温。活血化瘀，解毒消肿。用于月经不调，闭经，痛经，乳腺炎，跌打损伤，尿路感染，痈疖，蛇咬伤。

| **用法用量** | 内服煎汤，15 ~ 30 g。外用适量，捣敷。

菊科 Asteraceae 蓟属 Cirsium

大蓟
Cirsium japonicum Fisch. & DC.

| 药 材 名 |

蓟（药用部位：全草或根。别名：刺蓟菜）。

| 形态特征 |

多年生草本。块根纺锤状或萝卜状。茎直立，高 30 ~ 80 cm，接头状花序下部灰白色，被稠密绒毛及多细胞节毛。基生叶卵形、长倒卵形、椭圆形或长椭圆形，长 8 ~ 20 cm，羽状深裂或几全裂；自基部向上的叶渐小；全部茎生叶绿色。头状花序直立；小花红色或紫色；总苞钟状，总苞片覆瓦状排列。瘦果压扁，偏斜楔状倒披针形。花果期 4 ~ 11 月。

| 生境分布 |

生于草丛、路旁湿润处。分布于广东翁源、仁化、从化、连山、英德及深圳（市区）等。

| 资源情况 |

野生资源一般。药材来源于野生。

| 采收加工 |

夏、秋季采收，切段，晒干或鲜用。

| **功能主治** | 甘，凉。凉血止血，散瘀消肿。用于出血病。

| **用法用量** | 内服煎汤，9～15g。外用适量，鲜品捣敷。

菊科 Asteraceae 蓟属 Cirsium

线叶蓟 Cirsium lineare (Thunb.) Sch.-Bip. [Carduus linearis Thunb.]

| 药 材 名 | 线叶蓟（药用部位：根。别名：条叶蓟、小蓟）。

| 形态特征 | 多年生草本。高 60 ～ 150 cm。茎直立，上部灰白色，被薄绒毛。中部茎生叶长椭圆形或长椭圆状披针形，长 9 ～ 18 cm，边缘有针刺；向上的叶渐小；全部叶质厚，上面绿色，被糙伏毛，下面灰白色，被绒毛。头状花序在茎枝先端排成伞房花序；总苞卵球形，总苞片覆瓦状排列；小花紫红色。瘦果倒金字塔状。花果期 9 ～ 10 月。

| 生境分布 | 生于山坡草地、灌丛中。分布于广东从化、翁源、仁化、连山、英德及深圳（市区）等。

| 资源情况 | 野生资源一般。药材来源于野生。

| **采收加工** | 夏、秋季采收，晒干或鲜用。

| **功能主治** | 甘，凉。凉血散瘀，解毒生肌，止血，活血，解毒消肿。

| **用法用量** | 内服煎汤，4.5 ~ 9 g。外用适量，鲜品捣敷。

王发国提供

菊科 Asteraceae 蓟属 Cirsium

刺儿菜 *Cirsium setosum* (Willd.) MB.

| 药 材 名 | 小蓟（药用部位：根。别名：猫蓟、千针草）。

| 形态特征 | 多年生草本。茎直立，高 30 ~ 80 cm。花序分枝无毛或有薄绒毛。基生叶和中部茎生叶椭圆形、长椭圆形或椭圆状倒披针形，长7 ~ 15 cm；上部茎生叶渐小；全部茎生叶两面绿色或下面色淡。头状花序单生于茎端，排列成伞房花序；总苞长卵形或卵圆形，苞片覆瓦状排列，向内层渐长；小花紫红色或白色。瘦果淡黄色，椭圆形或偏斜椭圆形。花果期 5 ~ 9 月。

| 生境分布 | 生于山坡草地。分布于广东乳源等。

| 资源情况 | 野生资源稀少。药材来源于野生。

| **采收加工** | 夏、秋季采收，晒干或鲜用。 |

| **功能主治** | 甘，凉。凉血，行瘀，止血。用于血热妄行。 |

| **用法用量** | 内服煎汤，4.5 ~ 9 g。外用适量，鲜品捣敷。 |

菊科 Asteraceae 藤菊属 Cissampelopsis

藤菊 *Cissampelopsis volubilis* (Bl.) Miq.

| 药 材 名 | 滇南千里光（药用部位：藤茎。别名：松筋藤）。

| 形态特征 | 大藤状草本或亚灌木。长可达 3 m，全株被蛛丝状柔毛或刚毛，有时兼具褐色腺毛。茎老时变木质。叶卵形或宽卵形，长达 15 cm，边缘具疏细齿至粗波状齿，纸质或近革质；上部叶及花序枝上的叶较小。头状花序盘状，排成较疏至密的顶生或腋生复伞房花序；总苞圆柱形，苞片 8 层，线状长圆形，草质，边缘干膜质；小花全部为管状花，花冠白色、淡黄色或粉色。瘦果圆柱状，无毛。花期 10 月至翌年 1 月。

| 生境分布 | 生于疏林下或灌丛中。分布于广东英德、郁南、阳春、信宜及肇庆（市区）等。

| **资源情况** | 野生资源较丰富。药材来源于野生。

| **采收加工** | 夏、秋季采收，晒干。

| **功能主治** | 苦，平。舒筋活络，祛风除湿。用于风湿痹痛，关节屈伸不利，小儿麻痹后遗症，跌打损伤。

| **用法用量** | 内服煎汤，6 ~ 10 g，大剂量可用至 30 g。

菊科 Asteraceae 白酒草属 Conyza

香丝草
Conyza bonariensis (L.) Cronq.

药 材 名

野塘蒿（药用部位：全草。别名：小山艾、火草苗、小加蓬）。

形态特征

一年生或二年生草本。全株被短毛、长毛或糙毛。茎高 20 ～ 50 cm。下部叶倒披针形或长圆状披针形，长 3 ～ 5 cm，通常具齿或浅裂；中部叶和上部叶狭披针形或线形，中部叶具齿，上部叶全缘。头状花序多数，于茎端排列成总状或总状圆锥花序；总苞椭圆状卵形，总苞片 2 ～ 3 层，线形；雌花白色；两性花淡黄色。瘦果线状披针形。花期 5 ～ 10 月。

生境分布

生于荒地、田边、路旁。广东各地均有分布。

资源情况

野生资源丰富。药材来源于野生。

采收加工

夏、秋季采收，晒干。

| 功能主治 | 辛、苦，微温。祛风除湿，解毒消肿，止咳化痰。用于感冒，疟疾，风湿性关节炎，外伤出血。

| 用法用量 | 内服煎汤，9 ~ 12 g。外用适量，捣敷。

菊科 Asteraceae 白酒草属 Conyza

小蓬草

Conyza canadensis (L.) Cronq.

| 药 材 名 | 小飞蓬（药用部位：全草。别名：破布艾、臭艾、小山艾）。

| 形态特征 | 一年生草本。具纤维状根。茎直立，高 50 ~ 100 cm，疏被长硬毛。下部叶倒披针形，长 6 ~ 10 cm；中部叶和上部叶较小，线状披针形或线形，两面或仅上面疏被短毛，边缘被硬缘毛。头状花序多数，排列成顶生且多分枝的大型圆锥花序；总苞近圆柱状，苞片淡绿色，线状披针形或线形；雌花多数，白色；两性花淡黄色。瘦果线状披针形。花期 5 ~ 9 月。

| 生境分布 | 生于田野、路旁。分布于广东乳源、翁源、始兴、乐昌、平远、梅县、陆丰、连山、英德、连州、封开等。

| **资源情况** | 野生资源丰富。药材来源于野生。

| **采收加工** | 夏、秋季采收，晒干。

| **药材性状** | 本品茎直立；表面黄绿色或绿色，有细棱及糙毛。单叶互生，叶片展平后呈线状披针形，基部狭，先端渐尖，具疏锯齿或全缘，有长缘毛。多数小头状花序集成圆锥花序，花黄棕色。气香特异，味微苦。

| **功能主治** | 微苦、辛，凉。清热利湿，散瘀消肿。用于痢疾，肠炎，肝炎，胆囊炎，跌打损伤，风湿骨痛，疮疖肿痛，外伤出血，牛皮癣。

| **用法用量** | 内服煎汤，15 ～ 30 g。外用适量，捣敷。

菊科 Asteraceae 白酒草属 Conyza

苏门白酒草

Conyza sumatrensis (Retz.) Walker

| 药 材 名 | 苏门白酒菊（药用部位：全草）。

| 形态特征 | 一年生或二年生草本。全株被糙短毛、柔毛或微毛。茎粗壮，高
80 ～ 150 cm，绿色或下部红紫色。下部叶倒披针形或披针形，长
6 ～ 10 cm；中部叶和上部叶渐小。头状花序在茎枝先端排成长的大
型圆锥花序；总苞卵状或短圆柱状，苞片灰绿色，线状披针形或线
形；雌花舌片淡黄色或淡紫色；两性花花冠淡黄色。瘦果线状披针
形。花期 5 ～ 10 月。

| 生境分布 | 生于山坡草地、旷野、路旁。分布于广东连山及广州（市区）等。

| 资源情况 | 野生资源稀少。药材来源于野生。

| **采收加工** | 夏、秋季采收，晒干。 |

| **功能主治** | 辛、微苦，平。消炎镇痛，祛风化痰。用于咳嗽痰多，风湿痹痛，子宫出血。 |

| **用法用量** | 内服煎汤，9 ~ 15 g。 |

菊科 Asteraceae 金鸡菊属 Coreopsis

两色金鸡菊 Coreopsis tinctoria Nutt.

| 药 材 名 | 铁菊（药用部位：全草。别名：孔雀菊、蛇目菊、波斯菊）。

| 形态特征 | 一年生草本。无毛，高 30 ～ 100 cm。茎直立。叶对生，中下部叶有长柄，2 回羽状全裂，裂片线形或线状披针形，全缘；上部叶无柄或下延成翅状柄，线形。头状花序多数，排列成伞房状或疏圆锥花序状；总苞半球形，外层总苞片较短，内层总苞片卵状长圆形；舌状花黄色，舌片倒卵形；管状花红褐色，狭钟形。瘦果长圆形或纺锤形。花期 5 ～ 9 月。

| 生境分布 | 生于阳光充足且温暖的环境。分布于广东深圳（市区）、肇庆（市区）等。广东各地均有栽培。

| **资源情况** | 野生资源稀少，栽培资源丰富。药材来源于野生和栽培。

| **采收加工** | 夏、秋季采收，晒干或鲜用。

| **功能主治** | 甘，平。清热解毒，化湿消痈。

| **用法用量** | 内服煎汤，30 ~ 60 g。

菊科 Asteraceae 秋英属 Cosmos

秋英
Cosmos bipinnata Cav.

药 材 名	大波斯菊（药用部位：全草。别名：格桑花、波斯菊）。
形态特征	一年生或多年生草本。高 1 ~ 2 m。茎无毛或稍被柔毛。叶 2 回羽状深裂，裂片线形或丝状线形。头状花序单生，直径 3 ~ 6 cm；外层总苞片披针形或线状披针形，淡绿色，具深紫色条纹，托片平展，上端呈丝状；舌状花紫红色、粉红色或白色，舌片椭圆状倒卵形，长 2 ~ 3 cm，有 3 ~ 5 钝齿；管状花黄色，长 6 ~ 8 mm。瘦果黑紫色。花期 6 ~ 8 月。
生境分布	生于路旁、田埂、溪边。分布于广东从化、丰顺及深圳（市区）、肇庆（市区）等。广东各地均有栽培。

| **资源情况** | 野生资源较少，栽培资源丰富。药材来源于野生和栽培。

| **采收加工** | 夏、秋季采收，切段，晒干。

| **功能主治** | 清热解毒，化湿。用于痢疾，目赤肿痛；外用于痈肿疮毒。

| **用法用量** | 内服煎汤，30 ~ 60 g。

菊科 Asteraceae 秋英属 Cosmos

黄秋英
Cosmos sulphureus Cav.

| 药 材 名 | 硫黄菊（药用部位：全草。别名：硫华菊、黄波斯菊）。

| 形态特征 | 一年生草本。多分枝。叶为对生的二回羽状复叶，深裂，裂片呈披针形。花为舌状花，有单瓣和重瓣 2 种，多呈黄色、橙色或红色。

瘦果长 1.8 ~ 2.5 cm，棕褐色，坚硬，粗糙，有毛，先端有细长喙。花期 6 ~ 10 月。

| **生境分布** | 生于路旁、田埂、溪边。分布于广东深圳（市区）等。广东各地均有栽培。

| **资源情况** | 野生资源稀少，栽培资源丰富。药材来源于野生和栽培。

| **采收加工** | 夏、秋季采收，切段，晒干。

| **功能主治** | 清热解毒，化湿。用于咳嗽，痢疾。

| **用法用量** | 内服煎汤，15 ~ 30 g。外用适量，捣敷。

菊科 Asteraceae 野茼蒿属 Crassocephalum

野茼蒿
Crassocephalum crepidioides (Benth.) S. Moore

| 药 材 名 |

革命菜（药用部位：全草。别名：野木耳菜、飞机菜、假茼蒿）。

| 形态特征 |

直立草本。高 20 ～ 120 cm，茎无毛。叶膜质，椭圆形或长圆状椭圆形，长 7 ～ 12 cm，边缘有不规则锯齿或重锯齿，有时基部羽裂。头状花序数个，在茎端排成伞房状，直径约 3 cm；总苞钟状，苞片线状披针形，具狭膜质边缘，先端有簇状毛；小花管状，两性，花冠红褐色或橙红色，被乳头状毛。瘦果狭圆柱形，红色。花期 7 ～ 12 月。

| 生境分布 |

生于山坡路旁、水边、灌丛中。广东各地均有分布。广东各地均有栽培。

| 资源情况 |

野生资源丰富，栽培资源丰富。药材来源于野生和栽培。

| 采收加工 |

夏、秋季采收，切段，晒干。

| **功能主治** | 苦、辛，平。健脾消肿。用于消化不良。

| **用法用量** | 内服煎汤，30 ～ 60 g。

菊科 Asteraceae 芙蓉菊属 Crossostephium

芙蓉菊
Crossostephium chinense (L.) Makino

| 药 材 名 | 千年艾（药用部位：叶。别名：蜂草、白芙蓉、玉芙蓉）。

| 形态特征 | 半灌木。高 10 ~ 40 cm，密被灰色短柔毛。叶聚生于枝顶，狭匙形或狭倒披针形，长 2 ~ 4 cm，全缘或 3 ~ 5 裂，两面密被灰色短柔毛；质厚。头状花序盘状，排列成总状花序；总苞半球形，总苞片 3 层；边花雌性，花冠管状，先端 2 ~ 3 齿裂，具腺点；盘花两性，花冠管状，先端 5 齿裂，外面密生腺点。瘦果矩圆形，被腺点。花果期全年。

| 生境分布 | 栽培种。广东各地均有栽培。

| 资源情况 | 栽培资源丰富。药材来源于栽培。

| **采收加工** | 全年均可采收，洗净，鲜用或晒干。

| **功能主治** | 辛、苦，微温。散风寒，化痰利湿，解毒消肿。用于风寒感冒，咳嗽痰多，百日咳，泄泻，淋浊，带下，痈肿疔毒。

| **用法用量** | 内服煎汤，15 ~ 30 g。外用适量，捣敷。

菊科 Asteraceae 杯菊属 Cyathocline

杯菊

Cyathocline purpurea (Buch.-Ham. ex D. Don) O. Ktze.

| **药 材 名** | 杯菊（药用部位：全草）。

| **形态特征** | 一年生草本。高 10 ~ 15 cm。茎直立，粗挺，基部直径可达 6 mm。全部茎枝红紫色。中部茎生叶长 2.5 ~ 12 cm；全部叶无叶柄，基部扩大，耳状抱茎。头状花序小，直径 1 ~ 2.5 cm；总苞半球形，总苞片 2 层，近等长，先端带紫色；头状花序外围有多层结实的雌花；中央花两性。瘦果长圆形；无冠毛。花果期近全年。

| **生境分布** | 生于山坡林下、山坡草地、村舍路旁或田边水旁。分布于广东封开、怀集等。

| **资源情况** | 野生资源较少。药材来源于野生。

| **采收加工** | 秋季采收，晒干或鲜用。

| **功能主治** | 苦，凉。清热解毒，消炎止血，除湿利尿，杀虫。

| **用法用量** | 外用鲜品捣敷，25 ~ 50 g；或干品研末敷。

菊科 Asteraceae 大丽花属 Dahlia

大丽花 *Dahlia pinnata* Cav.

| **药 材 名** | 大理菊（药用部位：块根。别名：洋芍药）。

| **形态特征** | 多年生草本。有大型的棒状块根。茎直立，高 1.5 ~ 2 m。叶 1 ~ 3
回羽状全裂，上部叶有时不分裂，下面灰绿色，两面无毛。头状花
序大，宽 6 ~ 12 cm；外层总苞片约 5，叶质，内层总苞片膜质；舌
状花 1 层，常呈卵形；管状花黄色。瘦果长圆形，黑色。花期 6 ~ 12
月，果期 9 ~ 10 月。

| **生境分布** | 栽培种。广东各地均有栽培。

| **资源情况** | 栽培资源丰富。药材来源于栽培。

| **采收加工** | 冬季至翌年春季采收，晒干。

| **功能主治** | 辛、甘，平。清热解毒，消炎止痛。

| **用法用量** | 内服煎汤，6 ~ 15 g。外用适量，捣敷。

菊科 Asteraceae 菊属 Dendranthema

野菊

Dendranthema indicum (L.) Des Moul.

| 药 材 名 |

野菊花（药用部位：全草或花序。别名：野黄菊、苦薏）。

| 形态特征 |

多年生草本。高 0.25 ～ 1 m。茎直立或铺散。基生叶和下部茎生叶花期脱落；中部茎生叶卵形、长卵形或椭圆状卵形，长 3 ～ 7（～ 10）cm，宽 2 ～ 4（～ 7）cm。头状花序直径 1.5 ～ 2.5 cm；总苞片约 5 层，全部苞片边缘白色或褐色，宽膜质，先端钝或圆；舌状花黄色，先端全缘或具 2 ～ 3 齿。瘦果长 1.5 ～ 1.8 mm。花期 6 ～ 11 月。

| 生境分布 |

生于山坡草地、灌丛、河边水湿处、滨海盐渍地、田边及路旁。分布于广东乳源、乐昌、和平、从化、惠东、龙门、连州、封开及深圳（市区）、珠海（市区）等。

| 资源情况 |

野生资源丰富。药材来源于野生。

| 采收加工 |

秋季采收，晒干。

| **功能主治** | 苦、辛，平。清热解毒，疏风平肝。用于疔疮，痈疽，丹毒，湿疹，皮炎，风热感冒，咽喉肿痛，高血压。 |

| **用法用量** | 内服煎汤，9 ~ 15 g。外用适量，煎汤洗；或熬膏涂。 |

| **凭证标本号** | 441882181101016LY。 |

菊科 Asteraceae 菊属 Dendranthema

甘菊

Dendranthema lavandulifolium (Fisch. ex Trautv.) Ling & Shin

| 药 材 名 | 野菊（药用部位：花序）。

| 形态特征 | 多年生草本。高 0.3 ~ 1.5 m，有地下匍匐茎。茎直立，茎枝有稀疏的柔毛。全部叶两面同色或近同色；中部茎生叶叶柄长 0.5 ~ 1 cm。头状花序直径 10 ~ 15（~ 20）mm；总苞碟状，直径 5 ~ 7 mm，总苞片约 5 层，苞片先端圆形；舌状花黄色，舌片椭圆形，长 5 ~ 7.5 mm。瘦果长 1.2 ~ 1.5 mm。花果期 5 ~ 11 月。

| 生境分布 | 生于山坡、岩石上、河谷、河岸、荒地及丘陵。分布于广东乐昌、阳山、连州等。

| 资源情况 | 野生资源较少。药材来源于野生。

| **采收加工** | 夏、秋季采收，晒干。

| **功能主治** | 苦、辛，寒。清热解毒。用于感冒，气管炎，肝炎，高血压，痢疾，痈肿，疔疮，目赤肿痛，瘰疬，湿疹。

| **用法用量** | 内服煎汤，6 ~ 12 g，鲜品 30 ~ 60 g；或捣汁。外用适量，捣敷；或煎汤洗；或熬膏涂。

菊科 Asteraceae 菊属 Dendranthema

菊花

Dendranthema morifolium (Ramat.) Tzvel.

| 药 材 名 | 菊花（药用部位：花。别名：白菊花、黄甘菊、药菊）。

| 形态特征 | 多年生草本。高 50 ～ 140 cm。茎基部稍木质化。叶互生；叶柄有浅槽。头状花序顶生或腋生，直径 2.5 ～ 20 cm；总苞半球形，苞片 3 ～ 4 层；花托小，凸出，半球形；舌状花雌性，雌蕊 1，花柱短，柱头 2 裂；管状花两性，位于中央，黄色，聚药雄蕊 5，雌蕊 1。瘦果矩圆形，具 4 棱，光滑无毛。花期 9 ～ 11 月。

| 生境分布 | 栽培种。广东各地均有栽培。

| 资源情况 | 栽培资源丰富。药材来源于栽培。

| 采收加工 | 9 ～ 11 月花盛开时采收，阴干、烘干或熏蒸后晒干。

| 功能主治 | 甘、苦，微寒。疏风清热，平肝明目，解毒消肿。用于外感风温初起，发热头痛，眩晕，目赤肿痛，疔疮肿毒。

| 用法用量 | 内服煎汤，10 ～ 15 g；或入丸、散剂；或泡茶。外用适量，煎汤洗；或捣敷。

| 凭证标本号 | 441422190123128LY。

菊科 Asteraceae 鱼眼草属 Dichrocephala

鱼眼草

Dichrocephala integrifolia (L. f.) Kuntze

| 药 材 名 | 鱼眼草（药用部位：全草。别名：胡椒草、山胡椒菊、茯苓菜）。

| 形态特征 | 一年生草本。茎枝被白色绒毛，果期近无毛。叶卵形、椭圆形或披针形；中部茎生叶长 3 ～ 12 cm，大头羽裂，基部渐窄成翅柄，柄长 1 ～ 3.5 cm；基部叶不裂。头状花序球形，直径 3 ～ 5 mm，在枝端或茎顶排成伞房状花序或伞房状圆锥花序；外围雌花多层，紫色，花冠线形，先端具 2 齿；中央两性花黄绿色。瘦果倒披针形。花果期全年。

| 生境分布 | 生于山坡、平川旷野的湿润沃土上。分布于广东乳源、和平、连平、连南、连山、连州及肇庆（市区）、深圳（市区）、广州（市区）等。

| 资源情况 | 野生资源丰富。药材来源于野生。

| 采收加工 | 夏、秋季采收，切段，晒干。

| 功能主治 | 苦、辛，平。活血调经，解毒消肿。用于月经不调，扭伤肿痛；外用于毒蛇咬伤，疔毒。

| 用法用量 | 内服煎汤，9 ~ 15 g。外用适量，捣敷。

| 凭证标本号 | 441825190412012LY。

菊科 Asteraceae 东风菜属 Doellingeria

短冠东风菜 Doellingeria marchandii (H. Lévl.) Ling

| 药 材 名 | 东风菜（药用部位：全草）。

| 形态特征 | 根茎粗壮。茎直立，高 60 ~ 130 cm，上部有短柔毛，从下部起分枝。下部叶在花期枯萎，叶片心形，长 7 ~ 10 cm，宽 7 ~ 10 cm。头状花序排列成疏散的圆锥状伞房花序；总苞宽钟状；舌状花 10 或更多；管状花管部长 2 ~ 3 mm，无毛。瘦果倒卵形或长椭圆形；冠毛褐色，长 0.5 ~ 1.5 mm。花期 8 ~ 9 月，果期 9 ~ 10 月。

| 生境分布 | 生于山谷、水边、田间、路旁。分布于广东新丰、连山、封开等。

| 资源情况 | 野生资源一般，栽培资源一般。药材来源于野生和栽培。

| 采收加工 | 夏、秋季采收，切段，晒干或鲜用。

| 功能主治 | 辛、甘。清热解毒，明目，利咽。用于风热感冒，头痛目眩，目赤肿痛，咽喉红肿，急性肾炎，咯血，跌打损伤，痈肿疔疮，蛇咬伤。

| 用法用量 | 内服煎汤，15 ～ 30 g。外用适量，鲜品捣敷。

菊科 Asteraceae 东风菜属 Doellingeria

东风菜 *Doellingeria scaber* (Thunb.) Nees

| 药 材 名 | 盘龙草（药用部位：全草。别名：土苍术、白云草、钻山狗）。

| 形态特征 | 根茎粗壮。茎直立，高 100 ~ 150 cm，上部有斜升的分枝，被微毛。基部叶在花期枯萎，叶片心形，长 9 ~ 15 cm，宽 6 ~ 15 cm，先端尖，基部急狭成长 10 ~ 15 cm 且被微毛的柄。头状花序直径 18 ~ 24 mm，排列成圆锥伞房状；舌状花约 10。瘦果倒卵圆形或椭圆形，无毛；冠毛污黄白色。花期 6 ~ 10 月。

| 生境分布 | 生于山谷坡地、草地和灌丛中。分布于广东乳源及云浮（市区）等。

| 资源情况 | 野生资源较少。药材来源于野生。

| **采收加工** | 夏、秋季采收，切段，晒干或鲜用。 |

| **功能主治** | 辛、甘。清热解毒，明目，利咽。用于风热感冒，头痛目眩，目赤肿痛，咽喉红肿，急性肾炎，咯血，跌打损伤，痈肿疔疮，蛇咬伤。 |

| **用法用量** | 内服煎汤，15 ~ 30 g。外用适量，鲜品捣敷。 |

| **凭证标本号** | 441322151005991LY。 |

菊科 Asteraceae 羊耳菊属 Duhaldea

羊耳菊
Duhaldea cappa (Buch.-Ham. ex DC.) Anderb.

药 材 名	白牛胆（药用部位：全株。别名：毛老虎、大力王、白面猫子骨）、山白芷（药用部位：根。别名：白牛胆根）。
形态特征	亚灌木。根茎粗壮，多分枝。茎直立，粗壮，密被污白色或浅褐色茸毛。叶长圆形或长圆状披针形，基部圆形或近楔形，先端钝或急尖，边缘有小尖头状细齿。头状花序密集成聚伞圆锥花序；总苞近钟形，约5层，线状披针形；边缘小花舌片短小，有3～4裂片。瘦果长圆柱形，被白色长绢毛。花期6～10月，果期8～12月。
生境分布	生于低海拔地区的丘陵、荒地、灌丛或草地。广东各地均有分布。
资源情况	野生资源丰富。药材来源于野生。

| 采收加工 | 白牛胆：全年均可采收，鲜用或晒干。
山白芷：立夏后采挖，洗净，鲜用或晒干。

| 药材性状 | 白牛胆：本品茎圆柱形，表面灰褐色至暗褐色，有细纵纹及凸起的椭圆形皮孔，叶痕明显，半月形；质硬，易折断，断面不平坦。叶片常卷曲，边缘有小锯齿，上表面具黄色粗毛，下表面具黄白色绢毛。瘦果具棱，有冠毛。
山白芷：本品头部常残留短小的地上茎，呈圆柱形，有分枝，表面灰黑色或黑褐色。根皮薄，刮去表皮呈灰褐色，有油性。质坚硬，切面木部灰黄色，有散在的黄色油点，根头部中央有髓，呈海绵状。有特殊香气。

| 功能主治 | 白牛胆：辛、甘、微苦，温。祛风散寒，行气利湿，解毒消肿。用于风寒感冒，咳嗽，风湿痹痛，泻痢，肝炎，乳腺炎，痔疮，湿疹，疥癣。
山白芷：辛、甘，温。祛风散寒，止咳定喘，行气止痛。用于风寒感冒，咳嗽，哮喘，头痛，牙痛，胃痛，疝气，风湿痹痛，跌打损伤，月经不调，带下，肾炎性水肿。

| 用法用量 | 白牛胆：内服煎汤，15～30 g。外用适量，捣敷；或煎汤洗。
山白芷：内服煎汤，15～30 g。外用适量，研末撒敷。

| 附　　注 | 用药期间禁食酸辣食物。

| 凭证标本号 | 441825190927015LY、441523190918089LY、440783190718015LY。

菊科 Asteraceae 鳢肠属 Eclipta

鳢肠
Eclipta prostrata (L.) L.

| 药 材 名 | 旱莲草（药用部位：全草。别名：墨旱莲、水旱莲、白花蟛蜞草）。

| 形态特征 | 一年生草本。茎直立，高达 60 cm，被贴生糙毛。叶披针形，长 3 ~ 10 cm，宽 0.5 ~ 2.5 cm。头状花序直径 6 ~ 8 mm，有长 2 ~ 4 cm 的细花序梗；中央的两性花多数，花冠管状，长约 1.5 mm；花柱分枝钝，有乳头状突起。瘦果暗褐色，长 2.8 mm，雌花的瘦果三棱形，两性花的瘦果扁四棱形，先端截形，无毛。花期 6 ~ 9 月。

| 生境分布 | 生于河边、田边或路旁。广东各地均有分布。

| 资源情况 | 野生资源丰富。药材来源于野生。

| 采收加工 | 夏、秋季采收，洗净，阴干、晒干或鲜用。

| 功能主治 | 甘、酸，凉。补益肝肾，凉血止血。用于肝肾不足，头晕目眩，须发早白，吐血，咯血，衄血，便血，血痢，崩漏，外伤出血。

| 用法用量 | 内服煎汤，9 ～ 30 g；或熬膏；或捣汁；或入丸、散剂。外用适量，捣敷；或捣绒塞鼻；或研末敷。

| 凭证标本号 | 441225180722070LY。

菊科 Asteraceae 地胆草属 *Elephantopus*

地胆草 *Elephantopus scaber* L.

| 药 材 名 | 苦地胆（药用部位：全草。别名：土柴胡、马驾百兴、草鞋底）、苦地胆根（药用部位：根）。

| 形态特征 | 根茎平卧或斜升，具多数纤维状根；茎直立，高 20 ~ 60 cm，基部直径 2 ~ 4 mm，稍粗糙，密被白色的贴生长硬毛。基部叶花期生存，呈莲座状，长 5 ~ 18 cm，宽 2 ~ 4 cm，先端圆钝；茎生叶少数而小。头状花序多数，具 4 花；花冠长 7 ~ 9 mm，管部长 4 ~ 5 mm。瘦果长圆状线形，长约 4 mm，被短柔毛；冠毛污白色。花期 7 ~ 11 月。

| 生境分布 | 生于山坡、路旁、山谷林缘。广东各地均有分布。

| 资源情况 | 野生资源丰富。药材来源于野生。

| 采收加工 | 苦地胆：夏末采收，洗净，晒干或鲜用。
苦地胆根：全年均可采收，晒干或鲜用。

| 功能主治 | 苦地胆：苦、辛，寒。清热解毒，凉血利湿。用于感冒，扁桃体炎，咽炎，眼炎，黄疸，水肿，月经不调，带下，疮疖，湿疹，蛇虫咬伤。
苦地胆根：苦，寒。清热，除湿，解毒。用于中暑发热，头痛，牙痛，肾炎性水肿，细菌性痢疾，肠炎，乳腺炎，月经不调，带下，痈肿。

| 用法用量 | 苦地胆：内服煎汤，6 ~ 15 g，鲜品 30 ~ 60 g；或捣汁。外用适量，捣敷；或煎汤熏洗。
苦地胆根：内服煎汤，9 ~ 15 g；或浸酒。外用适量，捣敷；或煎汤含漱。

| 凭证标本号 | 441825190926039LY。

菊科 Asteraceae 地胆草属 Elephantopus

白花地胆草

Elephantopus tomentosus L.

| **药 材 名** | 白花地胆头（药用部位：根。别名：高地胆草、羊耳草、白花蛤仔头）。

| **形态特征** | 根茎粗壮，斜升或平卧，具纤维状根；茎直立，多分枝，被白色的开展长柔毛，具腺点。叶散生于茎上；下部叶长圆状倒卵形；上部叶椭圆形或长圆状椭圆形，有小的尖锯齿。复头状花序基部有 3 卵状心形的叶状苞片，排列成疏伞房状；花冠白色，漏斗状，裂片披针形。瘦果长圆状线形，被短柔毛；冠毛污白色。花期 8 月至翌年 5 月。

| **生境分布** | 生于山坡旷野、路边或灌丛中。广东各地均有分布。

| **资源情况** | 野生资源丰富。药材来源于野生。

| **采收加工** | 夏、秋季采收，切段，晒干或鲜用。

| **功能主治** | 苦、辛，平。清热解毒，利尿消肿，抗肿瘤。用于产后头痛，痛经，喉痛，麻疹。

| **用法用量** | 内服煎汤，6 ~ 15 g，鲜品 30 ~ 60 g；或捣汁。外用适量，捣敷；或煎汤熏洗。

| **凭证标本号** | 441825190711011LY。

菊科 Asteraceae 一点红属 Emilia

小一点红 *Emilia prenanthoidea* DC.

| **药材名** | 细红背草（药用部位：全草。别名：耳挖草）。

| **形态特征** | 一年生草本。茎直立或斜升，高 30 ~ 90 cm，无毛或疏被短毛。头状花序在茎枝先端排列成疏伞房状；总苞圆柱形或狭钟形，长 8 ~ 12 mm，宽 5 ~ 10 mm；小花花冠红色或紫红色，长 10 mm，管部细，檐部 5 齿裂，裂片披针形；花柱分枝先端增粗。瘦果圆柱形，长约 3 mm，具 5 肋，无毛；冠毛丰富，白色，细软。花果期 5 ~ 10 月。

| **生境分布** | 生于山坡路旁、疏林或林中潮湿处。分布于广东乳源、仁化、始兴、南雄、乐昌、蕉岭、平远、丰顺、饶平、龙门、惠东、博罗、连南、

连山、连州、英德、封开、高要、怀集、阳春、信宜及河源（市区）、广州（市区）等。

| **资源情况** | 野生资源丰富。药材来源于野生。

| **采收加工** | 夏、秋季采收，晒干或鲜用。

| **功能主治** | 苦，微寒。抗菌消肿，活血化瘀。用于腮腺炎，乳腺炎，疳积，湿疹。

| **用法用量** | 内服煎汤，25 ～ 40 g，鲜品50 ～ 100 g。外用适量，煎汤洗；或捣敷。

| **凭证标本号** | 440783200425025LY。

菊科 Asteraceae 一点红属 Emilia

一点红 *Emilia sonchifolia* (L.) DC.

| 药 材 名 |

羊蹄草（药用部位：全草。别名：叶下红、红背叶、紫背叶）。

| 形态特征 |

一年生草本。根垂直。茎直立或斜升，高 25 ~ 40 cm。叶质较厚，下部叶长 5 ~ 10 cm，宽 2.5 ~ 6.5 cm。头状花序长 8 mm，后伸长至 14 mm，在开花前下垂，花后直立；小花粉红色或紫色，长约 9 mm，管部细长，檐部渐扩大，5 深裂。瘦果圆柱形，长 3 ~ 4 mm，具 5 棱，肋间被微毛；冠毛丰富，白色，细软。花果期 7 ~ 10 月。

| 生境分布 |

生于山坡荒地、田埂、路旁。广东各地均有分布。

| 资源情况 |

野生资源丰富。药材来源于野生。

| 采收加工 |

夏、秋季采收，晒干或鲜用。

药材性状	本品长约 30 cm。根茎细长，圆柱形，浅棕黄色；茎少分枝，细圆柱形，有纵纹，灰青色。基部叶卵形或琴形，上部叶较基部稍抱茎；纸质。头状花序干枯，花多已脱落，花托及总苞残存，苞片茶褐色，膜质。瘦果浅黄褐色；冠毛极多，白色。有干草气，味淡、略咸。
功能主治	苦，凉。清热利尿，散瘀消肿。用于上呼吸道感染，口腔溃疡，肺炎，乳腺炎，肠炎，细菌性痢疾，尿路感染，疮疡痈肿，湿疹，跌打损伤。
用法用量	内服煎汤，9 ~ 18 g，鲜品 15 ~ 30 g；或捣汁含咽。外用适量，煎汤洗；或捣敷。
凭证标本号	440281190423019LY。

菊科 Asteraceae 球菊属 Epaltes

鹅不食草
Epaltes australis Less.

| 药 材 名 | 老鼠脚迹（药用部位：全草。别名：球菊、拳头菊、苡芭菊）。

| 形态特征 | 一年生草本。茎枝铺散或匍匐状，长 6 ~ 20 cm，无毛或疏被粗毛，节间长约 1 cm。叶片倒卵形或倒卵状长圆形，长 1.5 ~ 3 cm。头状花序扁球形，直径约 5 mm，侧生；总苞半球形，4 层；雌花多数，长约 1 mm；两性花长约 2 mm，花冠圆筒形；雄蕊 4。瘦果近圆柱形，有 10 棱，有疣状突起。花期 3 ~ 6 月。

| 生境分布 | 生于旱田中或沙地上。分布于广东始兴、海丰、陆丰、封开、台山及深圳（市区）、广州（市区）、阳江（市区）等。广东各地均有栽培。

| **资源情况** | 野生资源一般，栽培资源较丰富。药材来源于野生和栽培。

| **采收加工** | 夏、秋季采收，晒干或鲜用。

| **功能主治** | 辛，温。祛瘀止痛。用于跌打损伤，目赤肿痛。

| **用法用量** | 外用适量，捣敷。

| **凭证标本号** | 440923140721023LY。

菊科 Asteraceae　菊芹属 Erechtites

梁子菜

Erechtites hieracifolia (L.) Raf. & DC.

药材名

梁子菜（药用部位：全草。别名：饥荒草）。

形态特征

一年生草本。高 40 ~ 100 cm，具条纹，被疏柔毛。叶无柄，具翅，基部渐狭或半抱茎，披针形至长圆形，长 7 ~ 16 cm，宽 3 ~ 4 cm。头状花序长约 15 mm，宽 1.5 ~ 1.8 mm，在茎端排列成伞房状；小花全部为管状花，淡绿色。瘦果圆柱形，长 2.5 ~ 3 mm，具明显的肋；冠毛丰富，白色。花果期 6 ~ 10 月。

生境分布

生于山坡、林下、灌丛中或湿地。分布于广东大埔、新丰、连山、高要等。广东各地均有栽培。

资源情况

野生资源一般，栽培资源丰富。药材来源于野生和栽培。

采收加工

夏、秋季采收，晒干或鲜用。

| 功能主治 | 甘、苦，凉。清肝明目，清热解毒。用于疮毒，结膜炎。

| 用法用量 | 外用适量，鲜品捣敷。

| 凭证标本号 | 440781190320036LY。

菊科 Asteraceae 飞蓬属 Erigeron

一年蓬 *Erigeron annuus* (L.) Pers.

| 药 材 名 |

一年蓬（药用部位：全草。别名：千层塔、田边菊、路边青）。

| 形态特征 |

一年生或二年生草本。茎粗壮，高 30 ～ 100 cm，基部直径 6 mm，直立。基部叶花期枯萎，长圆形或宽卵形，长 4 ～ 17 cm，宽 1.5 ～ 4 cm；中部叶和上部叶较小，长 1 ～ 9 cm，宽 0.5 ～ 2 cm。头状花序，排列成疏圆锥花序，圆锥花序长 6 ～ 8 mm，宽 10 ～ 15 mm。瘦果披针形，长约 1.2 mm，压扁；冠毛异形。花期 6 ～ 9 月。

| 生境分布 |

生于路边、旷野或山坡荒地。分布于广东乳源、乐昌、连州、阳山及广州（市区）等。广东各地均有栽培。

| 资源情况 |

野生资源较少，栽培资源一般。药材来源于野生和栽培。

| 采收加工 |

夏、秋季采收，切段，晒干。

功能主治	甘、苦，凉。消食止泻，清热解毒，截疟散结。用于消化不良，胃肠炎，牙龈肿痛，疟疾，毒蛇咬伤。
用法用量	内服煎汤，30 ~ 60 g。外用适量，捣敷。
凭证标本号	440281190626016LY。

菊科 Asteraceae 泽兰属 Eupatorium

多须公 *Eupatorium chinense* L.

| 药 材 名 |

华泽兰（药用部位：根、叶。别名：广东土牛膝、大泽兰、六月雪）。

| 形态特征 |

多年生草本。高 70 ~ 100 cm。全部茎草质，高 2 ~ 2.5 m。全株多分枝，分枝斜升；全部茎枝被污白色的短柔毛。叶对生。头状花序多数，在茎顶或枝端排列成大型的疏散复伞房花序，花序直径达 30 cm；花白色、粉色或红色；花冠长 5 mm，外面被稀疏的黄色腺点。瘦果淡黑褐色，椭圆状，长 3 mm，具 5 棱，散生黄色腺点。花果期 6 ~ 11 月。

| 生境分布 |

生于海拔 800 ~ 1 900 m 的山谷、山坡林缘、林下、灌丛中、山坡草地上、村舍旁及田间。分布于广东乳源、新丰、翁源、仁化、乐昌、大埔、梅县、海丰、增城、连山、阳山、连州、英德、封开、高要、新兴、阳春及茂名（市区）、深圳（市区）等。

| 资源情况 |

野生资源丰富。药材来源于野生。

| 采收加工 | 夏、秋季采收，晒干或鲜用。

| 功能主治 | 苦，凉。清热解毒，利咽化痰，疏肝解郁，消肿止痛，开胸利膈。

| 用法用量 | 内服煎汤，10 ～ 15 g，鲜品加倍；或捣汁。外用适量，捣敷；或研末撒。

| 凭证标本号 | 441523190920057LY。

菊科 Asteraceae 泽兰属 Eupatorium

佩兰
Eupatorium fortunei Turcz.

| 药 材 名 |

兰草（药用部位：地上部分。别名：泽兰、圆梗泽兰、省头草）。

| 形态特征 |

多年生草本。高 40 ~ 100 cm。茎直立，基部长达 0.5 cm；茎枝被稀疏的短柔毛。全部茎生叶两面光滑，具羽状脉。头状花序排列成复伞房花序，直径 3 ~ 6（~ 10）cm；总苞钟状，长 6 ~ 7 mm；花白色或微带红色；花冠长约 5 mm。瘦果黑褐色，长椭圆形，具 5 棱，长 3 ~ 4 mm，无毛，无腺点；冠毛白色，长约 5 mm。花果期 7 ~ 11 月。

| 生境分布 |

生于路边灌丛及山沟路旁。分布于广东乳源、翁源、乐昌、英德、怀集、阳山等。广东各地均有栽培。

| 资源情况 |

野生资源一般，栽培资源丰富。药材来源于野生和栽培。

| 采收加工 |

夏、秋季采收，晒干或鲜用。

| 功能主治 | 辛，平。醒脾，解暑化湿，辟秽和中。

| 用法用量 | 内服煎汤，10 ~ 15 g，鲜品加倍；或捣汁。外用适量，捣敷；或研末撒。

菊科 Asteraceae 泽兰属 Eupatorium

白头婆
Eupatorium japonicum Thunb.

| 药 材 名 | 泽兰（药用部位：地上部分。别名：三裂叶白头婆、单叶佩兰、尖尾风）。

| 形态特征 | 多年生草本，高 50 ~ 200 cm。根茎短；茎直立；茎枝被白色的皱波状短柔毛。叶对生，叶柄长 1 ~ 2 cm，质稍厚；全部茎生叶两面粗涩。头状花序排列成紧密的伞房花序；总苞钟状，长 5 ~ 6 mm；花白色、带红紫色或粉红色；花冠长 5 mm，外面被较稠密的黄色腺点。瘦果淡黑褐色，椭圆状，具 5 棱，无毛；冠毛白色。花果期 6 ~ 11 月。

| 生境分布 | 生于山坡草地、林下、灌丛中、湿地及河岸旁。分布于广东乳源、

新丰、翁源、仁化、乐昌、大埔、梅县、海丰、增城、连山、阳山、连州、英德、封开、高要、阳春、新兴及茂名（市区）、深圳（市区）等。

| **资源情况** | 野生资源丰富。药材来源于野生。

| **采收加工** | 夏、秋季采收，切段，晒干或鲜用。

| **功能主治** | 辛、微苦，温。活血化瘀，消肿止痛。用于月经不调，痛经，闭经，产后瘀阻腹痛。

| **用法用量** | 内服煎汤，10 ~ 15 g，鲜品加倍；或捣汁。外用适量，捣敷；或研末撒。

| **凭证标本号** | 440281190627055LY。

菊科 Asteraceae 泽兰属 *Eupatorium*

林泽兰
Eupatorium lindleyanum DC.

| 药 材 名 | 野马追（药用部位：全草。别名：毛泽兰、白鼓钉、化食草）。

| 形态特征 | 多年生草本。高 30 ～ 150 cm。根茎短；茎直立，基部直径达 2 cm；茎枝被稠密的白色长毛或短柔毛。茎生叶具基出脉 3，边缘有深齿或浅齿，无柄。头状花序排列成紧密的伞房花序，伞房花序直径 2.5 ～ 6 cm；苞片先端急尖；花白色、粉红色或淡紫红色；花冠长 4.5 mm。瘦果黑褐色，长 3 mm，呈椭圆状，具 5 棱；冠毛白色。花果期 5 ～ 12 月。

| 生境分布 | 生于山谷阴处水湿地、林下湿地或草原上。分布于广东乳源、始兴、乐昌、和平、蕉岭、大埔、连南、英德、德庆、高要、台山、阳山、

高州、徐闻及珠海（市区）、广州（市区）、云浮（市区）等。

| **资源情况** | 野生资源丰富。药材来源于野生。

| **采收加工** | 夏、秋季采收，切段，晒干。

| **功能主治** | 苦，平。清肺，止咳，平喘，降血压。用于支气管炎，咳喘痰多，高血压。

| **用法用量** | 内服煎汤，30 ~ 60 g。

菊科 Asteraceae 泽兰属 Eupatorium

飞机草

Eupatorium odoratum L.

| 药 材 名 | 飞机草（药用部位：全草。别名：香泽兰）。

| 形态特征 | 多年生草本。根茎粗壮，横走；茎直立，高 1 ～ 3 m，苍白色，有细条纹；茎枝被稠密的黄色茸毛或短柔毛。叶对生，卵状三角形，长 4 ～ 10 cm，宽 1.5 ～ 5 cm，质稍厚。头状花序排列成伞房状或复伞房状花序；总苞圆柱形，长 1 cm，宽 4 ～ 5 mm；花白色或粉红色；花冠长 5 mm。瘦果黑褐色，长 4 mm，具 5 棱，无腺点。花果期 4 ～ 12 月。

| 生境分布 | 生于低海拔地区的丘陵、灌丛中、草原上。分布于广东西部、中部、东部等。

| 资源情况 | 野生资源丰富。药材来源于野生。

| 采收加工 | 夏、秋季采收，切段，晒干或鲜用。

| 功能主治 | 微辛，温；有小毒。散瘀消肿，止血。用于跌打肿痛，疮疡肿毒，稻田性皮炎，外伤出血。

| 用法用量 | 外用适量，鲜品捣敷；或揉碎涂擦。

| 凭证标本号 | 441825190808023LY。

菊科 Asteraceae 大吴风草属 *Farfugium*

大吴风草 *Farfugium japonicum* (L. f.) Kitam.

| 药 材 名 |

莲蓬草（药用部位：全草。别名：橐吾、独脚莲、八角乌）。

| 形态特征 |

多年生草本。根茎粗壮。花葶基部密被柔毛。基生叶莲座状，幼时内卷成拳状，被密毛，肾形，基部弯缺宽，全缘或有小齿至掌状浅裂，有长柄，叶柄基部膨大成鞘状，半抱茎，鞘内被密毛。头状花序2~7在花葶上端排成伞房状；花序梗被毛；总苞圆筒状；总苞片2层；舌状花黄色；管状花多数，冠毛白色，与花冠等长。瘦果圆柱形，有纵肋。花果期8月至翌年3月。

| 生境分布 |

生于低海拔地区的林下、山谷及草丛。分布于广东紫金、信宜、博罗及深圳（市区）、潮州（市区）、江门（市区）等。

| 资源情况 |

野生资源丰富。药材来源于野生。

| 采收加工 |

夏、秋季采收，鲜用或晒干。

| **药材性状** | 本品根茎形状不规则，表面褐色；质坚硬，折断面纤维性。叶丛生于根茎先端，叶片多皱缩，棕绿色，被毛，质脆易碎；叶柄被黄褐色长柔毛。气微，味淡。

| **功能主治** | 辛、甘、微苦，凉。清热解毒，凉血止血，消肿散结。用于感冒，咽喉肿痛，咳嗽咯血，便血，尿血，月经不调，乳腺炎，瘰疬，痈疖肿毒，疔疮湿疹，跌打损伤，蛇咬伤。

| **用法用量** | 内服煎汤，9 ~ 15 g，鲜品 30 ~ 60 g。外用适量，捣敷。

| **凭证标本号** | 441900190903043LY、440308200904016LY、440303191006009LY。

菊科 Asteraceae 牛膝菊属 Galinsoga

牛膝菊 *Galinsoga parviflora* Cav.

| 药 材 名 | 辣子草（药用部位：全草。别名：珍珠草）、向阳花（药用部位：花）。

| 形态特征 | 一年生草本。茎纤细，茎枝被贴伏短柔毛和少量腺毛。叶卵形或长椭圆状卵形，基部圆形、宽楔形或狭楔形，基出三脉或不明显五出脉，边缘具浅锯齿，两面粗涩，被白色稀疏贴伏的短柔毛。头状花序半球形，排成疏松的伞房花序；总苞半球形或宽钟状；总苞片1～2层；舌状花白色，先端3齿裂；管状花黄色。瘦果，常具3棱，被白色微毛。花果期7～10月。

| 生境分布 | 生于林下、河谷地、荒野、河边、田间、溪边或市郊路旁。分布于广东乐昌、乳源、南雄、翁源、紫金、平远、五华、蕉岭、大埔、

连州、佛冈及东莞、中山、广州（市区）、深圳（市区）、惠州（市区）、潮州（市区）、湛江（市区）等。

| 资源情况 | 野生资源丰富。药材来源于野生。

| 采收加工 | 辣子草：6～7月采收，晒干。
向阳花：秋季采摘，晒干。

| 功能主治 | 辣子草：淡，平。清热解毒，止血。用于扁桃体炎，咽喉炎，黄疸性肝炎，咳喘，肺结核，疔疮，外伤出血。
向阳花：清肝明目。用于夜盲，视力模糊。

| 用法用量 | 辣子草：内服煎汤，30～60 g。外用适量，研末服。
向阳花：内服煎汤，15～25 g。外用适量，研末服。

| 凭证标本号 | 440783200313003LY、441422190813362LY、441882190614024LY。

| 附　　注 | 孕妇禁服。

菊科 Asteraceae 大丁草属 Gerbera

大丁草 *Gerbera anandria* (L.) Sch.-Bip. [*Leibnitzia anandria* (L.) Turcz.]

| 药 材 名 | 大丁草（药用部位：全草。别名：烧金草、小火草、臁草）。

| 形态特征 | 多年生草本，具春、秋二型。春型者根茎短。叶基生，莲座状，倒披针形或倒卵形，春型者叶长 2 ~ 6 cm，宽 1 ~ 3 cm；秋型者叶长 8 ~ 15 cm，宽 4 ~ 6.5 cm；边缘深波状或琴状分裂，背面密被蛛丝状绒毛；叶柄长 2 ~ 4 cm。花序头状；总苞片约 3 层；雌花花冠舌状，带紫红色，无退化雄蕊；两性花花冠管状二唇形。瘦果纺锤形，被白色粗毛。花期春、秋季。

| 生境分布 | 生于海拔 650 ~ 1 902 m 的山顶、山谷丛林、荒坡、沟边或风化的岩石上。分布于广东乐昌、乳源、平远、连州、封开等。

| **资源情况** | 野生资源较少。药材来源于野生。 |

| **采收加工** | 夏、秋季采收，洗净，鲜用或晒干。 |

| **药材性状** | 本品卷缩成团，枯绿色。根茎表面棕褐色或灰棕色，下端生多数细须根；质脆，易折断。叶多皱缩破碎，完整者椭圆状宽卵形，先端钝圆，基部心形，边缘浅齿状。头状花序顶生。瘦果纺锤形，两端收缩。气微，味辛、辣、苦。 |

| **功能主治** | 苦，寒。清热利湿，解毒消肿。用于肺热咳嗽，湿热泻痢，热淋，风湿关节痛，痈疖肿痛，臁疮，蛇虫咬伤，烫火伤，外伤出血。 |

| **用法用量** | 内服煎汤，15～30 g；或浸酒。外用适量，捣敷。 |

| **凭证标本号** | 441827180422004LY。 |

| **附　注** | 《贵州省中药材民族药材质量标准》（2019 年版）（第二册）收载本种。 |

菊科 Asteraceae 大丁草属 Gerbera

毛大丁草

Gerbera piloselloides (L.) Cass.

| 药 材 名 | 白眉草（药用部位：全草。别名：白眉、兔耳一支箭、一支香）。

| 形态特征 | 多年生草本。根茎短。叶基生，莲座状，倒卵形至长圆形，全缘，叶面疏被粗毛，背面密被蛛丝状绒毛，边缘有锈色缘毛。头状花序单生于花葶先端；总苞浅杯状；总苞片 2 层，被锈色绒毛；雌花 2 层；中央两性花多数，花冠二唇形，外唇先端 3 裂，内唇先端 2 深裂。瘦果纺锤形，具 6 纵棱，被白色细刚毛。花期 2 ~ 5 月和 8 ~ 12 月。

| 生境分布 | 生于林缘、草丛中或旷野荒地上。分布于广东乐昌、乳源、仁化、新丰、蕉岭、五华、大埔、平远、龙门、博罗、台山、信宜、封开、

连州、连南、英德、紫金、郁南及东莞、广州（市区）、深圳（市区）、珠海（市区）、阳江（市区）、茂名（市区）、肇庆（市区）等。

| 资源情况 | 野生资源较丰富。药材来源于野生。

| 采收加工 | 夏季采收，洗净，鲜用或晒干。

| 药材性状 | 本品为不规则的段，长 1 ~ 3 cm。根茎表面棕褐色或灰棕色，下端生多数细须根；质脆，易折断。叶多皱缩破碎，完整者椭圆状宽卵形，先端钝圆，基部心形，边缘浅齿状。头状花序顶生。瘦果纺锤形，两端收缩。气微，味涩。

| 功能主治 | 苦、辛，平。宣肺止咳，发汗利水，行气活血。用于感冒咳嗽，水肿，小便不利，血瘀经闭；外用于跌打损伤，痈疽疔疮。

| 用法用量 | 内服煎汤，9 ~ 15 g，鲜品加倍。外用适量，鲜品捣敷。

| 凭证标本号 | 杨仕国等 522632190422090LY（GZTM GZTM0099409）。

| 附　　注 | 《广东省中药材标准·第二册》（2011 年版）收载本种。孕妇及脾胃虚寒者慎服。

菊科 Asteraceae 鹿角草属 Glossogyne

鹿角草

Glossogyne tenuifolia Cass. [*Glossocardia bidens* (Retz.) Veldkamp]

| 药 材 名 | 鹿角草（药用部位：全草。别名：风湿草、落地柏、细种牛趾草）。

| 形态特征 | 多年生草本。根纺锤状。茎有纵棱。基生叶长 4 ~ 8 cm，羽状深裂，叶柄长 2 ~ 4.5 mm；茎中部叶稀少，羽状深裂，有短柄；上部叶细小，线形。头状花序单生于枝端，直径 6 ~ 8 mm，有 1 线状长圆形苞叶；舌状花黄色，长 4 mm；管状花长 3 mm，花冠上端 4 齿裂。瘦果黑色，扁平，线形，上端有 2 被倒刺毛的芒刺。花期 6 ~ 7 月，果期 8 ~ 9 月。

| 生境分布 | 生于坚硬沙土、空旷沙地及海边。分布于广东惠东、南澳、台山、阳春、徐闻、电白及东莞、深圳（市区）、珠海（市区）、惠州（市

区）、阳江（市区）等。

| **资源情况** | 野生资源丰富。药材来源于野生。

| **采收加工** | 夏、秋季采收，鲜用或晒干。

| **功能主治** | 微苦、微辛，凉。清热利湿，解毒消肿，活血止血。用于痢疾，泄泻，浮肿，咳嗽，哮喘，扁桃体炎，咯血，尿血，痈疖肿毒，带状疱疹，跌打肿痛，外伤出血。

| **用法用量** | 内服煎汤，9 ~ 15 g。外用适量，鲜品捣敷。

| **凭证标本号** | 440923140902020LY。

| **附　注** | 孕妇慎服。

菊科 Asteraceae 鼠麴草属 Gnaphalium

宽叶鼠麴草 Gnaphalium adnatum (Wall. ex DC.) Kitam. [*Pseudognaphalium adnatum* (DC.) Y. S. Chen]

| 药 材 名 | 地膏药（药用部位：全草。别名：岩白菜、雾水草、老鸦绵）。

| 形态特征 | 一年生粗壮草本。茎直立，上部有伞房状分枝，密被紧贴的白色绵毛。基生叶花期枯萎；中部及下部叶倒披针状长圆形，长 4 ~ 9 cm，宽 1 ~ 2.5 cm，基部长渐狭，下延，抱茎，先端短尖，近革质，两面密被白色绵毛，具明显的 3 脉；上部花序枝上的叶小，线形。头状花序在枝端密集成球状，在茎上部排成伞房状；总苞片淡黄色或黄白色；雌花多数，花冠丝状，具腺点；两性花管状，檐部 5 裂，具腺点。瘦果圆柱形，具乳头状突起。花期 8 ~ 10 月。

| 生境分布 | 生于山坡、路旁或灌丛中。分布于广东乐昌、乳源、仁化、始兴、

连州、连山、连南、阳山、英德、紫金、阳春、信宜、封开、罗定及惠州（市区）、茂名（市区）等。

| 资源情况 | 野生资源丰富。药材来源于野生。

| 采收加工 | 秋季采收，鲜用或晒干。

| 功能主治 | 苦，寒。清热燥湿，解毒散结，止血。用于湿热痢疾，痈疽肿毒，瘰疬，外伤出血。

| 用法用量 | 内服煎汤，9 ~ 15 g。外用适量，鲜品捣敷。

| 凭证标本号 | 周海玲 2014030（CZH CZH0018330）。

菊科 Asteraceae 鼠麴草属 Gnaphalium

鼠麴草

Gnaphalium affine D. Don. [*Pseudognaphalium affine* (D. Don) Anderb.]

药材名

鼠曲草（药用部位：全草。别名：清明菜、毛毡草、田艾）。

形态特征

一年生草本。茎有沟纹，被白色厚绵毛。叶无柄，匙状倒披针形或倒卵状匙形，长5~7cm，宽11~14mm，上部叶基部渐狭，稍下延，先端圆，具刺尖头，两面被白色绵毛。头状花序近无梗，在枝顶密集成伞房花序；花黄色至淡黄色；总苞金黄色，膜质，有光泽，背面基部被绵毛；雌花多数，花冠细管状；两性花管状，向上渐扩大，檐部5浅裂。瘦果倒卵形，有乳头状突起；冠毛基部联合成2束。花期1~4月和8~11月。

生境分布

生于低海拔地区的干地或湿润草地上。分布于广东乐昌、乳源、始兴、翁源、新丰、南雄、连平、紫金、蕉岭、大埔、平远、五华、丰顺、惠东、博罗、龙门、饶平、阳春、信宜、怀集、封开、连南、连山、英德、阳山、佛冈、连州、罗定、郁南及东莞、中山、广州（市区）、深圳（市区）、梅州（市区）、江门（市区）、茂名（市区）、肇庆（市区）、清远（市区）、云浮（市区）等。

| **资源情况** | 野生资源丰富。药材来源于野生。

| **采收加工** | 春季花开时采收，去除杂质，鲜用或晒干。

| **药材性状** | 本品密被灰白色绵毛。根灰棕色。茎常自基部分枝成丛。基生叶已脱落；茎生叶互生，无柄，叶片皱缩，展平后呈条状匙形或倒披针形，全缘。头状花序多数，顶生，金黄色或棕黄色；花冠常脱落。气微，味微甘。

| **功能主治** | 微甘，平。祛痰，止咳，平喘，祛风湿。用于咳嗽，痰喘，风湿痹痛。

| **用法用量** | 内服煎汤，9 ~ 30 g。外用适量，煎汤洗；或捣敷。

| **凭证标本号** | 441825190412011LY、441523190514018LY、440281190425019LY。

| **附　　注** | 《广东省中药材标准·第三册》（2019 年版）收载本种。

菊科 Asteraceae 鼠麴草属 *Gnaphalium*

秋鼠麴草

Gnaphalium hypoleucum DC. [*Pseudognaphalium hypoleucum* (DC.) Hilliard & B. L. Burtt]

| 药 材 名 | 天水蚁草（药用部位：全草。别名：下白鼠曲草、白头翁、大水牛草）。

| 形态特征 | 粗壮草本。茎枝被白色厚绵毛，基部不分枝。下部或中部叶线形，长 6 ~ 8 cm，宽 2 ~ 3 mm，先端渐尖，基部稍抱茎，叶面有腺毛，两面被白色绵毛，无柄；上部叶渐小，线形。头状花序多数，直径 4 ~ 5 mm，在枝端密集成伞房花序；总苞钟形；总苞片 4 层，金黄色或黄色；雌花多数，花冠丝状，檐部 3 齿裂；两性花管状，花冠黄色。瘦果卵形，先端平截；冠毛基部分离。花期 8 ~ 12 月。

| 生境分布 | 生于海拔 200 ~ 800 m 的空旷沙地或山地路旁及山坡上。分布于广东翁源、乳源、新丰、仁化、始兴、乐昌、博罗、龙门、大埔、蕉岭、

连平、信宜、怀集、佛冈、连州、阳山、英德及东莞、中山等。

| **资源情况** | 野生资源丰富。药材来源于野生。

| **采收加工** | 夏、秋季采收，洗净，鲜用或晒干。

| **功能主治** | 苦、甘，微寒。疏风清热，解毒，利湿。用于感冒，咳嗽，泄泻，痢疾，风湿痛，疮疡，瘰疬。

| **用法用量** | 内服煎汤，9 ~ 15 g。外用适量，鲜品捣敷。

| **凭证标本号** | 郭先林、苟魏 02038940（SZ02038940）。

菊科 Asteraceae 鼠麹草属 Gnaphalium

匙叶鼠麹草 Gnaphalium pensylvanicum Willd. [Gamochaeta pensylvanica (Willd.) Cabrera]

| 药 材 名 | 清明草（药用部位：全草。别名：匙叶鼠曲草）。

| 形态特征 | 一年生草本。茎有纵沟纹，被白色绵毛。茎下部叶倒披针形或匙形，长 6 ~ 10 cm，宽 12 cm，先端钝圆，基部长略狭，下延，无柄；中部叶倒卵状长圆形；上部叶小，与中部叶同形，上面被疏毛，背面密被灰白色绵毛。头状花序在茎枝上排成紧密的穗状花序；总苞筒形，2 层，褐黄色，背面被绵毛，先端无条纹或点状斑纹；雌花多数，花冠细管状，檐部 3 齿裂；管状花少数。瘦果长圆形，有乳头状突起。花果期 12 月至翌年 5 月。

| 生境分布 | 生于篱园或耕地上。分布于广东仁化、乐昌、翁源、和平、紫金、

阳春、阳山、英德、连州、佛冈、五华及东莞、江门（市区）、广州（市区）、深圳（市区）、肇庆（市区）、清远（市区）等。

| 资源情况 | 野生资源丰富。药材来源于野生。

| 采收加工 | 春末夏初采收，洗净，晒干。

| 功能主治 | 甘、微酸，平。化痰止咳，祛风除湿，解毒。

| 凭证标本号 | 440783200312007LY、440781190319004LY、445224190316019LY。

菊科 Asteraceae 鼠麴草属 Gnaphalium

多茎鼠麴草
Gnaphalium polycaulon Pers.

| 药 材 名 |

多茎鼠麴草（药用部位：全草）。

| 形态特征 |

一年生草本。茎高 10 ~ 25 cm，多分枝。茎下部叶倒披针形，长 2 ~ 4 cm，宽 4 ~ 8 mm，先端通常短尖，基部略狭，无柄；中部和上部叶渐小，倒卵状长圆形或匙状长圆形，先端具短尖头或呈刺尖状，基部渐狭。头状花序直径 2 ~ 2.5 mm；总苞片 2 层；雌花多数，花冠檐部 3 齿裂；管状花少数，花冠檐部 5 浅裂。瘦果圆柱形，具乳头状突起。花期 1 ~ 4 月。

| 生境分布 |

生于耕地、草地或湿润的山地上。分布于广东乐昌、南雄、仁化、南澳、台山、雷州、吴川、徐闻、信宜、惠阳、博罗、惠东、陆丰、海丰、紫金、阳春、阳西、阳山、饶平、惠来及中山、广州（市区）、深圳（市区）、珠海（市区）、汕头（市区）、茂名（市区）、肇庆（市区）、梅州（市区）、阳江（市区）、汕尾（市区）等。

| 资源情况 | 野生资源较丰富。药材来源于野生。

| 采收加工 | 秋季采收，鲜用或晒干。

| 功能主治 | 甘、微酸，平。清热，止咳化痰，散风。用于咳嗽，痰喘，风湿痹痛，咽肿。

| 用法用量 | 内服煎汤，9 ~ 15 g。外用适量，捣敷。

| 凭证标本号 | 440882180429876LY。

菊科 Asteraceae 田基黄属 Grangea

田基黄 *Grangea maderaspatana* (L.) Poir.

| 药 材 名 | 田基黄（药用部位：全草。别名：荔枝草、黄花球）。

| 形态特征 | 一年生草本。茎纤细，高（5～）10～30 cm，分枝通常铺展，被白色长柔毛或花期茎下部毛变稀或光滑。基生叶有时长达 10 cm，宽达 4 cm，边缘有锯齿，侧裂片 2～5 对，无叶柄；上部叶小。头状花序球形，直径 8～10 mm；总苞片 2～3 层；雌花 2～6 层，花冠黄色；管状花花冠短钟状。瘦果扁，通常有加厚的边缘。花果期 3～8 月。

| 生境分布 | 生于低海拔地区的荒地、河边沙滩、疏林或灌丛中。分布于广东徐闻、信宜、博罗、紫金、五华、阳山、乳源、新丰及东莞、广州（市

区）、深圳（市区）、汕头（市区）、湛江（市区）、肇庆（市区）、惠州（市区）、阳江（市区）等。

| 资源情况 | 野生资源丰富。药材来源于野生。

| 采收加工 | 夏、秋季花开时采收，抖净泥沙，晒干。

| 功能主治 | 清热解毒，解痉，调经。用于耳痛，肺痈。

| 凭证标本号 | 440882180429876LY。

菊科 Asteraceae 菊三七属 Gynura

红凤菜 Gynura bicolor (Willd.) DC.

| 药 材 名 | 观音苋（药用部位：全草。别名：木耳菜、紫背菊三七、红凤菜）。

| 形态特征 | 多年生草本。茎高 50 ～ 100 cm。叶互生，倒披针形或倒卵形，先端尖，边缘有不规则粗锯齿或缺刻，或呈近琴状分裂，裂片上斜，基部渐狭，下延至叶柄，背面常带紫红色。头状花序在茎端或叶腋排成伞房花序状；总苞钟形；总苞片 1 层；管状花花冠黄色或橙红色。瘦果圆柱形。花果期 5 ～ 10 月。

| 生境分布 | 生于山坡林下、岩石上或河边湿处。分布于广东从化、乐昌、新丰、信宜、封开、怀集、博罗、龙门、阳春、连州、佛冈、英德、郁南及中山、深圳（市区）、肇庆（市区）、江门（市区）等。

| 资源情况 | 野生资源一般，栽培资源丰富。药材来源于栽培。 |

| 采收加工 | 全年均可采收，鲜用或晒干。 |

| 药材性状 | 本品长 50 ~ 100 cm，无毛。叶互生，多皱缩，绿褐色，背面带紫色，完整者展平后呈椭圆状披针形，长 6 ~ 9 cm，宽 1.5 ~ 3 cm，先端尖，基部楔形，下延成耳状，边缘具不整齐的锯齿，叶柄短，带紫褐色。头状花序顶生或腋生。瘦果红棕色，冠毛多。气微，味微甘。 |

| 功能主治 | 甘、辛，凉。清热凉血，解毒消肿。用于咯血，崩漏，外伤出血，痛经，痢疾，疮疡肿毒，跌打损伤，溃疡久不收敛。 |

| 用法用量 | 内服煎汤，10 ~ 30 g，鲜品 30 ~ 90 g。外用适量，鲜品捣敷；或研末撒。 |

| 凭证标本号 | 520112131108503LY。 |

白子菜

Gynura divaricata (L.) DC.

| 药 材 名 | 白背三七（药用部位：全草。别名：大肥牛、清心菜）。 |

| 形态特征 | 多年生草本。茎高 30 ~ 60 cm。叶半肉质，宽卵状长圆形或长倒卵形，先端圆或钝，边缘有波状钝锯齿或呈琴状分裂，稀全缘，基部宽楔形或渐狭，两面密被短柔毛；叶柄长 1 ~ 4 cm。头状花序在茎端排成疏伞房状圆锥花序；总苞杯状，2 层；管状花花冠黄色或橙黄色。瘦果圆柱形，白色。花果期 8 ~ 10 月。 |

| 生境分布 | 生于山坡草地、荒坡和田边潮湿处。分布于广东新丰、乐昌、徐闻、信宜、封开、龙门、博罗、惠东、丰顺、紫金、佛冈、阳山及东莞、中山、广州（市区）、深圳（市区）、珠海（市区）、佛山（市区）、 |

江门（市区）、茂名（市区）等。

| **资源情况** | 野生资源丰富。药材来源于野生。

| **采收加工** | 全年均可采收，鲜用或晒干。

| **药材性状** | 本品根茎块状，具细长须根。茎圆柱形，棕紫色，被短毛。叶互生，多皱缩，完整者呈长卵形至长圆状倒卵形，先端钝或短尖，基部有时有 2 耳，叶缘具不规则的缺刻及锯齿，两面均被柔毛。有时可见头状花序或总苞。瘦果深褐色，冠毛白色。气微，味淡。

| **功能主治** | 辛、淡，平。清热凉血，活血止痛，止血。用于咳嗽，疮疡，烫火伤，跌打损伤，风湿痛，崩漏，外伤出血。

| **用法用量** | 内服煎汤，6 ~ 15 g；或浸酒服。外用适量，鲜品捣敷；或研末敷。

| **凭证标本号** | 445224190511012LY。

| **附　　注** | 《广西壮族自治区瑶药材质量标准（第二卷）》（2022 年版）收载本种。

菊科 Asteraceae 菊三七属 Gynura

菊三七

Gynura japonica (L. f.) Juel.

| 药 材 名 | 土三七（药用部位：全草或根。别名：红背三七、血三七）。

| 形态特征 | 多年生草本。茎直立，上部分枝。基生叶多数，不分裂至羽状分裂，边缘具锯齿；中部叶长圆形，羽状深裂，叶片椭圆形或长圆状椭圆形，先端渐尖，边缘具不整齐的疏锯齿，两面疏被柔毛或近无毛；上部叶小，具2假托叶。头状花序在茎端、枝端排成疏伞房花序状的聚伞状花序；总苞钟形；管状花花冠金黄色。瘦果狭圆柱形。花果期8～10月。

| 生境分布 | 生于山谷、山坡草地、林下或林缘。分布于广东乐昌、乳源、仁化、封开、英德、连州、阳山及韶关（市区）、肇庆（市区）、惠州（市区）等。

| 资源情况 | 野生资源较丰富。药材来源于野生。 |

| 采收加工 | 全草，夏、秋季采收，洗净，鲜用或晒干。根，秋、冬季采挖，除去残茎、须根及泥土，晒干。 |

| 药材性状 | 本品根茎呈拳形团块状，长 3 ~ 6 cm，直径约 3 cm，表面灰棕色或棕黄色，鲜品常带淡紫红色。全体具瘤状突起，突起先端常有茎基或芽痕，下面有细根或细根痕。质坚实，断面灰黄色，鲜品白色。 |

| 功能主治 | 甘、微苦，温。散瘀止血，消肿止痛，清热解毒。用于吐血，衄血，咯血，便血，崩漏，外伤出血，痛经，产后瘀滞腹痛，跌打损伤，风湿痛，疮痈疖疔，虫蛇咬伤。 |

| 用法用量 | 内服煎汤，全草或叶 10 ~ 30 g，根 3 ~ 15 g；或研末，1.5 ~ 3 g。外用适量，捣敷；或研末敷。 |

| 凭证标本号 | 441324180804032LY。 |

| 附 注 | 孕妇慎用。 |

菊科 Asteraceae 菊三七属 Gynura

平卧菊三七 Gynura procumbens (Lour.) Merr.

| 药 材 名 | 蛇接骨（药用部位：全草。别名：白叶跌打、树三七、见肿消）。

| 形态特征 | 攀缘草本，有臭气。茎匍匐，有分枝。叶片卵形、卵状长圆形或椭圆形，先端尖或渐尖，基部圆钝或楔状狭成叶柄，全缘或有波状齿，上面绿色，下面紫色，两面无毛，稀被疏柔毛。伞房花序顶生或腋生，具 3 ~ 5 头状花序；总苞狭钟状或漏斗状；总苞片 1 层；小花橙黄色，花冠裂片卵状披针形。瘦果圆柱形。

| 生境分布 | 生于林间溪旁坡地的砂壤土上。分布于广东阳春、乐昌、信宜及肇庆（市区）、阳江（市区）、珠海（市区）等。

| 资源情况 | 野生资源较少。药材来源于野生。

采收加工	全年均可采收，鲜用或晒干。
药材性状	本品长约 50 cm。茎下部弯曲，略肉质，绿褐色。叶片互生，多皱缩，完整者呈卵形或椭圆形，长 7 ~ 13 cm，宽 4.5 ~ 8 cm，先端渐尖，基部楔形，叶缘具不规则浅锯齿，两面具短粗毛。头状花序顶生。瘦果小。
功能主治	辛、微苦，凉。散瘀，消肿，清热止咳。用于跌打损伤，风湿关节痛，肺炎，肺结核，痈疮肿毒。
用法用量	内服煎汤，3 ~ 6 g。外用适量，捣敷。
凭证标本号	曾宪锋 ZXF4305（CZH0001939）。

菊科 Asteraceae 向日葵属 Helianthus

向日葵 *Helianthus annuus* L.

| 药 材 名 |

向日葵花盘（药用部位：花序托或花盘。别名：向日葵花托、向日葵饼、葵房）、向日葵花（药用部位：花。别名：葵花）、向日葵子（药用部位：果实。别名：天葵子、葵子）、向日葵叶（药用部位：叶）。

| 形态特征 |

一年生草本。茎高 1 ~ 3 m。叶互生，卵状心形或卵圆形，先端急尖或渐尖，边缘有粗锯齿，基部心形或平截，基出脉 3；叶柄长。头状花序极大，直径 10 ~ 35 cm，常单生于茎端，下倾；花序托平或稍凸；托片半膜质；舌状花多数，舌片黄色，开展，不育；管状花多数，花冠棕色或紫色。瘦果倒卵形或卵状长圆形，压扁。花期 7 ~ 9 月，果期 8 ~ 10 月。

| 生境分布 |

栽培种。广东博罗、乐昌、仁化及广州（市区）、深圳（市区）、肇庆（市区）等有栽培。

| 资源情况 |

栽培资源丰富。药材来源于栽培。

| 采收加工 | **向日葵花盘**：秋季采收，去净果实，鲜用或晒干。
向日葵花：夏季花开时采摘，鲜用或晒干。
向日葵子：秋季果实成熟后割取花盘，晒干，收集果实，晒干。
向日葵叶：夏、秋季采收，鲜用或晒干。

| 药材性状 | **向日葵花盘**：本品完整者呈四周隆起的圆盘状，直径 8 ~ 20 cm，盘内具干膜质的托片和未成熟的瘦果。总苞具多数苞片，苞片卵圆形或卵状披针形，棕褐色。无臭，无味。
向日葵子：本品呈浅灰色或黑色，扁长卵形或椭圆形，内藏 1 种子，种子淡黄色。
向日葵叶：本品多皱缩、破碎，有的向一侧卷曲。完整者展平后呈广卵圆形，先端急尖或渐尖，上表面绿褐色，下表面暗绿色，均被粗毛，边缘具粗锯齿。基部截形或心形，有 3 脉。质脆，易碎。气微，味微苦、涩。

| 功能主治 | **向日葵花盘**：甘，寒。清热，平肝，止痛，止血。用于高血压，头痛，头晕，耳鸣，脘腹痛，痛经，子宫出血，疮疹。
向日葵花：甘，平。祛风，平肝，利湿。用于头晕，耳鸣，小便淋沥。
向日葵子：甘，平。用于疹发不透，血痢，慢性骨髓炎。
向日葵叶：苦，凉。降血压，截疟，解毒。用于高血压，疟疾，疔疮。

| 用法用量 | **向日葵花盘**：内服煎汤，15 ~ 60 g。外用适量，捣敷；或研末敷。
向日葵花：内服煎汤，15 ~ 30 g。
向日葵子：内服煎汤，15 ~ 30 g；或捣碎开水炖。外用适量，捣敷；或榨油涂。
向日葵叶：内服煎汤，25 ~ 30 g，鲜品加倍。外用适量，捣敷。

| 凭证标本号 | 邢吉庆 22607（XBGH 017527）。

| 附　注 | 孕妇慎用。

菊科 Asteraceae 向日葵属 Helianthus

菊芋
Helianthus tuberosus L.

| 药 材 名 | 菊芋（药用部位：块茎、茎叶。别名：番羌、洋姜）。

| 形态特征 | 多年生草本，具块茎。茎高 1 ~ 3 m。叶对生，先端急尖或渐尖，边缘有粗锯齿，基部宽楔形或圆形，有时微心形，离基三出脉，上面被白色短粗毛，背面被柔毛；叶柄具翅。头状花序较小，直径 2 ~ 5 cm，单生于枝端；总苞片多层；托片长圆形；舌状花 12 ~ 20，舌片黄色，不育；管状花花冠黄色。瘦果小，楔形。花期 8 ~ 9 月。

| 生境分布 | 生于山坡、路旁。分布于广东乐昌、乳源、始兴、南雄、阳山、连山、连州、郁南及清远（市区）等。

| 资源情况 | 野生资源一般，栽培资源一般。药材来源于野生和栽培。

| 采收加工 | 秋季采挖块茎，夏、秋季采收茎叶，鲜用或晒干。

| 药材性状 | 本品块茎块状。茎上部分枝，被短糙毛或刚毛。基部叶对生，上部叶互生，长卵形至卵状椭圆形，长 10 ~ 15 cm，宽 3 ~ 9 cm，具 3 脉，上表面粗糙，下表面有柔毛，叶缘具锯齿，先端急尖或渐尖，基部宽楔形；叶柄具狭翅。

| 功能主治 | 甘、微苦，凉。清热凉血，消肿。用于热证，肠热出血，跌打损伤，骨折肿痛。

| 用法用量 | 内服煎汤，10 ~ 15 g。外用适量，捣敷。

| 凭证标本号 | 441284190730616LY。

菊科 Asteraceae 泥胡菜属 Hemistepta

泥胡菜 Hemistepta lyrata (Bunge) Bunge [Hemisteptia lyrata (Bunge) Fisch. & C. A. Mey.]

| **药 材 名** | 泥胡菜（药用部位：全草。别名：艾草）。

| **形态特征** | 一年生草本。茎通常单生，高 30 ~ 100 cm，被稀疏的蛛丝状绒毛，上部分枝。基生叶长椭圆形或倒披针形，花期通常萎谢，大头羽状深裂或几全裂。头状花序多数；总苞宽钟形；总苞片近先端处具鸡冠状凸起的附片，附片紫红色；管状花花冠细管状，紫红色。瘦果小，楔形或斜楔形，有 15 细纵肋；外层冠毛毛状，内层冠毛膜片状。花果期 3 ~ 8 月。

| **生境分布** | 生于山坡、山谷、平原、丘陵、林缘、林下、草地、荒地、田间、河边、路旁等。分布于广东乐昌、始兴、新丰、博罗、五华、紫金、阳春、

连州、阳山、英德及东莞、广州（市区）、深圳（市区）、肇庆（市区）等。

| **资源情况** | 野生资源较丰富。药材来源于野生。

| **采收加工** | 夏、秋季采集，洗净，鲜用或晒干。

| **药材性状** | 本品长 30 ～ 80 cm。茎具纵棱，光滑或略被绵毛。叶互生，多卷曲皱缩，完整者呈倒披针状卵圆形或倒披针形，羽状深裂。常有头状花序或球形总苞。瘦果圆柱形，长 2.5 mm，具纵棱及白色冠毛。

| **功能主治** | 辛、苦，寒。消肿散结，清热解毒。用于痔漏，痈肿疔疮，乳痈，淋巴结炎，风疹瘙痒，外伤出血，骨折。

| **用法用量** | 内服煎汤，9 ～ 15 g。外用适量，捣敷；或煎汤洗。

| **凭证标本号** | 440281190424014LY。

菊科 Asteraceae 旋覆花属 Inula

大花旋覆花 *Inula britanica* L.

| 药 材 名 |

旋覆花（药用部位：头状花序。别名：盛椹、夏菊、金盏花）、旋覆花根（药用部位：根）。

| 形态特征 |

多年生草本。茎上部有伞房状分枝，被长柔毛。基部叶长椭圆形或披针形，下部渐窄成长柄；中部叶长椭圆形，基部心形或有耳，半抱茎，有疏齿和腺点。头状花序生于茎枝先端；总苞半球形；总苞片 4 ~ 5 层；舌状花舌片线形，黄色；管状花冠毛白色，与花冠约等长，具微糙毛。瘦果圆柱形，有浅沟，被毛。

| 生境分布 |

生于河流沿岸、湿润坡地、田埂和路旁。分布于广东乐昌、乳源等。

| 资源情况 |

野生资源较少。药材来源于野生。

| 采收加工 |

旋覆花：夏、秋季花开时采收，除去杂质，阴干或晒干。
旋覆花根：秋季采挖，洗净，晒干。

| **药材性状** | **旋覆花：** 本品呈扁球形或类球形，直径 1 ~ 2 cm。总苞由多数苞片组成；苞片呈覆瓦状排列，表面被白色茸毛。舌状花 1 列，黄色；管状花多数，棕黄色；子房先端有多数白色冠毛。有的可见椭圆形小瘦果。体轻，易散碎。

| **功能主治** | **旋覆花：** 苦、辛、咸，微温。降气，消痰，行水，止呕。用于风寒咳嗽，痰饮蓄结，胸膈痞闷，喘咳痰多，呕吐嗳气，心下痞硬。

旋覆花根： 咸，温。祛风湿，平喘咳，解毒生肌。用于风湿痹痛，喘咳，疔疮。

| **用法用量** | **旋覆花：** 内服煎汤，3 ~ 9 g，包煎。

旋覆花根： 内服煎汤，9 ~ 15 g。外用适量，捣敷。

菊科 Asteraceae 旋覆花属 Inula

旋覆花 *Inula japonica* Thunb.

药材名

旋覆花（药用部位：头状花序。别名：盛椹、夏菊、金盏花）、旋覆花根（药用部位：根）、金沸草（药用部位：地上部分。别名：金佛草、白芷胡、毛柴胡）。

形态特征

多年生草本。茎被长伏毛，或下部脱毛。中部叶长圆形、长圆状披针形或披针形，基部常有圆形半抱茎的小耳，无柄，下面有疏伏毛和腺点。头状花序排成疏散的伞房花序；花序梗细长；总苞半球形，约6层；舌状花黄色，舌片线形。瘦果圆柱形，有10沟，先端截形，被疏短毛。花期6～10月，果期9～11月。

生境分布

生于海拔150～1900 m的山坡路旁、湿润草地、河岸和田埂上。分布于广东乳源、乐昌等。

资源情况

野生资源较少。药材来源于野生。

| 采收加工 | **旋覆花**：夏、秋季花开时采收，除去杂质，阴干或晒干。
旋覆花根：秋季采挖，洗净，晒干。
金沸草：夏、秋季采割，晒干。

| 药材性状 | **旋覆花**：本品呈扁球形或类球形，直径 1 ~ 2 cm。总苞由多数苞片组成；苞片呈覆瓦状排列；苞片及花梗表面被白色茸毛；舌状花 1 列，黄色；管状花多数，棕黄色；子房先端有多数白色冠毛。有的可见椭圆形小瘦果。体轻，易散碎。
旋覆花根：本品头部常残留短小的地上茎，呈圆柱形，有分枝。表面灰黑色，有稀疏的须根或须根痕。根皮薄，刮去表皮呈灰褐色，有油性。质坚硬，切面木部灰黄色，有散在油点，中央有髓，海绵状。有特殊香气，用物刮擦嗅之气更香，味辛、微苦。
金沸草：本品叶片椭圆状披针形，宽 1 ~ 2.5 cm，边缘不反卷。头状花序较大，直径 1 ~ 2 cm；冠毛长约 0.5 cm。

| 功能主治 | **旋覆花**：苦、辛、咸，微温。降气，消痰，行水，止呕。用于风寒咳嗽，痰饮蓄结，胸膈痞闷，喘咳痰多，呕吐嗳气，心下痞硬。
旋覆花根：咸，温。祛风湿，平喘咳，解毒生肌。用于风湿痹痛，喘咳，疔疮。
金沸草：苦、辛、咸，温。降气，消痰，行水。用于外感风寒，痰饮蓄结，咳喘痰多，胸膈痞满。

| 用法用量 | **旋覆花**：内服煎汤，3 ~ 9 g，包煎。
旋覆花根：内服煎汤，9 ~ 15 g。外用适量，捣敷。
金沸草：内服煎汤，5 ~ 10 g；或鲜品捣汁。外用适量，捣敷；或煎汤洗。

菊科 Asteraceae 小苦荬属 Ixeridium

中华小苦荬 Ixeridium chinense (Thunb.) Tzvel. [Ixeris chinensis (Thunb.) Nakai]

| 药 材 名 | 山苦荬（药用部位：全草或根。别名：七托莲、小苦麦菜）。

| 形态特征 | 多年生草本。根茎极短。茎直立，有分枝。茎生叶 2 ～ 4，先端渐狭，基部扩大，呈耳状抱茎。头状花序在茎枝先端排成伞房花序，含舌状小花 21 ～ 25；总苞圆柱状；总苞片 3 ～ 4 层；舌状小花黄色，干时带红色。瘦果褐色，长椭圆形，有 10 钝肋，肋上有小刺毛，先端急尖成细喙；冠毛白色，微糙。花果期 1 ～ 10 月。

| 生境分布 | 生于山坡路旁、田野、河边灌丛或岩石缝隙中。分布于广东陆丰、徐闻、龙门、平远、蕉岭、阳山、紫金及东莞、广州（市区）、湛江（市区）、梅州（市区）、深圳（市区）、肇庆（市区）等。

| 资源情况 | 野生资源一般。药材来源于野生。

| 采收加工 | 早春采收，洗净，鲜用或晒干。

| 药材性状 | 本品茎光滑无毛。叶多皱缩，完整基生叶展平后线状披针形或倒披针形，基部下延成窄叶柄；茎生叶无柄。头状花序排列成疏伞房状；总苞片 2 层，边缘薄膜质。瘦果狭披针形，稍扁平，红棕色；冠毛白色。

| 功能主治 | 苦，寒。清热解毒，消肿排脓，凉血止血。用于肠痈，肺脓肿，肺热咳嗽，肠炎，痢疾，胆囊炎，盆腔炎，疮疖肿毒，阴囊湿疹，吐血，衄血，血崩，跌打损伤。

| 用法用量 | 内服煎汤，10 ~ 15 g；或研末，3 g。外用适量，捣敷；或研末调涂；或煎汤熏洗。

| 凭证标本号 | 徐闻调查队 310（KUN0737872）。

| 附　注 | 本种作为"苦菜"被收载于《中华人民共和国药典》（1977 年版、1985 年版、1990 年版、1995 年版、2000 年版、2005 年版、2010 年版、2015 年版及 2020 年版附录）。

菊科 Asteraceae 小苦荬属 *Ixeridium*

小苦荬 *Ixeridium dentatum* (Thunb.) Tzvel.

药材名

小苦菜（药用部位：全草。别名：苦瓜菜）。

形态特征

多年生草本。根茎短缩。茎直立，有分枝。基生叶长倒披针形或长椭圆形，不分裂，无凹齿；中下部叶的叶缘中下部有长缘毛；茎生叶少数，不分裂，基部呈耳状抱茎。头状花序在茎枝先端排成伞房状花序；总苞圆柱状；总苞片 2 层；舌状小花黄色。瘦果纺锤形，稍扁，褐色；冠毛麦秆黄色，呈微糙毛状。花果期 4 ～ 8 月。

生境分布

生于海拔 1 500 m 以下的山坡、林下、林缘、路旁、溪边及田边。分布于广东乐昌、乳源、仁化、始兴、翁源、南雄、连州、阳山、连山、阳春、惠东、蕉岭、丰顺、五华、台山、怀集、紫金及深圳（市区）、珠海（市区）、梅州（市区）等。

资源情况

野生资源较丰富。药材来源于野生。

| **采收加工** | 春季采收，洗净，鲜用或晒干。

| **功能主治** | 苦，凉。活血止血，排脓祛瘀。用于痈疮肿毒，跌打损伤。

| **用法用量** | 外用适量，鲜品捣敷。

| **凭证标本号** | 441324181104039LY、441823190929013LY。

菊科 Asteraceae 小苦荬属 Ixeridium

细叶小苦荬

Ixeridium gracile (DC.) Shih

| 植物别名 |

纤细苦荬菜。

| 药 材 名 |

粉苞苣（药用部位：全草。别名：细叶苦菜）。

| 形态特征 |

多年生草本。根茎极短。茎直立，有分枝。基生叶长椭圆形、线状长椭圆形、线形或狭线形，基部有狭翼，边缘无锯齿。头状花序在茎枝先端排成伞房花序或伞房圆锥花序，含6舌状小花；总苞圆柱状，2层。瘦果褐色，长圆锥状，喙细丝状；冠毛褐色或淡黄色，呈微糙毛状。花果期3～10月。

| 生境分布 |

生于海拔1200 m以下的山坡、路旁、草丛或田边、荒野。分布于广东翁源、乐昌、仁化、始兴、乳源、连平、从化、博罗、龙门、信宜、连州、阳山、封开及东莞、深圳（市区）、肇庆（市区）等。

| 资源情况 |

野生资源较丰富。药材来源于野生。

采收加工	7 ~ 8 月采收，洗净，鲜用或晒干。
药材性状	本品长 10 ~ 30 cm。茎单一或基部分枝。叶互生，皱缩，完整者展平后呈条状披针形或长条形，长 4 ~ 15 cm，宽 5 ~ 9 mm，全缘，几无柄。头状花序排列成聚伞状。瘦果纺锤形，棕褐色，具条棱，喙短，长约 1 mm。
功能主治	苦，微寒。清热解毒。用于黄疸性肝炎，结膜炎，疖肿。
用法用量	内服煎汤，6 ~ 12 g。外用适量，捣敷。
凭证标本号	441882190615009LY。

菊科 Asteraceae 小苦荬属 *Ixeridium*

窄叶小苦荬 *Ixeridium gramineum* (Fisch.) Tzvel. [*Ixeris chinensis* (Thunb.) Tzvel. subsp. *versicolor* (Fisch. ex Link) Kitam.]

| 药材名 |

东北苦菜（药用部位：全草。别名：北败酱、剪刀甲、颠倒菜）。

| 形态特征 |

多年生草本。植株无小刺。茎低矮，有分枝，茎枝无毛。基生叶最上部或最下部的侧裂片常呈尖齿状；茎生叶 1 ~ 2，通常不分裂，基部无柄，稍抱茎。头状花序在茎枝先端排成伞房花序或伞房圆锥花序；总苞圆柱状，2 ~ 3 层；舌状小花黄色，极少白色或红色。瘦果红褐色，稍压扁；冠毛白色。花果期 3 ~ 9 月。

| 生境分布 |

生于海拔 100 ~ 1 900 m 的山坡草地、林缘、林下、河边、沟边、荒地及沙地。分布于广东徐闻、和平、紫金、连州、英德、乐昌、南雄、乳源、怀集及东莞、广州（市区）、湛江（市区）等。

| 资源情况 |

野生资源一般。药材来源于野生。

采收加工	5 ~ 6 月采收，除去杂质，晒干。
药材性状	本品根长圆锥形，长 2 ~ 6 cm，表面棕黄色至棕褐色，具纵皱纹；质脆易断，断面黄白色，有黄色木心。基生叶多卷曲或破碎。花序梗灰绿色，断面类白色，有髓或中空；头状花序排成伞房花序，舌状花常黄色。瘦果狭披针形，具纵纹，先端具白色冠毛。
功能主治	苦，寒。清热解毒，化瘀排脓。用于肺热咳嗽，痈肿疮毒，肺痨咯血，癥瘕积聚。
用法用量	内服煎汤，5 ~ 15 g。外用适量。
凭证标本号	441827180422017LY。

菊科 Asteraceae 小苦荬属 *Ixeridium*

抱茎小苦荬 *Ixeridium sonchifolium* (Maxim.) Shih [*Crepidiastrum sonchifolium* (Bunge) Pak & Kawano]

| 药 材 名 |

苦碟子（药用部位：全草。别名：抱茎苦菜、满天星）。

| 形态特征 |

多年生草本，高 15 ~ 60 cm。根茎极短。茎单生，直立，有分枝。基生叶莲座状，匙形、长倒披针形或长椭圆形；中下部茎生叶心形或呈耳状抱茎。头状花序在茎枝先端排成伞房花序或伞房圆锥花序，含舌状小花约 17；总苞圆柱形；总苞片 3；舌状小花黄色。瘦果黑色，纺锤形，喙细丝状；冠毛白色，呈微糙毛状。花果期 3 ~ 5 月。

| 生境分布 |

生于山坡或平原路旁、林下、河滩地、岩石上或庭院。分布于广东乐昌、英德、连山、南雄、仁化、信宜、台山、丰顺等。

| 资源情况 |

野生资源一般。药材来源于野生。

| 采收加工 |

5 ~ 7 月采收，洗净，鲜用或晒干。

| **药材性状** | 本品根呈倒圆锥形。茎呈细长圆柱形，无毛；断面略呈纤维性。叶互生，多皱缩、破碎，完整者展平后呈卵状长圆形，基部耳状抱茎。头状花序密集成伞房状；舌状花黄色，子房上端具多数丝状白色冠毛。瘦果类纺锤形。 |

| **功能主治** | 苦、辛，寒。止痛消肿，清热解毒。用于头痛，牙痛，胃痛，术后疼痛，跌打伤痛，阑尾炎，肠炎，肺脓肿，咽喉肿痛，痈肿疮疖。 |

| **用法用量** | 内服煎汤，9 ~ 15 g；或研末。外用适量，煎汤熏洗；或研末调敷。 |

| **凭证标本号** | 441323181005006LY、441826140827222LY。 |

菊科 Asteraceae 苦荬菜属 Ixeris

剪刀股

Ixeris japonica (Burm. f.) Nakai

| 药 材 名 | 剪刀股（药用部位：全草。别名：鸭舌草、鹅公英、假蒲公英）。

| 形态特征 | 多年生匍匐草本，有白色乳汁。茎基部平卧，匍匐，节上生不定根与叶。叶匙状倒披针形或舌形，边缘有锯齿至羽状分裂。头状花序少数；总苞钟状；总苞片 2 ~ 3 层，外层极短，卵形，内层长，长圆状披针形；舌状花 15 ~ 25，舌片黄色。瘦果狭纺锤形，红棕色，有 10 翅肋，喙细丝状；冠毛白色。花果期 4 ~ 8 月。

| 生境分布 | 生于海边低湿地、路旁及荒地。分布于广东雷州、徐闻、陆丰及东莞、阳江（市区）、湛江（市区）、深圳（市区）、江门（市区）等。

| 资源情况 | 野生资源一般。药材来源于野生。

| 采收加工 | 春季采收，洗净，鲜用或晒干。

| 药材性状 | 本品主根圆柱形或纺锤形，表面灰黄色至棕黄色。叶基生，多破碎或皱缩卷曲，完整者展平后呈匙状倒披针形，全缘或具稀疏的锯齿或羽状深裂。花茎上常有不完整的头状花序或总苞。长圆形瘦果偶见，扁平。气微，味苦。

| 功能主治 | 苦，寒。清热解毒，利尿消肿。用于肺脓肿，咽痛，目赤，乳腺炎，痈疽疮疡，水肿，小便不利。

| 用法用量 | 内服煎汤，10 ~ 15 g。外用适量，捣敷。

| 凭证标本号 | 440982160325004LY、440883180326002LY。

| 附 注 | 气血虚弱者慎服。

菊科 Asteraceae 莴苣属 *Lactuca*

莴苣 *Lactuca sativa* L.

| 药 材 名 |

莴苣（药用部位：茎、叶。别名：莴菜）、莴苣子（药用部位：果实。别名：白苣子）。

| 形态特征 |

一年生或二年生草本，有白色乳汁。茎上部分枝。基生叶及下部茎生叶不裂，倒披针形、椭圆形或椭圆状倒披针形，基部心形或箭头状半抱茎。头状花序多数，在茎枝先端排成圆锥花序；总苞果期卵球形；总苞片5层；舌状花黄色，花药基部箭形。瘦果倒披针形，浅褐色，每面有6~8细脉纹，先端有细长喙。花果期2~9月。

| 生境分布 |

生于海拔20~150 m的山坡疏林下。分布于广东信宜、乐昌、南雄、仁化、郁南及深圳（市区）、肇庆（市区）、广州（市区）等。广东各地均有栽培。

| 资源情况 |

野生资源一般。药材来源于野生和栽培。

| 采收加工 |

莴苣：春季嫩茎肥大时采收，鲜用。

莴苣子：夏、秋季果实成熟时割取地上部分，晒干，打下种子，除去杂质。

| **药材性状** | 莴苣子：本品呈长椭圆形或卵圆形而扁，长 3 ~ 5 mm，宽 1 ~ 2 mm。外表灰白色、棕褐色或黑褐色。每面具 6 ~ 8 形成顺直纹理的纵肋。外皮揉搓后呈细毛状（纤维状）。种仁棕色，富油性。气弱，味微甘。

| **功能主治** | 莴苣：苦、甘，凉。利尿，通乳，清热解毒。用于小便不利，尿血，乳汁不通，虫蛇咬伤，肿毒。

莴苣子：辛、苦，微温。通乳汁，利小便，活血行瘀。用于乳汁不通，小便不利，跌打损伤，瘀肿疼痛，阴囊肿痛。

| **用法用量** | 莴苣：内服煎汤，30 ~ 60 g。外用适量，捣敷。

莴苣子：内服煎汤，6 ~ 15 g；或研末，3 g。外用适量，鲜品研末涂擦；或煎汤熏洗。

| **凭证标本号** | 440923140721026LY。

| **附　　注** | 莴苣子被收载于《维吾尔药材标准》（1993 年版）。脾胃虚弱者慎服。

菊科 Asteraceae 六棱菊属 *Laggera*

六棱菊 *Laggera alata* (D. Don) Sch.-Bip. ex Oliv.

| 药 材 名 |

六棱菊（药用部位：地上部分。别名：六耳铃、六耳棱、羊耳三稔）。

| 形态特征 |

多年生草本。茎密被淡黄色腺状柔毛，翅全缘。叶长圆形或匙状长圆形，边缘有疏细齿，基部沿茎下延成茎翅，两面密被贴生、扭曲或头状的腺毛。头状花序多数，在茎枝先端排成总状圆锥花序；总苞近钟形；总苞片约6层，先端通常紫红色；花淡紫色；雌花多数，花冠丝状；两性花多数，花冠管状。瘦果圆柱形，有10棱，疏被白色柔毛。花期10月至翌年2月。

| 生境分布 |

生于旷野、路旁及山坡向阳处。分布于广东翁源、乳源、新丰、徐闻、怀集、封开、阳山、龙川、博罗、龙门、惠东、台山、信宜、佛冈、连山、阳春、罗定、郁南及东莞、珠海（市区）、深圳（市区）、肇庆（市区）、广州（市区）、茂名（市区）等。

| 资源情况 |

野生资源较丰富。药材来源于野生。

| 采收加工 | 夏、秋季采收，洗净，鲜用或晒干。

| 药材性状 | 本品老茎粗壮，直径 4 ~ 10 mm，灰棕色，有不规则纵皱纹；枝黄棕色，有皱纹及黄色腺毛；茎枝具 4 ~ 6 翅，被短腺毛；质坚而脆，断面中心有髓。叶互生，多破碎，灰绿色至棕黄色，被黄色的短腺毛。气香，味微苦、辛。

| 功能主治 | 苦、辛，微温。祛风利湿，活血解毒。用于风湿性关节炎，闭经，肾炎性水肿；外用于痈疖肿毒，跌打损伤，烫火伤，毒蛇咬伤，皮肤湿疹。

| 用法用量 | 内服煎汤，10 ~ 15 g。外用适量，煎汤洗。

| 凭证标本号 | 441900180711079LY、441283170608005LY、442000180419033LY。

| 附　　注 | 本品被收载于《广西中药材标准》（1990 年版）、《广东省中药材标准·第二册》（2011 年版）、《广西壮族自治区瑶族药材质量标准·第二卷》（2021 年版）。

菊科 Asteraceae 稻槎菜属 Lapsanastrum

稻槎菜 *Lapsanastrum apogonoides* (Maxim.) Pak & K. Bremer [*Lapsana apogonoides* Maxim.]

| 药 材 名 | 稻槎菜（药用部位：全草。别名：田黄花草）。

| 形态特征 | 一年生矮小草本。茎基部簇生分枝及莲座状叶丛；茎枝被柔毛或无毛。基生叶椭圆形、长椭圆状匙形或长匙形，大头羽状全裂或几全裂。头状花序排成疏散的伞房状圆锥花序；总苞椭圆形或长圆形；总苞片 2 层，内层椭圆状披针形，先端喙状；舌状花 6 ~ 8，舌片黄色。瘦果长圆形，先端有细刺或两侧各具 1 钩刺，无冠毛。花果期 4 ~ 6 月。

| 生境分布 | 生于田野、荒地及路边。分布于广东紫金、佛冈、英德、乐昌、南雄、翁源、阳春及中山、深圳（市区）、肇庆（市区）等。

| 资源情况 | 野生资源一般。药材来源于野生。 |

| 采收加工 | 春、夏季采收，洗净，鲜用或晒干。 |

| 功能主治 | 苦，平。清热解毒，透疹。用于咽喉肿痛，痢疾下血，疮疡肿毒，蛇咬伤，麻疹透发不畅。 |

| 用法用量 | 内服煎汤，15～30 g；或捣汁。外用适量，鲜品捣敷。 |

| 凭证标本号 | 441882190324027LY、441225190319002LY。 |

菊科 Asteraceae 橐吾属 Ligularia

狭苞橐吾 *Ligularia intermedia* Nakai

药材名

毛紫菀（药用部位：根及根茎。别名：光紫菀）。

形态特征

多年生草本。根肉质。茎直立，上部被白色蛛丝状柔毛。丛生叶与茎下部叶具柄，光滑，基部具狭鞘，叶片肾形或心形，先端钝或有尖头，边缘具整齐的有小尖头的三角状齿或小齿。总状花序长 22 ~ 25 cm；苞片线形或线状披针形；头状花序多数，辐射状；小苞片线形；总苞钟形；总苞片 6 ~ 8，光滑，边缘膜质；舌状花 4 ~ 6，黄色，舌片长圆形；管状花 7 ~ 12，冠毛紫褐色。瘦果圆柱形。花果期 7 ~ 10 月。

生境分布

生于水边、山坡、林缘、林下及高山草原。分布于广东北部山区等。

资源情况

野生资源较少。药材来源于野生。

药材性状

本品呈长椭圆形，中间缢缩成葫芦状。表面

棕黄色或棕褐色。先端有未除净的茎基及叶柄残痕，纤维状，全体有许多凹凸不平的点状根痕。质坚实。气微，味淡。

| **功能主治** | 辛、苦，微温。温肺，下气，祛痰止咳。用于气逆咳嗽，痰吐不利，久咳，痰中带血。

| **用法用量** | 内服煎汤，4.5 ~ 9 g。

| **凭证标本号** | 邓良 7419（IBSC0606365）。

菊科 Asteraceae 橐吾属 Ligularia

大头橐吾
Ligularia japonica (Thunb.) Less.

| 药材名 | 兔打伞（药用部位：全草。别名：猴巴掌）。

| 形态特征 | 多年生草本。茎上部被白色蛛丝状柔毛和黄色柔毛。丛生叶与茎下部叶具柄，叶柄具紫斑，基部鞘状，叶 3 ~ 5 掌状全裂；茎中上部叶较小，具短柄，鞘状抱茎；最上部叶无鞘，掌状分裂。头状花序辐射状，排列成伞房状花序；总苞半球形；总苞片 9 ~ 12，2 层；舌状花黄色，舌片长圆形；管状花多数，冠毛红褐色，与花冠管部等长。瘦果细圆柱形，冠毛红褐色。花果期 4 ~ 9 月。

| 生境分布 | 生于水边、山坡草地及林下。分布于广东乳源、乐昌、翁源、南雄、连州、英德、博罗、封开、广宁、信宜、高州及广州（市区）、深

圳（市区）、云浮（市区）等。

| **资源情况** | 野生资源一般。药材来源于野生。

| **采收加工** | 夏、秋季采收，洗净，鲜用或切段晾干。

| **功能主治** | 辛，平。舒筋活血，解毒消肿。用于跌打损伤，无名肿毒，毒蛇咬伤，痈疖，湿疹。

| **用法用量** | 内服煎汤，15 ~ 30 g。外用适量，鲜品捣敷。

| **凭证标本号** | 440983180617006LY、441322140826372LY。

菊科 Asteraceae 小舌菊属 Microglossa

小舌菊 Microglossa pyrifolia (Lam.) Kuntze

| **药 材 名** | 小舌菊（药用部位：全株。别名：九里明、梨叶小舌菊、过山龙）。

| **形态特征** | 亚灌木。茎攀缘状，叉状分枝，被腺状柔毛，后无毛。叶卵形或卵状长圆形，疏生小齿或近全缘，上面疏被柔毛，后无毛，下面密被锈色柔毛和腺点；叶柄被柔毛。头状花序在茎枝先端排成密的复伞房状；总苞钟状；总苞片约5层；外围雌花多数，丝状，舌片极小；中央两性花2～3。瘦果长圆形，边缘脉状，两面具1肋，被微毛；冠毛浅红色，糙毛状。

| **生境分布** | 生于山坡灌丛或疏林中。分布于广东怀集、德庆、紫金及东莞、深圳（市区）、肇庆（市区）、佛山（市区）等。

| **资源情况** | 野生资源较少。药材来源于野生。

| **功能主治** | 苦，凉。清肝明目，拔毒生肌。用于目赤肿痛，畏光流泪，疮疡肿毒。

| **凭证标本号** | 高蕴璋、陈炳辉 190（IBSC0606541）。

菊科 Asteraceae 黏冠草属 Myriactis

圆舌黏冠草 *Myriactis nepalensis* Less.

药材名

圆舌黏冠草（药用部位：全草。别名：大鱼眼草）。

形态特征

一年生草本。茎中部或基部分枝。中部茎生叶长椭圆形或卵状长椭圆形，有锯齿，基部渐窄，下延成具翅的叶柄；基生叶及茎下部叶较大，间或浅裂或深裂；叶上面均无毛，下面沿脉有极稀疏的柔毛。头状花序球形或半球形，单生于茎顶或枝端，排成疏散的伞房状或伞房状圆锥花序；总苞片 2 ~ 3 层；边缘舌状雌花多层，舌片圆形；两性花管状，管部有微柔毛。瘦果扁，边缘呈脉状加厚，先端有黏质分泌物，无冠毛。花果期 4 ~ 11 月。

生境分布

生于山坡、山谷林缘、林下、灌丛中、近水潮湿处或荒地上。分布于广东乐昌、乳源、阳山、连州、博罗、信宜及惠州（市区）、肇庆（市区）等。

资源情况

野生资源较少。药材来源于野生。

| 采收加工 | 夏、秋季采收，洗净，晾干。

| 功能主治 | 辛，平。清热解毒，透疹，止痛。用于痢疾，肠炎，中耳炎，麻疹，牙痛，关
节肿痛。

| 用法用量 | 内服煎汤，9 ~ 15 g。

| 凭证标本号 | 440781190319026LY。

菊科 Asteraceae 黄瓜菜属 Paraixeris

黄瓜菜

Paraixeris denticulata (Houtt.) Nakai [*Crepidiastrum denticulatum* (Houtt.) Pak & Kawano]

药材名

黄瓜菜（药用部位：全草。别名：秋苦荬菜、羽裂黄瓜菜、黄瓜假还阳参）。

形态特征

一年生或二年生草本。主根直伸，生多数须根。茎单生，无毛。中、下部叶卵形、琴状卵形、椭圆形或披针形，不分裂，先端急尖或钝，基部圆耳状扩大，抱茎，有宽翼柄或无柄，有大锯齿或重锯齿，或全缘；上部叶与中、下部叶同形，渐小，无柄。头状花序多数，在茎顶排成伞房花序或伞房圆锥状；舌状小花 15，黄色。瘦果长椭圆形，压扁，黑色或黑褐色；冠毛白色，糙毛状。花果期 5 ~ 11 月。

生境分布

生于山坡林缘、林下、田边、岩石上或岩石缝隙中。分布于广东仁化、乳源、乐昌、南雄、始兴、翁源、台山、梅县、大埔、蕉岭、阳山、连山、英德、连州、惠东、信宜、阳春、怀集及东莞、深圳（市区）、肇庆（市区）等。

资源情况

野生资源一般。药材来源于野生。

| **采收加工** | 春季采收，鲜用或阴干。 |

| **功能主治** | 苦、微酸、涩，凉。清热解毒，散瘀止痛，止血，止带。 |

| **凭证标本号** | 涂铁要等 TuTY3267（CDBI0246657）。 |

菊科 Asteraceae 假福王草属 *Paraprenanthes*

假福王草
Paraprenanthes sororia (Miq.) C. Shih

| 药 材 名 |

假福王草（药用部位：全草。别名：堆莴苣）。

| 形态特征 |

一年生草本。茎直立，单生。基生叶花期枯萎；中下部叶大头羽状半裂或深裂，有长 4 ~ 7 cm 的翼柄，顶裂宽三角状戟形、三角状心形、三角形或宽卵状三角形，先端急尖，边缘有锯齿或重锯齿，基部戟形或心形，羽轴有翼；上部茎生叶小，不裂，戟形、卵状戟形或披针形，有短翼柄或无柄。头状花序排成圆锥状，花序分枝无毛；总苞圆柱状；总苞片 4 层；舌状小花粉红色。瘦果黑色，纺锤状；冠毛 2 层。花果期 5 ~ 8 月。

| 生境分布 |

生于海拔 200 ~ 1 900 m 的山坡、山谷灌丛、林下。分布于广东龙门、博罗、惠东、紫金、和平、从化、信宜、大埔、丰顺、连南、连山、连州、阳山、英德、乐昌、南雄、仁化、乳源、始兴、封开及肇庆（市区）等。

| 资源情况 |

野生资源一般。药材来源于野生。

| 采收加工 | 夏、秋季采收，洗净，鲜用。

| 功能主治 | 苦，寒。清热解毒，散瘀止血。用于乳痈，疮疖肿毒，毒蛇咬伤，痔疮出血，外伤出血。

| 用法用量 | 内服煎汤，6 ~ 15 g。外用适量，鲜品捣敷。

| 凭证标本号 | 441882180508026LY、441823201031033LY、440523191001011LY。

菊科 Asteraceae 银胶菊属 Parthenium

银胶菊 *Parthenium hysterophorus* L.

| 药 材 名 | 银胶菊（药用部位：全草。别名：野母艾）。

| 形态特征 | 一年生草本。茎直立，多分枝，被短柔毛。茎下部和中部叶卵形或椭圆形，2回羽状深裂，裂片3～4对，卵形，小裂片卵形或长圆形，常具锯齿，上面被疏糙毛，背面毛较密，稍柔软；上部叶无柄，羽裂，裂片线状长圆形，有时指状3裂。头状花序小，直径3～4mm；总苞宽钟形；总苞片2层；舌状花1层；管状花多数；雄蕊4；子房不育。瘦果黑色，倒卵形。花期4～10月。

| 生境分布 | 生于海拔90～1500m的空旷地、路旁、河边及坡地上。广东各地均有分布。

| **资源情况** | 野生资源较少。药材来源于野生。

| **药材性状** | 本品干燥茎扭曲，具明显纵棱与凹槽，被茸毛，黄绿色或暗紫色；老茎质韧，不易折断，断面皮部灰绿色，不平，呈纤维性，髓部暗绿色。叶片皱缩，被茸毛，展平后老叶明显羽状分裂，嫩叶 3 裂或不裂，披针形。头状花序排成总状花序，米黄色。气清香，味淡。

| **功能主治** | 解热，通经，镇痛。用于疮疡肿毒，偏头痛，风湿病等。

| **凭证标本号** | 441823200708027LY、441422190726385LY、441882190614016LY。

阔苞菊 *Pluchea indica* (L.) Less.

| **药 材 名** | 栾樨（药用部位：茎叶、根。别名：烟茜、格杂树）。

| **形态特征** | 直立灌木。茎下部叶倒卵形或宽倒卵形，上面稍被粉状短柔毛或毛脱落，背面无毛或沿中脉被疏毛，中脉在上面明显，在背面稍凸起；中部和上部叶倒卵形或倒卵状长圆形，先端圆钝，边缘有较密的细锯齿，基部楔形，两面被短柔毛，无柄。头状花序小，直径 3 ~ 5 mm，在茎枝先端排成伞房花序；总苞钟形；雌花多层，花冠丝状；两性花花冠管状。瘦果圆柱形。花期全年。

| **生境分布** | 生于海滨沙地或近潮水的空旷地。分布于广东徐闻、陆丰及东莞、中山、广州（市区）、深圳（市区）、珠海（市区）、阳江（市区）、

茂名（市区）等。

| 资源情况 | 野生资源一般。药材来源于野生。

| 采收加工 | 全年均可采收，洗净，鲜用。

| 功能主治 | 甘，微温。暖胃去积，软坚散结，祛风除湿。用于小儿食积，瘿瘤，痰核，风湿骨痛。

| 用法用量 | 内服煎汤，9 ～ 15 g。

| 凭证标本号 | 445224190316005LY、440523190711005LY、440882180501990LY。

菊科 Asteraceae 翅果菊属 *Pterocypsela*

高大翅果菊

Pterocypsela elata (Hemsl.) C. Shih [*Lactuca raddeana* Maxim. var. *elata* (Hemsl.) Kitam.]

| 药 材 名 | 水紫菀（药用部位：根。别名：高莴苣、高株山莴苣、山苦菜）。

| 形态特征 | 多年生草本。茎紫红色或带紫红色斑纹，上部分枝。茎下部、中部叶卵形、三角状卵形、菱形或菱状披针形，先端尖，基部近楔形，或下延成具翅的长柄，边缘有不规则锯齿，两面稍粗糙。头状花序多数，在茎端排成狭长的聚伞状花序；总苞片 3 ~ 4 层；舌状花8 ~ 10，黄色，基部密被白色长柔毛。瘦果倒卵状长圆形，棕褐色，每面有 3 细脉纹。花果期 6 ~ 10 月。

| 生境分布 | 生于海拔 380 ~ 1 900 m 的山谷、山坡林缘、林下、灌丛中或路边。分布于广东仁化、乐昌、乳源、梅县、大埔、连州、阳山等。

| 资源情况 | 野生资源一般。药材来源于野生。

| 采收加工 | 夏、秋季采收，洗净，切段，鲜用或晒干。

| 功能主治 | 辛，平。止咳化痰。用于风寒咳嗽。

| 用法用量 | 内服煎汤，6～9g。

| 凭证标本号 | 440781190515033LY、440523190729020LY、440882180602083LY。

菊科 Asteraceae 翅果菊属 Pterocypsela

翅果菊
Pterocypsela indica (L.) Shih

| 药 材 名 | 山莴苣（药用部位：全草。别名：野生菜、苦芥菜）。

| 形态特征 | 一年生粗壮草本。茎直立，单生，有白色乳汁，无毛，上部有分枝。茎中部叶线状披针形，先端尖或钝，基部稍抱茎。头状花序排成尖塔形的圆锥聚伞状花序；总苞筒形；总苞片2～3层，内层线状长圆形，上缘带紫色；舌状花黄色或白色。瘦果压扁，两面各有1纵肋。花果期7～11月。

| 生境分布 | 生于山坡、林缘、路旁、荒野及田边和村边湿草丛中。广东各地均有分布。

| 资源情况 | 野生资源丰富。药材来源于野生。

| 采收加工 | 春、夏季采收，洗净，鲜用或晒干。

| 药材性状 | 本品根圆锥形，先端具圆盘形的芽或芽痕，表面灰黄褐色，具细纵皱纹及横向的点状须根痕；折断面隐约可见不规则的形成层环纹。茎长条形。叶互生，无柄，基部半抱茎。有时可见头状花序。果实黑色。气微臭，味微甜而后苦。

| 功能主治 | 苦，寒。清热解毒，活血止血。用于咽喉肿痛，肠痈，子宫颈炎，产后瘀血腹痛，崩漏，疮疖肿毒，疣瘤，痔疮出血。

| 用法用量 | 内服煎汤，9 ~ 15 g。外用适量，鲜品捣敷。

| 凭证标本号 | 441623180912009LY。

菊科 Asteraceae 翅果菊属 Pterocypsela

多裂翅果菊 *Pterocypsela laciniata* (Houtt.) Shih

| **药 材 名** | 多裂翅果菊（药用部位：全草）。

| **形态特征** | 草本。茎直立，有白色乳汁，不分枝或上部分枝，无毛。叶互生，中部叶线形或线状披针形，先端渐尖，倒向羽状全裂或深裂，边缘有缺刻状或锯齿状针刺，基部扩大成戟形，半抱茎，无柄。头状花序在茎上排成圆锥花序状的聚伞花序；总苞钟形，3 ~ 4 层；舌状花舌片淡黄色。瘦果压扁。花果期 7 ~ 11 月。

| **生境分布** | 生于中低海拔地区的荒坡、路旁。广东各地均有分布。

| **资源情况** | 野生资源丰富。药材来源于野生。

| **采收加工** | 春、夏季采收，洗净，鲜用或晒干。

| 功能主治 | 清热解毒，活血止血。用于咽喉肿痛，肠痈，子宫颈炎，产后瘀血腹痛，崩漏，疮疖肿毒，痔疮出血。

| 凭证标本号 | 441825190808025LY、441823201205006LY、445224201007003LY。

| 附　　注 | FOC 将本种与翅果菊 *Pterocypsela indica* (L.) Shih 归并。

菊科 Asteraceae 翅果菊属 Pterocypsela

毛脉翅果菊

Pterocypsela raddeana (Maxim.) Shih [*Lactuca raddeana* Maxim.]

| 药 材 名 |

山苦菜（药用部位：全草或根。别名：老蛇药、野洋烟）。

| 形态特征 |

草本。侧根呈萝卜状增粗。茎单生，直立。中下部茎生叶大，羽状或大头羽状深裂或浅裂，叶柄具狭翼，顶裂片大，卵状三角形，先端急尖，边缘有不等大的三角形锯齿；上部叶渐小；全部叶两面沿脉有长柔毛。头状花序排成顶生圆锥花序或伞房状圆锥花序；总苞片4层，淡紫红色；舌状小花黄色。瘦果黑色，压扁，先端具喙。花果期5～9月。

| 生境分布 |

生于山坡林缘、灌丛中或潮湿处及田间。分布于广东仁化、乐昌、乳源、梅县、大埔、阳山、连州等。

| 资源情况 |

野生资源较少。药材来源于野生。

| 采收加工 |

夏、秋季采收，洗净，切段，鲜用或晒干。

| **功能主治** | 苦，寒。清热解毒，祛风除湿。用于风湿痹痛，痧证腹痛，疮疡疖肿，蛇咬伤。 |

| **用法用量** | 内服煎汤，15 ~ 30 g；或浸酒，1.5 ~ 3 g。外用适量，嫩叶捣膏涂；或根磨酒搽。 |

| **凭证标本号** | 邓良 7214（IBK00299780）。 |

菊科 Asteraceae 匹菊属 Pyrethrum

除虫菊

Pyrethrum cinerariifolium Trev. [*Tanacetum cinerariifolium* (Trevir.) Sch.-Bip.]

| 药 材 名 |

除虫菊（药用部位：头状花序）。

| 形态特征 |

亚灌木。茎直立，单生或簇生；茎枝银灰色，被贴伏的短柔毛。基生叶、茎下部及中部叶2回羽状分裂；上部叶小，羽状全裂，两面银灰色，被贴伏的"丁"字形或先端分叉的短毛。头状花序在茎端排成疏松的伞房状聚伞花序；总苞片3～4层，外面有腺点及短毛；舌状花白色。瘦果有5～7纵肋。花果期5～8月。

| 生境分布 |

栽培种。广东乐昌及广州（市区）等有栽培。

| 资源情况 |

栽培资源较少。药材来源于栽培。

| 采收加工 |

5～6月舌状花冠尚未全部展开、筒状花冠已渐展开时采收，晒干或阴干。

| 药材性状 |

本品扁球形，直径约1 cm。总苞片40或更

多，3 ~ 4 层；苞片近披针形，淡黄绿色，被短毛。舌状花淡黄色，先端 3 裂；中央管状花黄色，先端 5 裂，雄蕊 5，子房暗棕色，有 5 棱，具冠毛。气微香，味苦、辣。

| **功能主治** | 苦，凉；有毒。杀虫。用于疥癣。

| **用法用量** | 外用适量，研末调敷。

| **凭证标本号** | 陈少卿 7313（IBSC0627463）。

菊科 Asteraceae 金光菊属 Rudbeckia

金光菊 *Rudbeckia laciniata* L.

| 药 材 名 | 金光菊（药用部位：全草。别名：黑眼菊、太阳菊）。

| 形态特征 | 多年生草本。茎高 50 ~ 200 cm。叶互生，茎下部叶不分裂或羽状深裂，裂片 2 ~ 3 对，长圆状披针形，先端尖，边缘具疏锯齿或浅裂；中部叶 3 ~ 5 深裂；上部叶不裂。头状花序具长总花梗，单生；总苞片 2 层，被毛；花序托球形，托片先端平截，被毛；舌状花黄色，先端具 2 短齿；管状花黄色或黄绿色。瘦果有 4 棱。花期 7 ~ 10 月。

| 生境分布 | 栽培种。广东肇庆（市区）、广州（市区）等有栽培。

| 资源情况 | 栽培资源较少。药材来源于栽培。

| **采收加工** | 夏、秋季采收，洗净，鲜用或晒干。

| **功能主治** | 苦，寒。清湿热，解毒消痈。用于湿热吐泻，腹痛，痈肿疮毒。

| **用法用量** | 内服煎汤，9 ～ 12 g。外用适量，鲜叶捣敷。

| **附   注** | 重瓣金光菊 *Rudbeckia laciniata* L. var. *hortensia* Bailey 与本种的区别在于前者头状花序无管状花，全为舌状花。

菊科 Asteraceae 风毛菊属 Saussurea

三角叶须弥菊

Saussurea deltoidea (DC.) Sch.-Bip. [Himalaiella deltoidea (DC.) Raab-Straube]

| 药 材 名 | 三角叶风毛菊（药用部位：根。别名：大叶防风、野烟）。

| 形态特征 | 二年生草本。茎密被锈色毛及蛛丝状毛。中下部茎生叶大头羽状全裂，顶裂片三角形或三角状戟形，边缘有锯齿；上部叶不裂，三角形至三角状戟形，有锯齿；最上部叶披针形或长椭圆形。头状花序具长总花梗，单生于茎端及枝端；总苞钟形；总苞片 5 ~ 7 层，被短柔毛，先端紫色；管状花多数，花冠檐部具 5 深裂片。瘦果黑色，先端有具齿的小冠；冠毛白色。花果期 8 ~ 11 月。

| 生境分布 | 生于海拔 800 ~ 1 900 m 的山坡、草地、林下、灌丛、荒地、杂木林中及河谷林缘。分布于广东乐昌、乳源、仁化、南雄、始兴、连州、

阳山、英德、信宜等。

| **资源情况** | 野生资源一般。药材来源于野生。

| **采收加工** | 夏、秋季采挖，洗净，晒干。

| **功能主治** | 甘、微苦，温。祛风湿，通经络，健脾消疳。用于风湿痹痛，带下，腹泻，痢疾，小儿疳积，胃寒疼痛。

| **用法用量** | 内服煎汤，9 ~ 15 g。外用适量，捣敷。

| **凭证标本号** | 邓良 7173（IBSC0627842）。

菊科 Asteraceae 风毛菊属 Saussurea

风毛菊

Saussurea japonica (Thunb.) DC.

| 药 材 名 |

八楞木（药用部位：全草。别名：山苦子、八楞麻、三棱草）。

| 形态特征 |

二年生草本。茎直立；茎、枝被短柔毛或腺点。基生叶与下部茎生叶椭圆形或披针形，羽状深裂，裂片全缘，有极稀疏的大锯齿，叶柄有窄翼；中部叶有短柄；上部叶浅羽裂或不裂，无柄；叶两面绿色，密被黄色腺点。头状花序排成伞房状或伞房圆锥花序；总苞窄钟状或圆柱形，疏被蛛丝状毛；总苞片6层；花冠紫红色。瘦果圆柱形，深褐色；冠毛白色。花果期8～11月。

| 生境分布 |

生于海拔200～1900m的山坡、山谷、林下、路旁、灌丛、荒坡、水旁、田中。分布于广东乐昌、乳源、翁源、始兴、新丰、连山、和平、从化、惠东、封开及珠海（市区）、深圳（市区）等。

| 资源情况 |

野生资源较丰富。药材来源于野生。

| **采收加工** | 夏、秋季采收，鲜用或晒干。

| **功能主治** | 苦、辛，温。祛风除湿，散瘀止痛。用于风湿痹痛，跌打损伤。

| **用法用量** | 内服煎汤，9 ~ 15 g；或浸酒服。外用适量，捣敷；或煎汤洗。

| **凭证标本号** | 441823201031071LY、440224181115009LY。

| **附　　注** | 孕妇忌服。

菊科 Asteraceae 千里光属 Senecio

千里光
Senecio scandens Buch.-Ham. ex D. Don

| 药 材 名 | 千里光（药用部位：地上部分。别名：九里明、金花草）。

| 形 态 特 征 | 多年生攀缘状草本。茎多分枝，被柔毛或无毛。叶长三角形、卵状披针形或卵形，有时基部具深或浅的裂片，两面被短柔毛。头状花序少数，在茎端、枝端排成伞房花序状的聚伞状花序；总苞圆柱状钟形；总苞片 12 ～ 13；舌状花 8 ～ 10，舌片黄色，长圆形；管状花多数，花冠黄色。瘦果圆柱形，被短毛；冠毛白色。花果期 8 月至翌年 4 月。

| 生 境 分 布 | 生于海拔 50 ～ 1 900 m 的森林、灌丛中、溪边。分布于广东翁源、乳源、乐昌、南雄、仁化、始兴、新丰、台山、信宜、怀集、封开、博罗、

惠东、龙门、阳春、阳山、佛冈、连州、连山、英德、罗定、郁南、饶平、东源、和平、龙川、紫金、惠来、普宁、大埔、丰顺、蕉岭、平远、五华及东莞、中山、广州（市区）、深圳（市区）、江门（市区）、茂名（市区）、肇庆（市区）、云浮（市区）、潮州（市区）、梅州（市区）、珠海（市区）等。

| 资源情况 | 野生资源丰富。药材来源于野生。

| 采收加工 | 9～10月采收，鲜用或晒干。

| 药材性状 | 本品切成小段。茎圆柱状，表面棕黄色；质坚硬，断面髓部发达，白色。叶多皱缩，破碎，呈椭圆状三角形或卵状披针形，基部戟形或截形，边缘有不规则缺刻，暗绿色或灰棕色；质脆。有时枝梢有枯黄色头状花序。

| 功能主治 | 苦，寒。清热解毒，明目，利湿。用于痈肿疮毒，感冒发热，目赤肿痛，泄泻，痢疾，皮肤湿疹。

| 用法用量 | 内服煎汤，15～30 g。外用适量，煎汤熏洗。

| 凭证标本号 | 邓良 8387（IBSC0601873）。

菊科 Asteraceae 千里光属 Senecio

闽粤千里光 *Senecio stauntonii* DC.

| 药 材 名 |

闽粤千里光（药用部位：全草）。

| 形态特征 |

多年生草本。根茎微直立或半攀缘。茎生叶薄革质，卵状披针形或长圆状披针形，边缘内卷，无柄，基部具圆耳，半抱茎；上面被短柔毛，背面沿脉有疏短毛或无毛。头状花序在茎端、枝端排成疏伞房花序状的聚伞状花序；总苞钟形，被短柔毛；总苞片 13，线状披针形；舌状花 8 ～ 13，舌片黄色；管状花多数，花冠黄色。瘦果圆柱形，被柔毛；冠毛白色。花果期 10 月至翌年 4 月。

| 生境分布 |

生于海拔 600 m 左右的灌丛、疏林中、干旱山坡或河谷。分布于广东从化、仁化、乳源、乐昌、南雄、始兴、翁源、连平、紫金、英德、连州、佛冈、阳山、龙门、平远、封开及东莞、中山、深圳（市区）、江门（市区）等。

| 资源情况 |

野生资源较丰富。药材来源于野生。

| **采收加工** | 夏、秋季采收，洗净，扎把，晒干。 |

| **功能主治** | 苦、微辛，凉。清热解毒，祛风止痒。用于痈肿疮疖，湿疹，疥癣，皮肤瘙痒。 |

| **用法用量** | 内服煎汤，9～15 g。外用适量，煎汤洗；或熬膏涂；或研末调搽。 |

| **凭证标本号** | 440783190718016LY、441823190115011LY、441284191102603LY。 |

菊科 Asteraceae 麻花头属 *Serratula*

华麻花头 *Serratula chinensis* S. Moore [*Rhaponticum chinense* (S. Moore) L. Martins & Hidalgo]

| 药 材 名 | 广升麻（药用部位：块根。别名：广东升麻）。

| 形态特征 | 多年生草本。茎枝被蛛丝状毛或毛脱落。中部茎生叶椭圆形或长椭圆形，边缘有锯齿，两面被毛及棕黄色的小腺点。头状花序单生于茎枝先端；总苞碗状；总苞片 6 ~ 7 层，先端圆或钝，无针刺，染紫红色，外层卵形或长椭圆形，内层至最内层长椭圆形或线状长椭圆形；小花两性，花冠紫红色。瘦果长椭圆形，深褐色。花果期 7 ~ 10 月。

| 生境分布 | 生于山坡草地、林缘、林下、灌丛中或灌丛缘等。分布于广东大埔、阳山、英德、仁化、乐昌、南雄、始兴及广州（市区）等。

| 资源情况 | 野生资源一般。药材来源于野生。

| 采收加工 | 夏、秋季采收二年生至三年生者，切片，晒干或焙干。

| 药材性状 | 本品呈长纺锤形，稍扭曲，两端略细，中部较粗，长 10 ~ 30 cm，直径 0.3 ~ 1.5 cm。表面灰黄色或灰褐色，有粗纵皱纹和少数残留的须根。质坚硬而脆，易折断；断面略呈角质，黄白色至灰褐色，有的可见放射状纹理和裂隙。气香特异，味淡、微涩。

| 功能主治 | 辛、微甘，微寒。散风透疹，清热解毒，升阳举陷。用于风热头痛，麻疹透发不畅，斑疹，肺热咳喘，咽喉肿痛，胃火牙痛，久泻脱肛，子宫脱垂。

| 用法用量 | 内服煎汤，3 ~ 9 g。外用适量，煎汤洗。

| 凭证标本号 | 440781190712042LY、440224181129021LY、441623181017013LY。

菊科 Asteraceae 虾须草属 Sheareria

虾须草

Sheareria nana S. Moore

| 药 材 名 | 虾须草（药用部位：全草。别名：沙小菊）。

| 形态特征 | 一年生草本。茎下部分枝，绿色或稍带紫色。叶互生，线形或倒披针形，无柄，全缘；上部叶鳞片状。头状花序顶生或腋生，有花序梗；总苞片2层，宽卵形，稍被细毛；雌花舌状，白色或淡红色，舌片宽卵状长圆形，近全缘或先端有小钝齿；两性花管状，上部钟状，有5齿。瘦果长椭圆形，褐色，无冠毛。花期8～9月。

| 生境分布 | 生于山坡、田边、湖边草地或河边沙滩上。分布于广东博罗、大埔、广宁及广州（市区）、佛山（市区）、河源（市区）、惠州（市区）、肇庆（市区）等。

| **资源情况** | 野生资源一般。药材来源于野生。 |

| **采收加工** | 夏、秋季采收，鲜用或晒干。 |

| **功能主治** | 苦，平。清热解毒，利水消肿。用于疮疡肿毒，水肿，风热头痛。 |

| **用法用量** | 内服煎汤，15 ~ 30 g。外用适量，捣敷。 |

| **凭证标本号** | 石国良 14463（IBSC0617838）。 |

菊科 Asteraceae 豨莶属 Siegesbeckia

豨莶
Siegesbeckia orientalis L.

| 药 材 名 | 豨莶草（药用部位：地上部分。别名：希仙、火莶）。

| 形态特征 | 一年生草本。茎上部常呈复2歧状，分枝被灰白色柔毛。中部叶三角状卵圆形或卵状披针形，边缘有不规则的浅裂或粗齿，基部下延成具翼的柄。头状花序多数聚生于枝端；总苞阔钟状；总苞片2层，叶质，背面被紫褐色腺毛，外层5～6，线状匙形或匙形，内层卵状长圆形或卵圆形。瘦果倒卵圆形，有4棱，先端有灰褐色环状突起。花期4～9月，果期6～11月。

| 生境分布 | 生于山野、荒草地、灌丛、林缘、林下或耕地中。分布于广东东源、和平、连平、龙川、紫金、饶平、博罗、惠东、龙门、台山、揭西、

信宜、佛冈、连山、连州、阳山、英德、大埔、丰顺、蕉岭、平远、五华、兴宁、乐昌、南雄、仁化、乳源、始兴、翁源、新丰、阳春、罗定、新兴、郁南、廉江、徐闻、德庆、封开、怀集及中山、东莞、广州（市区）、深圳（市区）、佛山（市区）、潮州（市区）、揭阳（市区）、茂名（市区）、云浮（市区）、河源（市区）、肇庆（市区）、湛江（市区）、汕头（市区）等。

| **资源情况** | 野生资源较丰富。药材来源于野生。

| **采收加工** | 夏季花开前或花期均可采收，晒至半干，置于干燥通风处晾干。

| **药材性状** | 本品茎略呈方柱形，多分枝，表面有纵沟和细纵纹，被灰色柔毛；质脆，易折断，断面黄白色或带绿色，髓部宽广，类白色，中空。叶对生，展平后呈卵圆形，边缘有钝锯齿，两面皆有白色柔毛，主脉三出。有的可见黄色头状花序。气微，味微苦。

| **功能主治** | 辛、苦，寒。祛风湿，利关节，解毒。用于风湿痹痛，筋骨无力，腰膝酸软，四肢麻痹，半身不遂，风疹湿疮。

| **用法用量** | 内服煎汤，9 ~ 12 g，大剂量可用 30 ~ 60 g；或捣汁；或入丸、散剂。外用适量，捣敷；或研末撒；或煎汤熏洗。

| **凭证标本号** | 441283160903008LY。

| **附　　注** | 无风湿者慎服，生用或大剂量应用易致呕吐。

菊科 Asteraceae 豨莶属 Siegesbeckia

腺梗豨莶

Siegesbeckia pubescens Makino

| 药 材 名 | 豨莶草（药用部位：地上部分。别名：希仙、火莶）。

| 形态特征 | 一年生草本。茎上部多分枝，被灰白色长柔毛和糙毛。基部叶卵状披针形；中部叶卵圆形或卵形，基部下延成具翼、长 1 ~ 3 cm 的柄，边缘有尖头状的粗齿。头状花序多排列成松散的圆锥状；花梗较长，密生紫褐色头状具柄的腺毛和长柔毛；总苞宽钟状；总苞片 2 层，背面密生紫褐色头状具柄的腺毛。瘦果倒卵圆形，具 4 棱，先端有灰褐色环状突起。花期 5 ~ 8 月，果期 6 ~ 10 月。

| 生境分布 | 生于山坡、山谷林缘、灌丛、林下的草坪中、河谷、溪边、河槽潮湿处、旷野、耕地边等。分布于广东紫金、乐昌、南雄及江门（市

区）等。

| **资源情况** | 野生资源较少。药材来源于野生。

| **采收加工** | 夏、秋季花未开时采收，切段，晒干。

| **药材性状** | 本品枝上部被长柔毛和紫褐色腺点。叶卵圆形或卵形，边缘有不规则小锯齿。

| **功能主治** | 辛、苦，寒。祛风湿，利关节，解毒。用于风湿痹痛，筋骨无力，腰膝酸软，四肢麻痹，半身不遂，风疹湿疮。

| **用法用量** | 内服煎汤，9 ~ 12 g，大剂量可用 30 ~ 60 g；或捣汁；或入丸、散剂。外用适量，捣敷；或研末撒；或煎汤熏洗。

| **凭证标本号** | 441825191002015LY、445224190511113LY、441422190317726LY。

| **附　　注** | 《中华人民共和国药典》（2020 年版）记载，豨莶草的基原还有毛梗豨莶 *Siegesbeckia glabrescens* Makino。

菊科 Asteraceae 水飞蓟属 Silybum

水飞蓟
Silybum marianum (L.) Gaertn.

| 药 材 名 | 水飞蓟（药用部位：成熟果实。别名：水飞雉、奶蓟、老鼠簕）。

| 形态特征 | 一年生或二年生草本。茎枝有白色粉质覆被物。莲座状的基生叶与下部茎生叶有柄，椭圆形或倒披针形，羽状浅裂至全裂；叶两面绿色，具白色花斑，无毛，质薄。头状花序生于枝端；总苞球形或卵球形；总苞片6层，无毛，中外层革质，宽匙形或椭圆形，上部扩大成近菱形或三角形的坚硬叶质附属物，附属物边缘或基部有硬刺；小花红紫色，稀白色。瘦果扁，长椭圆形或长倒卵圆形。花果期5～10月。

| 生境分布 | 栽培种。广东部分地区有栽培。

| 资源情况 | 药材来源于栽培。

| 采收加工 | 秋季果实成熟时采收，除去杂质，晒干。

| 药材性状 | 本品呈长倒卵形或椭圆形，长5～7 mm，宽2～3 mm，表面淡灰棕色至黑褐色，光滑，有细纵花纹。先端钝圆，稍宽，有1圆环，中间具点状花柱残迹，基部略窄。质坚硬。子叶2，浅黄白色，富油性。气微，味淡。

| 功能主治 | 苦，凉。清热解毒，疏肝利胆。用于肝胆湿热，胁痛，黄疸。

| 用法用量 | 内服煎汤，6～15 g；或制成冲剂、胶囊剂、丸剂。

| 凭证标本号 | 440281190424026LY、440783200425017LY、441882181101021LY。

菊科 Asteraceae 一枝黄花属 Solidago

一枝黄花 *Solidago decurrens* Lour.

药材名

一枝黄花（药用部位：全草。别名：黄花一枝香、蛇头黄、老虎尿）。

形态特征

多年生草本。茎直立，通常细弱。下部叶边缘具狭翅；茎中部叶中部以上边缘有细齿或全缘，基部渐窄成具翅的短柄；上部叶两面及边缘被短柔毛或背面无毛。头状花序较小，直径 6 ~ 9 mm，组成聚伞状花序，稀密集成近复头状花序；总苞片 4 ~ 6 层；舌状花舌片黄色。瘦果近圆柱形，无毛；冠毛刚毛状。花果期 4 ~ 11 月。

生境分布

生于阔叶林林缘、林下、灌丛中及山坡草地上。分布于广东翁源、乳源、新丰、乐昌、南雄、仁化、台山、徐闻、信宜、怀集、封开、阳山、连州、佛冈、英德、饶平、和平、紫金、惠东、丰顺、五华、兴宁、陆河、罗定、新兴、郁南及东莞、广州（市区）、深圳（市区）、肇庆（市区）、潮州（市区）、珠海（市区）、汕头（市区）等。

| 资源情况 | 野生资源较丰富。药材来源于野生。

| 采收加工 | 秋季采收，除去泥沙，晒干。

| 药材性状 | 本品根为不规则的段。根茎簇生淡黄色细根，表面有棱线，上部被毛；质脆，断面纤维性，有髓。叶多皱缩、破碎，全缘或有不规则的疏锯齿，基部下延成柄。偶有黄色舌状花。瘦果细小。气微香，味微苦、辛。

| 功能主治 | 辛、苦，凉。清热解毒，疏散风热。用于喉痹，乳蛾，咽喉肿痛，疮疖肿毒，风热感冒。

| 用法用量 | 内服煎汤，9 ~ 15 g。

| 凭证标本号 | 南岭队 1901（IBSC0618652）。

| 附　　注 | 本种叶与花序形态有极大差异。

菊科 Asteraceae 裸柱菊属 Soliva

裸柱菊
Soliva anthemifolia (Juss.) R. Br.

| 药 材 名 | 裸柱菊（药用部位：全草。别名：七星菊）。

| 形态特征 | 一年生矮小草本。茎平卧。叶全缘或具3齿，或羽状浅裂，两面被长柔毛或近无毛；叶柄明显。头状花序近球形，无总花梗，1至数个集生于茎基部；总苞片2层；边缘雌花多数，无花冠；两性管状花少数，花冠黄色，冠檐具3裂齿；子房不育。瘦果倒披针形，扁平，被长柔毛，花柱宿存，有厚翅，果翅下部有横皱纹，无冠毛。花果期全年。

| 生境分布 | 生于荒地、田野。分布于广东紫金、博罗、惠东、英德、乐昌、南雄、乳源、始兴及东莞、中山、深圳（市区）、肇庆（市区）、广州（市

区）、珠海（市区）、江门（市区）等。

| **资源情况** | 野生资源较丰富。药材来源于野生。

| **采收加工** | 全年均可采收，鲜用或晒干。

| **功能主治** | 辛，温；有小毒。解毒散结。用于痈疮疔肿，风毒流注，瘰疬，痔疮。

| **用法用量** | 内服煎汤，6 ~ 15 g。外用适量，捣敷。

| **凭证标本号** | 441823201031034LY、440224181113033LY、445222181125012LY。

苣荬菜

Sonchus arvensis L.

| 药 材 名 | 苣荬菜（药用部位：全草。别名：野苦荬）。

| 形态特征 | 多年生草本。茎匍匐，茎花序分枝与花序梗密被腺毛。叶羽状分裂，侧裂片卵形、偏斜卵形、偏斜三角形、半圆形或耳状，基部呈耳状半抱茎，边缘具尖齿；上部叶小，背面稍呈灰白色。头状花序具总花梗，排列成聚伞状花序；总花梗密被绒毛或无毛；总苞钟形；总苞片 3 ~ 4 层，被腺毛或基部被白色绒毛；舌片黄色。瘦果有 3 ~ 4 纵肋，肋间有横皱纹；冠毛白色。花果期 5 ~ 9 月。

| 生境分布 | 生于海拔 300 ~ 1 900 m 的山坡草地、林间草地、潮湿处、村边或河边砾石滩。分布于广东饶平、紫金、惠东、信宜、丰顺、五华、

佛冈、英德、乐昌、南雄、仁化、乳源、翁源、罗定、郁南、封开及东莞、珠海（市区）、佛山（市区）、广州（市区）、肇庆（市区）、深圳（市区）、云浮（市区）、茂名（市区）、江门（市区）、河源（市区）等。

| 资源情况 | 野生资源较丰富。药材来源于野生。

| 采收加工 | 春、夏季花开前采收，除去杂质，晒干。

| 药材性状 | 本品根茎呈长圆柱形，下部渐细；表面淡黄棕色，有纵皱纹，上部有近环状凸起的叶痕。基生叶卷缩或破碎，完整者展平后呈长圆状披针形，边缘有稀疏的缺刻或羽状浅裂；茎生叶互生，基部耳状，抱茎；质脆。气微，味微咸。

| 功能主治 | 苦，寒。清湿热，消肿排脓，化瘀解毒。用于阑尾炎，肠炎，痢疾，疮疔痈肿，产后瘀血腹痛，痔疮。

| 用法用量 | 内服煎汤，9～15 g。外用适量，鲜品捣敷；或煎汤熏洗。

| 凭证标本号 | 445224190502019LY、440781190320024LY、441823210410007LY。

菊科 Asteraceae 苦苣菜属 Sonchus

续断菊

Sonchus asper (L.) Hill.

| 药 材 名 | 大叶苣荬菜（药用部位：全草或根。别名：白花大蓟）。

| 形态特征 | 一年生草本。茎单生或簇生，茎枝无毛或上部及花序梗被腺毛。基生叶与茎生叶同形，较小；中、下部茎生叶长椭圆形、倒卵形、匙状或匙状椭圆形；上部叶基部呈圆耳状抱茎；下部叶或全部茎生叶羽状浅裂、半裂或深裂；叶及裂片与抱茎圆耳边缘有尖齿刺，两面无毛。头状花序排成稠密的伞房花序；总苞宽钟状；总苞片3～4层；舌状小花黄色。瘦果倒披针状，褐色，两面各具3纵肋，肋间无横皱纹；冠毛白色。花果期5～10月。

| 生境分布 | 生于海拔1 550～1 900 m的山坡、林缘或水边。分布于广东阳山及

东莞、深圳（市区）等。

| 资源情况 | 野生资源较少。药材来源于野生。

| 采收加工 | 春、夏季采收，鲜用或切段晒干。

| 功能主治 | 苦，寒。清热解毒，止血。用于疮疡肿毒，小儿咳喘，肺痨咯血。

| 用法用量 | 内服煎汤，9 ~ 15 g，鲜品加倍。外用适量，鲜品捣敷。

| 凭证标本号 | 441523200105002LY、440783200312001LY、440224190315008LY。

菊科 Asteraceae 苦苣菜属 Sonchus

苦苣菜
Sonchus oleraceus L.

| 药 材 名 | 苦菜（药用部位：全草。别名：苦荬、游冬）。

| 形态特征 | 一年生或二年生草本。茎直立，中空，具棱，上部常具黑褐色腺毛。叶纸质，无毛，基生叶羽状深裂，基部渐窄成翼柄；中部叶基部常呈尖耳状抱茎，边缘具不整齐的锯齿。头状花序在茎端排成顶生伞房花序，总苞钟形，总苞片 3 ~ 4 层，舌状小花黄色。瘦果淡褐色，两侧各具 3 纵肋，肋间具横皱纹；冠毛白色。花果期 4 ~ 10 月。

| 生境分布 | 生于海拔 170 ~ 1 900 m 的山谷林缘、林下、田间、空旷处或近水处。分布于广东饶平、紫金、信宜、连州、乐昌、南雄、仁化、乳源、始兴、罗定、郁南及东莞、中山、湛江（市区）、肇庆（市区）、

广州（市区）、深圳（市区）、惠州（市区）、梅州（市区）、汕头（市区）、
云浮（市区）、潮州（市区）、珠海（市区）等。

| 资源情况 | 野生资源丰富。药材来源于野生。

| 采收加工 | 春、夏季花开前采收，除去杂质，洗净泥土，晒干。

| 药材性状 | 本品根圆锥形。茎圆柱形，断面中空。完整叶呈长圆形或椭圆状广披针形，羽
状分裂，顶裂片大，边缘有刺状尖齿，下部叶柄有翅，基部扩大抱茎；中上部
叶无柄，叶基耳状。花序头状，花序梗和苞片外表面有褐色槌状腺毛。

| 功能主治 | 苦，微寒。归胃、大肠、肝经。清热解毒，消肿排脓，祛瘀止痛。用于痢疾，肠炎，
疮疔痈肿，痔疮，产后瘀血，腹痛。

| 用法用量 | 内服煎汤，9 ~ 15 g。外用适量，鲜品捣敷；或煎汤熏洗。

| 凭证标本号 | 刘心祈 3772（IBSC0618769）。

菊科 Asteraceae 戴星草属 Sphaeranthus

戴星草
Sphaeranthus africanus L.

| 药 材 名 | 戴星草（药用部位：全草。别名：荔枝草、翅珠菊）。

| 形态特征 | 多年生草本，有芳香气味。茎下部叶倒卵形或椭圆形，先端圆钝，稀短尖，边缘有稀疏的细锯齿，基部渐狭，下延成宽翅，两面疏被柔毛或脱毛；中部叶倒披针形或狭倒披针形。复头状花序椭圆状或球状，单生于枝顶；头状花序极多数；总苞片 2 层；花冠细管状；管状花两性，花冠钟状，有腺点。瘦果圆柱形，有 4 棱，被短柔毛。花期 12 月至翌年 5 月。

| 生境分布 | 生于田间、荒地或山坡上。分布于广东惠阳、陆丰、海丰、徐闻、雷州、从化及东莞、汕头（市区）、阳江（市区）等。

| 资源情况 | 野生资源一般。药材来源于野生。

| 采收加工 | 全年均可采收，切段，晒干。

| 功能主治 | 苦，凉。健胃，止痛，利尿。用于消化不良，胃痛，小便不利。

| 用法用量 | 内服煎汤，10 ~ 15 g。

| 凭证标本号 | 441622190529011LY。

菊科 Asteraceae 甜叶菊属 Stevia

甜叶菊
Stevia rebaudiana (Bertoni) Hemsl.

| 药 材 名 |

甜叶菊（药用部位：叶）。

| 形态特征 |

多年生草本。茎下部木质，坚硬，上部分枝多。下部叶有短柄，上部叶近无柄；叶倒卵形、匙状披针形或披针形，基部渐窄，下延，上部边缘有锯齿，下部全缘，两面均被柔毛。头状花序排列成聚伞状；总苞片5，外被柔毛；两性花筒状，花冠白色，5裂。瘦果近纺锤形，有肋，被腺毛；冠毛刚毛状，淡黄色。花果期7～11月。

| 生境分布 |

栽培于温暖湿润的环境中。广东广州（市区）有栽培。

| 资源情况 |

栽培资源较少。药材来源于栽培。

| 采收加工 |

春、夏、秋季均可采收，除去茎枝，鲜用或晒干。

药材性状	本品多破碎或皱缩，草绿色，完整者展平后呈倒卵形至宽披针形，基部楔形。中上部边缘有粗锯齿，下部全缘；两面均有柔毛；具短叶柄，叶片常下延至叶柄基部。薄革质，质脆易碎。气微，味极甜。
功能主治	甘，平。生津止渴，降血压。用于消渴，高血压。
用法用量	内服煎汤，3 ~ 10 g；或开水泡，代茶饮。
凭证标本号	441825190709037LY。

菊科 Asteraceae 联毛紫菀属 Symphyotrichum

钻叶紫菀

Symphyotrichum subulatum (Michx.) G. L. Nesom

| 药 材 名 | 瑞连草（药用部位：全草。别名：土柴胡、剪刀菜、燕尾菜）。

| 形态特征 | 一年生草本。高 25 ~ 80 cm。茎基部略带红色，上部有分枝。叶
互生，无柄；基部叶倒披针形，花期凋落；中部叶线状披针形，长

6 ～ 10 cm，宽 0.5 ～ 1 cm，先端尖或钝，全缘；上部叶渐狭，呈线形。头状花序顶生，排成圆锥花序；总苞钟状，总苞片 3 ～ 4 层，外层较短，内层较长；舌状花细狭，形小，红色；管状花多数。瘦果略有毛。花果期 9 ～ 11 月。

| **生境分布** | 生于潮湿、含盐的土壤中。分布于广东西部、南部等。

| **资源情况** | 野生资源丰富。药材来源于野生。

| **采收加工** | 秋季采收，切段，鲜用或晒干。

| **功能主治** | 酸、苦，凉。清热解毒，祛风湿。

| **用法用量** | 内服煎汤，10 ～ 30 g。外用适量，捣敷。

菊科 Asteraceae 金腰箭属 Synedrella

金腰箭

Synedrella nodiflora (L.) Gaertn.

| 药 材 名 |

金腰箭（药用部位：全草。别名：水慈姑）。

| 形态特征 |

一年生草本。茎二叉分枝，被贴生粗毛或后脱毛。茎下部和上部叶宽卵形，基部下延成翅状宽柄，两面被毛，离基三出脉。头状花序簇生于叶腋，稀单生；总苞筒形；总苞片数层；舌状花舌片黄色，椭圆形；管状花花冠黄色，裂片卵形或三角形，渐尖。舌状花瘦果深黑色，倒卵状，扁平，边缘有增厚的宽翅，冠毛 2；管状花瘦果黑色，倒锥形，有纵棱，腹面压扁。花期 6 ～ 10 月。

| 生境分布 |

生于旷野、耕地、路旁及宅旁。分布于广东乐昌、仁化、新丰、南澳、阳春、徐闻、连平、紫金、惠东、博罗、普宁、五华、佛冈、英德、郁南及东莞、中山、湛江（市区）、深圳（市区）、惠州（市区）、江门（市区）、茂名（市区）、梅州（市区）、揭阳（市区）、广州（市区）、潮州（市区）、肇庆（市区）、佛山（市区）、汕头（市区）、珠海（市区）等。

| 资源情况 | 野生资源丰富。药材来源于野生。 |

| 采收加工 | 春、夏季采收，鲜用或切段晒干。 |

| 功能主治 | 微辛、微苦，凉。清热透疹，解毒消肿。用于感冒发热，斑疹，疮痈肿毒。 |

| 用法用量 | 内服煎汤，15 ～ 30 g。外用适量，捣敷；或煎汤洗。 |

| 凭证标本号 | 深圳（市区）队 01234（PE01377916）。 |

菊科 Asteraceae 兔儿伞属 Syneilesis

兔儿伞 *Syneilesis aconitifolia* (Bge.) Maxim.

| 药 材 名 | 兔儿伞（药用部位：全草或根。别名：一把伞）。

| 形态特征 | 多年生草本。根茎短，横走。茎无毛，具纵棱。基生叶 1，花期萎谢；茎生叶 2，互生，圆形，呈盾状着生，第 1 回掌状深裂至全裂，再羽状深裂，两面无毛；苞片叶小。头状花序在茎端密集成复伞房状，含同型两性花；总苞筒状；总苞片 1 层；管状花花冠淡红色。瘦果圆柱形，有纵条纹；冠毛白色至淡红褐色。花果期 6 ～ 10 月。

| 生境分布 | 生于山坡荒地、林缘或路旁。分布于广东乐昌、始兴、阳山、连山、连州等。

| 资源情况 | 野生资源较少。药材来源于野生。

| 采收加工 | 春、夏季采收，鲜用或切段晒干。

| 药材性状 | 本品根茎扁圆柱形，多弯曲；表面棕褐色，粗糙，具不规则的环节和纵皱纹。根类圆柱状，弯曲；表面灰棕色或淡棕黄色，密被灰白色根毛，具细纵皱纹；质脆，易折断，折断面略平坦，皮部白色，木部棕黄色。气微特异，味辛、凉。

| 功能主治 | 辛、苦，微温；有毒。祛风除湿，舒筋活血，解毒消肿。用于风湿麻木，肢体疼痛，跌打损伤，月经不调，痛经，痈疽肿毒，瘰疬，痔疮。

| 用法用量 | 内服煎汤，10 ~ 15 g；或浸酒。外用适量，鲜品捣敷；或煎汤洗；或取汁涂。

| 凭证标本号 | 440783190718020LY。

菊科 Asteraceae 万寿菊属 Tagetes

万寿菊
Tagetes erecta L.

| **药 材 名** | 万寿菊（药用部位：花序、叶。别名：蜂窝菊、臭芙蓉）。

| **形态特征** | 一年生直立草本。茎具纵细棱，分枝多。叶对生，羽状分裂，裂片长椭圆形或披针形，边缘具锐锯齿，上部叶齿端有长细芒，沿叶缘有少数腺体。头状花序单生；总花梗先端呈棒状膨大；总苞杯状，先端具齿尖；舌状花黄色或暗橙色，舌片倒卵形，先端微凹缺，基部缩成长柄；管状花花冠黄色。瘦果线形，黑色或褐色，被短微毛；冠毛有 1 ~ 2 长芒和 2 ~ 3 短而钝的鳞片。花期 7 ~ 9 月。

| **生境分布** | 栽培于向阳、温暖湿润处。广东从化、博罗、信宜、乐昌、仁化及深圳（市区）、肇庆（市区）等有栽培。

| 资源情况 | 栽培资源较丰富。药材来源于栽培。

| 采收加工 | 夏、秋季采收，鲜用或晒干。

| 功能主治 | 花序，苦、微辛，凉。清热解毒，化痰止咳。用于上呼吸道感染，百日咳，支气管炎，角膜炎，咽炎，口腔炎，牙痛；外用于腮腺炎，乳腺炎，痈疮肿毒。叶，甘，寒。用于痈疖疔疮，无名肿毒。

| 用法用量 | 花序，内服煎汤，3 ~ 9 g。外用适量，煎汤熏洗；或研末调敷；或鲜品捣敷。叶，内服煎汤，4.5 ~ 10 g。外用适量，捣敷；或煎汤洗。

| 凭证标本号 | 曾怀德 21306（IBSC0595947），陈少卿 6377（IBSC0595948），丁广奇、石国良 10394（IBSC0595949）。

蒲公英 *Taraxacum mongolicum* Hand.-Mazz.

药材名

蒲公英（药用部位：全草。别名：黄花地丁、白鼓丁）。

形态特征

多年生草本。主根圆柱形。叶基生，倒披针形或倒卵状披针形，羽状深裂或浅裂，顶生裂片较大，基部渐狭成短柄，叶柄及主脉常带红紫色，疏被蛛丝状柔毛或近无毛。头状花序着生于花葶先端；总苞钟形，淡绿色；总苞片 2 ~ 3 层，外层先端背面增厚或具角状突起；舌状花多数，黄色，背面有紫色条纹。瘦果倒卵状长圆形，有纵肋及小瘤，喙细长；冠毛白色。花期 4 ~ 9 月，果期 5 ~ 10 月。

生境分布

生于中低海拔地区的山坡草地、路边、田野、河滩。分布于广东乐昌、乳源、仁化、连州、连山、连南及茂名（市区）等。

资源情况

野生资源丰富。药材来源于野生。

| 采收加工 | 4 ～ 5 月花开前或花刚开时采收，除净泥土，晒干。

| 药材性状 | 本品为皱缩卷曲的团块。根呈圆锥状，表面棕褐色。叶基生，多皱缩破碎，完整者呈倒披针形，边缘浅裂或羽状分裂。花茎 1 至数条；总苞片多层；花冠黄褐色或淡黄白色。有的可见多数具白色冠毛的长椭圆形瘦果。

| 功能主治 | 甘、苦，寒。清热解毒，消痈散结，利尿通淋。用于疔疮肿毒，乳痈，瘰疬，目赤，咽痛，肺痈，肠痈，湿热黄疸，热淋涩痛。

| 用法用量 | 内服煎汤，10 ～ 15 g。

| 凭证标本号 | 郭素白 80034（IBSC0596062）、粤 71782（IBSC0596061）。

菊科 Asteraceae 肿柄菊属 Tithonia

肿柄菊

Tithonia diversifolia (Hemsl.) A. Gray

| 药 材 名 | 肿柄菊（药用部位：叶）。

| 形态特征 | 一年生直立草本。茎具粗壮的分枝，密被短柔毛或下部毛脱落。叶卵形、卵状三角形或近圆形，具长叶柄，3 ~ 5 深裂，上部叶有时不分裂，裂片卵形或披针形，边缘有细锯齿，背面被短柔毛。头状花序顶生于假轴分枝的长花序梗上；总苞片 4 层；舌状花 1 层，黄色，长卵形；管状花黄色。瘦果长椭圆形，扁平，被短柔毛；冠毛膜状，多数或脱落。花果期 9 ~ 11 月。

| 生境分布 | 生于路旁。分布于广东阳春、阳西、徐闻、饶平、博罗、大埔、佛冈、乐昌及东莞、中山、潮州（市区）、茂名（市区）、湛江（市区）、

珠海（市区）、广州（市区）、深圳（市区）、揭阳（市区）、汕头（市区）、
肇庆（市区）、阳江（市区）等。

| **资源情况** | 野生资源较丰富。药材来源于野生。

| **采收加工** | 春、夏季采收，鲜用或晒干。

| **功能主治** | 苦，凉。清热解毒。用于急性胃肠炎，疮疡肿毒。

| **用法用量** | 内服煎汤，6～9 g。外用适量，捣敷。

| **凭证标本号** | 441621180827011LY。

菊科 Asteraceae 羽芒菊属 Tridax

羽芒菊
Tridax procumbens L.

| **药 材 名** | 羽芒菊（药用部位：全草或叶）。

| **形态特征** | 多年生铺地草本。茎纤细，被倒向糙毛或毛脱落。中部叶披针形或卵状披针形，边缘有不规则锯齿；上部叶小，卵状披针形至狭披针形，边缘有粗锯齿，近基部有浅裂片，具短柄。头状花序少数，单生于茎枝先端；总苞钟形；总苞片 2 ~ 3 层；雌花 1 层，舌状，舌片长圆形；两性花多数，花冠管状，被柔毛。瘦果黑色，倒圆锥状或圆柱状，被疏毛；冠毛羽毛状。花期 11 月至翌年 3 月。

| **生境分布** | 生于低海拔地区的旷野、荒地、坡地以及路旁向阳处。分布于广东徐闻、吴川、雷州、南澳、海丰、陆丰、台山、惠东、普宁、蕉岭

及中山、东莞、深圳（市区）、广州（市区）、肇庆（市区）、汕头（市区）、汕尾（市区）、湛江（市区）、潮州（市区）、揭阳（市区）、珠海（市区）等。

| 资源情况 | 野生资源丰富。药材来源于野生。

| 功能主治 | 全草，用于皮肤病，足跟裂，真菌感染，过敏，割伤，烫伤，疼痛。叶，杀虫，抑制凝血酶诱导的血小板聚集。用于支气管炎。

| 凭证标本号 | 441284200818580LY、441225181122014LY。

菊科 Asteraceae 斑鸠菊属 Vernonia

扁桃斑鸠菊

Vernonia amygdalina Delile

| 药 材 名 |

南非叶（药用部位：全株或叶）。

| 形态特征 |

多年生乔木或小灌木。树皮粗糙。叶绿色，椭圆形，互生，常具柄，全缘。头状花序密集排列成伞房状或总状，具同型的两性花；总苞钟状，长圆状圆柱形；总苞片多层，呈覆瓦状，先端钝，常具腺体；花粉红色或白色，花冠管状，常具腺体，管部细，钟状及漏斗状，上端具 5 裂片。瘦果圆柱状或陀螺状，具棱或肋，被短毛，常具腺体；冠毛糙毛状，脱落或宿存。

| 生境分布 |

栽培种。广东各地均有栽培。

| 资源情况 |

栽培资源较少。药材来源于栽培。

| 采收加工 |

全年均可采收。

| 功能主治 |

苦、涩，凉。清热解毒，平肝降火，凉血止血。

用于风热感冒，肝火上炎，头痛目赤，肺热咳嗽，消渴，痢疾，湿疹疮疡等。

| **用法用量** | 内服煎汤，9 ~ 15 g，鲜品 15 ~ 30 g；或洗净嚼服；或水冲服；或绞汁蜜调服。外用适量，捣汁含漱。

| **凭证标本号** | 440781190828011LY。

菊科 Asteraceae 斑鸠菊属 Vernonia

糙叶斑鸠菊

Vernonia aspera (Roxb.) Buch.-Ham. [*Acilepis aspera* (Buch.-Ham.) H. Rob.]

| 药 材 名 | 黑升麻（药用部位：根）。

| 形态特征 | 多年生草本。茎坚硬，被淡黄褐色短糙毛或下部近无毛。叶厚纸质，倒披针形或倒卵状披针形，上面被乳突状短糙毛，背面密被短糙毛，两面具腺点。头状花序常密集成顶生圆锥状伞房花序；总苞钟状；总苞片 5～6 层，先端紫红色，具红褐色硬小尖，背面疏被柔毛或多少脱毛；花淡红紫色。瘦果长圆状圆柱形，具肋，被柔毛；冠毛外层少数，极短。花期 10 月至翌年 3 月。

| 生境分布 | 生于开旷的山坡草地或路旁。分布于广东罗定、郁南、阳春及肇庆（市区）等。

| 资源情况 | 野生资源较少。药材来源于野生。

| 采收加工 | 秋季采挖。

| 功能主治 | 辛、甘，温。发表散寒。用于风寒感冒。

| 用法用量 | 内服煎汤，10 ~ 15 g。

| 凭证标本号 | 张桂才、刘念 3095（IBSC0596445）。

菊科 Asteraceae 斑鸠菊属 Vernonia

夜香牛

Vernonia cinerea (L.) Less.[*Cyanthillium cinereum* (L.) H. Rob.]

| 药 材 名 |

夜香牛（药用部位：全草。别名：伤寒草、消山虎）。

| 形态特征 |

多年生草本。茎被灰褐色贴生的短柔毛，具腺体。下部和中部叶菱状长圆形或长卵形，基部渐狭成短柄，柄两侧具疏齿；上面疏被毛，下面沿脉被灰白色或淡黄色柔毛，两面均有腺点。头状花序具 19 ～ 23 花，多数在枝端排成伞房状圆锥花序；总苞钟状；总苞片 4 层；花淡红紫色。瘦果圆柱形，无肋，稀具不明显的肋，密被短毛和腺体；冠毛白色，2 层。花期全年。

| 生境分布 |

生于山坡旷野、荒地、田边、路旁。分布于广东仁化、乳源、南雄、乐昌、始兴、翁源、新丰、海丰、陆丰、陆河、徐闻、德庆、封开、丰顺、五华、蕉岭、大埔、平远、兴宁、和平、连平、龙川、紫金、阳春、阳山、佛冈、连南、连州、英德、新兴、罗定、郁南、饶平、博罗、惠东、恩平、台山、惠来、揭西、高州、化州、信宜及东莞、中山、广州（市区）、深圳（市区）、揭阳（市区）、阳江

（市区）、汕头（市区）、湛江（市区）、清远（市区）、潮州（市区）、江门（市区）、茂名（市区）、惠州（市区）、肇庆（市区）、梅州（市区）、河源（市区）、韶关（市区）等。

| **资源情况** | 野生资源丰富。药材来源于野生。

| **采收加工** | 夏、秋季采收，洗净，鲜用或晒干。

| **药材性状** | 本品长 20 ~ 80 cm。根浅黄色。茎呈圆柱形，表面有纵皱纹。叶互生，多皱缩脱落，完整者展开后呈披针形、卵形或倒卵形，边缘有浅齿或呈微波状。头状花序顶生，总苞绿褐色或黄棕色。瘦果圆柱形，先端被白色冠毛。气微，味淡。

| **功能主治** | 苦、辛，凉。疏风清热，除湿，解毒。用于感冒发热，肺热咳嗽，湿热泄泻，热毒泻痢，湿热黄疸，带下黄臭，疮痈肿毒，蛇虫咬伤。

| **用法用量** | 内服煎汤，10 ~ 15 g。

| **凭证标本号** | 曾飞燕等 29（PE 01835073）。

菊科 Asteraceae | 斑鸠菊属 Vernonia

毒根斑鸠菊
Vernonia cumingiana Benth.

| **药 材 名** | 发痧藤（药用部位：根、藤茎。别名：藤牛七、蔓斑鸠菊）。

| **形态特征** | 攀缘灌木或藤本。枝圆柱形，被锈色或灰褐色密绒毛。叶卵状长圆形、长圆状椭圆形或长圆状披针形，下面被锈色柔毛，两面均有树脂状腺。头状花序有 18 ~ 21 花，在枝端或上部叶腋排成疏圆锥花序；总苞卵状球形或钟状；总苞片 5 层，卵形或长圆形，背面被锈色或黄褐色绒毛；花淡红色或淡红紫色。瘦果近圆柱形，具肋，被短柔毛；冠毛红色或红褐色。花期 10 月至翌年 4 月。

| **生境分布** | 生于海拔 300 ~ 1 500 m 的河边、溪边、山谷背阴处灌丛或疏林中。分布于广东翁源、仁化、乳源、新丰、徐闻、怀集、封开、和平、紫金、

英德、佛冈、阳山、惠东、博罗、信宜、丰顺、五华、阳春、新兴、郁南及东莞、广州（市区）、肇庆（市区）、深圳（市区）、惠州（市区）、云浮（市区）、江门（市区）等。

| **资源情况** | 野生资源较丰富。药材来源于野生。

| **采收加工** | 全年均可采收，洗净，切片，鲜用或晒干。

| **功能主治** | 苦、辛，微温；有小毒。祛风解表，舒筋活络。用于感冒，疟疾，喉痛，牙痛，风火赤眼，风湿痹痛，腰肌劳损，跌打损伤。

| **用法用量** | 内服煎汤，9 ～ 15 g。外用适量，鲜品捣敷；或煎汤洗；或煎汤含漱。

| **凭证标本号** | 谭策铭 99192（PE 01564837）。

| **附　　注** | 孕妇禁服。误食本品能引起中毒。

菊科 Asteraceae 斑鸠菊属 Vernonia

咸虾花

Vernonia patula (Dryand.) Merr. [*Cyanthillium patulum* (Aiton) H. Rob.]

药材名

咸虾花（药用部位：全草。别名：鲫鱼草、狗仔花）。

形态特征

一年生粗壮草本。茎直立，多分枝。茎生叶疏生，卵形或卵状椭圆形，稀近圆形，先端钝或稍尖，边缘有小尖的圆齿状浅齿，上面疏被短毛或近无毛，下面被灰色绢状柔毛。头状花序通常 2 ~ 3 生于枝先端，或排列成宽圆锥状或伞房状；总苞扁球状，具75 ~ 100 花；总苞片 4 ~ 5 层，先端具短刺尖；花淡红紫色。瘦果具 4 ~ 5 棱，具腺点；冠毛 1 层，糙毛状，易脱落。花期 7 月至翌年 5 月。

生境分布

生于荒坡旷野、田边、路旁。分布于广东从化、翁源、乐昌、南雄、仁化、始兴、新丰、怀集、德庆、阳春、阳山、佛冈、英德、新兴、罗定、郁南、紫金、博罗、惠东、台山、信宜及中山、梅州（市区）、深圳（市区）、肇庆（市区）、阳江（市区）、河源（市区）、茂名（市区）、汕头（市区）、江门（市区）、湛江（市区）等。

| **资源情况** | 野生资源较丰富。药材来源于野生。

| **采收加工** | 全年均可采收，洗净，鲜用或晒干。

| **药材性状** | 本品主茎直径 4 ~ 8 mm，茎枝均呈灰棕色或黄绿色，有明显的纵条纹及灰色短柔毛；质坚而脆，断面中心有髓。叶互生，多破碎，灰绿色至黄棕色，被灰色短柔毛。小枝通常带果序。瘦果圆柱形，有 4 ~ 5 棱，无毛，有腺点；冠毛白色，易脱落。气微，味微苦。

| **功能主治** | 苦、辛，平。疏风清热，利湿解毒，散瘀消肿。用于感冒发热，疟疾，头痛，高血压，泄泻，痢疾，风湿痹痛，湿疹，荨麻疹，疮疖，乳腺炎，颈淋巴结结核，跌打损伤。

| **用法用量** | 内服煎汤，15 ~ 30 g，鲜品 30 ~ 60 g。外用适量，煎汤洗；或捣敷。

| **凭证标本号** | 441523200109008LY、440783200103022LY、441823191203012LY。

菊科 Asteraceae 斑鸠菊属 Vernonia

茄叶斑鸠菊
Vernonia solanifolia Benth. [*Strobocalyx solanifolia* Sch.-Bip.]

| 药 材 名 |

斑鸠木（药用部位：根、茎、叶。别名：白花毛桃）。

| 形态特征 |

直立灌木或小乔木。高 8 ～ 12 m。枝密被黄褐色或淡黄色绒毛。叶纸质，具柄，卵形或卵状长圆形，基部圆形或近心形，全缘，或边缘呈波状或具疏钝齿，上面被短硬毛，下面被绒毛。头状花序小，在枝顶排成具叶的复伞房花序；总苞半球形，直径 4 ～ 5 mm；总苞片 4 ～ 5 层，卵形，先端极钝，背面密被绒毛；花约 10。瘦果具 4 ～ 5 棱，无毛；冠毛外层极短，内层糙毛状。花期 11 月至翌年 4 月。

| 生境分布 |

生于海拔 500 ～ 1 000 m 的山谷疏林中。分布于广东信宜、怀集、封开、博罗、惠东、大埔、丰顺、五华、英德、佛冈、新兴、紫金、乐昌、仁化、始兴、翁源及东莞、中山、广州（市区）、深圳（市区）、云浮（市区）、肇庆（市区）、江门（市区）等。

| **资源情况** | 野生资源较丰富。药材来源于野生。 |

| **采收加工** | 春、夏、秋季均可采收，鲜用或晒干。 |

| **功能主治** | 甘、苦，凉。润肺止咳，祛风止痒。用于咽喉肿痛，肺结核咳嗽，咯血，支气管炎，胃肠炎，风湿痹痛，外伤出血，皮肤瘙痒。 |

| **用法用量** | 内服煎汤，根 30 ~ 60 g；或浸酒。外用适量，茎、叶捣敷；或煎汤洗。 |

| **凭证标本号** | 440781190319002LY、441823200902020LY、441284190812257LY。 |

菊科 Asteraceae 蟛蜞菊属 Wedelia

孪花蟛蜞菊 *Wedelia biflora* (L.) DC. [*Wollastonia biflora* (L.) DC.]

| 药 材 名 |　黄泥菜（药用部位：全草）。

| 形态特征 |　攀缘草本。茎无毛或疏被糙毛。叶卵形或卵状披针形，边缘有锯齿。头状花序少数，生于叶腋和枝顶，有时孪生；总苞半球形或近卵状，2 层，背面被贴生糙毛；托片先端钝或短尖，全缘，被糙毛；舌状花 1 层，黄色，舌片倒卵状长圆形，先端 2 裂；管状花黄色，檐部 5 裂。瘦果倒卵圆形，具 3 ~ 4 棱，先端平截，密被毛，无冠毛。花期几全年。

| 生境分布 |　生于海拔 1 900 m 以下的草地、林下、灌丛中或海岸干燥沙地上。分布于广东徐闻、雷州、从化及东莞、湛江（市区）、深圳（市区）等。

| **资源情况** | 野生资源一般，栽培资源较少。药材来源于野生和栽培。

| **采收加工** | 春、夏季采收，鲜用或切段晒干。

| **功能主治** | 辛，凉。散瘀消肿。用于风湿骨痛，跌打损伤，疮疡肿毒。

| **用法用量** | 内服煎汤，3～9g。外用适量，捣敷。

| **凭证标本号** | 441825190801058LY、441823190721007LY、440882180429074LY。

菊科 Asteraceae 蟛蜞菊属 Wedelia

蟛蜞菊
Wedelia chinensis (Osbeck.) Merr. [*Sphagneticola calendulacea* (L.) Pruski]

| 药 材 名 | 蟛蜞菊（药用部位：全草。别名：黄花墨菜、路边菊、蟛蜞花）。

| 形态特征 | 多年生草本。茎匍匐，上部近直立，基部各节生出不定根。叶无柄，椭圆形、长圆形或线形，基部狭，先端短尖或钝，全缘或有 1 ～ 3 对疏粗齿。头状花序少数，单生于枝顶或叶腋；总苞钟形；总苞片 2 层，长于托片；舌状花 1 层，黄色，舌片卵状长圆形；管状花较多，黄色，花冠近钟形。瘦果先端稍收缩，舌状花的瘦果具 3 边，无冠毛，具冠毛环。花期 3 ～ 9 月。

| 生境分布 | 生于路旁、田边、沟边或湿润的草地上。分布于广东佛冈、英德、翁源、新丰、乐昌、南雄、仁化、乳源、始兴、平远、大埔、丰顺、蕉岭、

五华、饶平、博罗、惠东、台山、封开、信宜、高州、阳春、从化、东源、紫金、雷州、廉江及东莞、中山、清远（市区）、梅州（市区）、惠州（市区）、深圳（市区）、江门（市区）、肇庆（市区）、茂名（市区）、阳江（市区）等。

| 资源情况 | 野生资源较丰富。药材来源于野生。

| 采收加工 | 春、夏季采收全草，秋季采挖根，鲜用或切段晒干。

| 药材性状 | 本品茎呈圆柱形，弯曲，表面灰绿色或淡紫色，有纵皱纹；嫩茎被短毛。叶对生，多皱缩，展平后呈椭圆形或长圆状披针形。头状花序通常单生于茎顶或叶腋；花序梗及苞片均被短毛，苞片2层；舌状花和管状花均为黄色。气微，味微涩。

| 功能主治 | 甘，平。清热解毒，泻火养阴。用于急性咽炎，扁桃体炎。

| 用法用量 | 内服煎汤，15～45 g。

| 凭证标本号 | 441523190516026LY、441324181228020LY、440783191207005LY。

| 附　注 | 孕妇慎服。

菊科 Asteraceae 蟛蜞菊属 Wedelia

卤地菊

Wedelia prostrata (Hook. et Arn.) Hemsl. [*Wollastonia dentata* (H. Lévl. & Vaniot) Orchard]

| **药 材 名** | 卤地菊（药用部位：全草。别名：龙舌三尖刀、黄花龙舌草）。

| **形态特征** | 一年生草本。茎匍匐，基部茎节生不定根。叶有不明显的柄或无柄，披针形或长圆状披针形，边缘有 1 ~ 3 对不规则的粗齿或细齿，稀全缘。头状花序少数，单生于茎顶或上部叶腋；总苞近球形；总苞片 2 层，短于托片，稀与托片等长；舌状花舌片长圆形；管状花黄色，向上渐扩大成钟状。瘦果倒卵状三棱形，先端平截，无冠毛及冠毛环。花期 6 ~ 10 月。

| **生境分布** | 生于海岸干燥沙地。分布于广东博罗、惠东、台山、雷州、遂溪、徐闻及东莞、深圳（市区）、珠海（市区）、汕头（市区）、惠州（市

区）、湛江（市区）、茂名（市区）、阳江（市区）等。

| **资源情况** | 野生资源较丰富。药材来源于野生。

| **采收加工** | 春、夏季采收，鲜用或切段晒干。

| **药材性状** | 本品长 30 ~ 50 cm。根细小，土黄色。茎圆柱形，棕黑色，节间有分枝，节上有须根。叶对生，皱缩卷曲，湿润展平后呈长椭圆形至卵形，间有披针形，先端钝或渐尖，基部楔形，边缘有缺齿。头状花序黄色。气微，味淡。

| **功能主治** | 酸、甘，微寒。清热解毒，止咳平喘，凉血止血。用于咽喉肿痛，白喉，百日咳，肺热咳喘，血热吐衄；外用于痈肿疔疮，毒蛇咬伤。

| **用法用量** | 内服煎汤，10 ~ 15 g。外用适量，鲜品捣敷。

| **凭证标本号** | 440783190718001LY、440882180429203LY、440785180708003LY。

菊科 Asteraceae 蟛蜞菊属 Wedelia

麻叶蟛蜞菊 *Wedelia urticifolia* DC.

| 药 材 名 | 滴血根（药用部位：根。别名：小血藤）。

| 形态特征 | 草本，有时呈攀缘状。茎被糙毛或下部脱毛。叶卵形或卵状披针形，边缘有不规则锯齿或重齿，具长叶柄。头状花序少数，直径 2 ~ 2.5 cm，花序每 2 腋生或单生于枝顶；花序梗被扩展的长糙毛；总苞宽钟形或半球形；总苞片 2 层；托片先端芒尖或芒状刺尖；舌状花 1 层，黄色，舌片卵状长圆形；管状花多数，裂片三角状渐尖。瘦果倒卵圆形；冠毛短刺芒状，基部有冠毛环。花果期 7 ~ 11 月。

| 生境分布 | 生于溪畔、谷地、坡地或空旷草丛中。分布于广东乳源、乐昌、仁化、始兴、翁源、阳山、连州、英德、高州、和平、紫金、惠东、龙门、

博罗、大埔、蕉岭、五华、阳春、雷州、遂溪、吴川、廉江、封开、怀集及东莞、
阳江（市区）、广州（市区）、汕头（市区）、肇庆（市区）、湛江（市区）、
珠海（市区）等。

| 资源情况 | 野生资源较丰富。药材来源于野生。

| 采收加工 | 秋后采挖，鲜用或切片晒干。

| 功能主治 | 甘，温。补肾，养血，通络。用于肾虚腰痛，气血虚弱，跌打损伤。

| 用法用量 | 内服煎汤，6 ~ 9 g；或浸酒。外用适量，鲜品捣敷。

| 凭证标本号 | 440523191003012LY。

| 附　　注 | 孕妇慎用。

菊科 Asteraceae 蟛蜞菊属 Wedelia

山蟛蜞菊
Wedelia wallichii Less.

| 药 材 名 | 血参（药用部位：全草）。

| 形态特征 | 多年生草本。叶卵形或卵状披针形，边缘有锯齿或重齿，两面被糙毛。头状花序每2腋生或单生于枝顶；花序梗被糙毛；总苞片2层，宽钟形或半球形，被毛；托片先端芒尖或刺尖，上部边缘常有少数裂齿；舌状花1层，黄色，卵状长圆形；管状花多数，黄色，裂片三角状渐尖。瘦果倒卵圆形，具白色疣突，先端圆；冠毛2~3，短刺芒状，有冠毛环。花果期4~10月。

| 生境分布 | 生于海拔500~1900 m的溪畔、谷地、坡地或空旷草丛中。分布于广东乳源、乐昌、仁化、始兴、翁源、阳山、连州、英德、高州、

和平、紫金、惠东、龙门、博罗、大埔、蕉岭、五华、阳春、雷州、遂溪、吴川、廉江、封开、怀集及东莞、珠海（市区）、湛江（市区）、广州（市区）、肇庆（市区）、汕头（市区）、阳江（市区）等。

| **资源情况** | 野生资源较丰富。药材来源于野生。

| **采收加工** | 春、夏季采收，鲜用或切段晒干。

| **功能主治** | 甘，温。补血，活血，止痛。用于贫血，产后大出血，子宫肌瘤，闭经，神经衰弱，风湿痹痛，跌打损伤。

| **用法用量** | 内服煎汤，6 ~ 15 g。外用适量，捣敷。

| **凭证标本号** | 441882180813002LY。

菊科 Asteraceae 苍耳属 *Xanthium*

苍耳

Xanthium sibiricum Patrin. ex Widder [*Xanthium strumarium* L.]

| 药 材 名 | 苍耳草（药用部位：地上部分。别名：地葵、痴头婆、常思菜）、苍耳子（药用部位：带总苞的成熟果实）。

| 形态特征 | 一年生草本。茎直立，被灰白色糙毛。叶三角状卵形或心形，近全缘，基部心形或平截；基脉三出，密被毛。花序头状；雄花序球形，总苞长圆状披针形，雄花多数，花冠钟形；雌花序椭圆形，总苞内层囊状，绿色、淡黄绿色或带红褐色，具瘦果的成熟总苞卵形或椭圆形，喙锥形，有腺点。瘦果 2，倒卵形。花期 7 ~ 8 月，果期 9 ~ 10 月。

| 生境分布 | 生于海拔 1 900 m 以下的平原、丘陵、低山、荒野路边、田边。分布于广东东源、和平、龙川、连平、紫金、博罗、惠东、龙门、信宜、

大埔、蕉岭、五华、佛冈、连山、连南、阳山、英德、海丰、陆丰、乐昌、南雄、仁化、乳源、始兴、翁源、新丰、阳春、新兴、郁南、徐闻、封开、怀集及中山、东莞、潮州（市区）、肇庆（市区）、揭阳（市区）、茂名（市区）、清远（市区）、惠州（市区）、深圳（市区）、云浮（市区）、汕头（市区）、阳江（市区）、广州（市区）、河源（市区）等。

| 资源情况 | 野生资源较丰富。药材来源于野生。

| 采收加工 | **苍耳草：** 夏、秋季采收，除去泥沙，晒干。
苍耳子： 秋季果实成熟时采收，干燥，除去梗、叶等杂质。

| 药材性状 | **苍耳草：** 本品茎圆柱形，中空，青黄色，散有褐斑，近根部紫色。叶互生，具长柄，粗糙，展平后卵状三角形。果实呈纺锤形或卵圆形，表面黄棕色或黄绿色，全体有钩刺，先端有 2 粗刺，分离或相连。气微，味微苦。
苍耳子： 本品呈纺锤形或卵圆形。表面黄棕色或黄绿色，全体有钩刺，先端有 2 较粗的刺，分离或相连，基部有果柄痕。质硬而韧，横切面中央有纵隔膜，2 室，各有 1 瘦果。种皮膜质，浅灰色，子叶 2，有油性。气微，味微苦。

| 功能主治 | **苍耳草：** 苦、辛，微寒；有小毒。祛风散热，除湿解毒。用于感冒头痛，头风头晕，鼻渊，目赤翳障，风湿痹痛，拘挛麻木，疔疮，风癞，疥癣，皮肤瘙痒，痔疮，痢疾。
苍耳子： 辛、苦，温；有毒。散风寒，通鼻窍，祛风湿。用于风寒头痛，鼻塞流涕，鼻衄，鼻渊，风疹瘙痒，湿痹拘挛。

| 用法用量 | **苍耳草：** 内服煎汤，6 ~ 12 g。外用适量，煎汤洗。
苍耳子： 内服煎汤，3 ~ 10 g。

| 凭证标本号 | 440781190515047LY、441283170604017LY、440403200711011LY。

菊科 Asteraceae 黄鹌菜属 Youngia

黄鹌菜

Youngia japonica (L.) DC.

药材名

黄鹌菜（药用部位：全草或根。别名：黄瓜菜、山飞龙、黄花枝香草）。

形态特征

一年生草本。根直伸，生须根。茎直立，少簇生，下部被毛。叶基生，大头羽状深裂或全裂，侧裂片边缘有锯齿或尖头，最下方侧裂片耳状。头状花序含 10 ~ 20 舌状小花，在茎枝先端排成伞房花序；总苞圆柱状；总苞片 4 层，外层极短，内层长；舌状花黄色，花冠管外被柔毛。瘦果纺锤形，红色或褐色，向无喙先端收缢；纵肋 11 ~ 13，有刺毛；冠毛糙。花果期 4 ~ 10 月。

生境分布

生于海拔 1 900 m 以下的山坡、山谷及山沟林缘、林下、林间草地及潮湿地、河边沼泽地、田间与荒地上。分布于广东饶平、龙川、紫金、博罗、惠东、龙门、台山、惠来、揭西、普宁、高州、信宜、大埔、丰顺、蕉岭、平远、五华、佛冈、连山、连州、阳春、阳山、英德、乐昌、新兴、郁南、南雄、仁化、乳源、始兴、翁源、新丰、封开及东莞、中山、深圳（市区）、云浮（市区）、江门（市区）、茂名（市区）、梅州（市区）、清远（市区）、韶关（市区）、佛山（市区）、广州（市区）、潮州（市区）、肇庆（市区）等。

| 资源情况 |　野生资源丰富。药材来源于野生。

| 采收加工 |　春季采收全草，秋季采挖根，鲜用或切段晒干。

| 功能主治 |　甘、微苦，凉。清热解毒，利尿消肿。用于感冒，咽痛，乳痈，结膜炎，疮疖肿毒，毒蛇咬伤，痢疾，肝硬化腹水，急性肾小球肾炎，淋浊，尿血，风湿性关节炎，跌打损伤。

| 用法用量 |　内服煎汤，9 ~ 15 g，鲜品 30 ~ 60 g；或捣汁。外用适量，鲜品捣敷；或捣汁含漱。

| 凭证标本号 |　441825190807035LY、440281200709027LY、441823200903037LY。

菊科 Asteraceae 百日菊属 Zinnia

百日菊 *Zinnia elegans* Jacq.

药材名

百日草（药用部位：全草。别名：十姊妹）。

形态特征

一年生草本。茎直立，被糙毛。叶宽卵圆形或长椭圆形，基部心形，抱茎，两面糙，基出脉3。头状花序单生于枝端；总苞片多层，边缘黑色；托片上端延伸，附片紫红色，流苏状三角形；舌状花深红色、紫堇色或白色，被毛；管状花黄色或橙色。瘦果被毛；雌花果实扁平，腹正中和两侧缘各1棱，基部狭窄；管状花果实极扁，先端有短齿。花期6~9月，果期7~10月。

生境分布

生于海拔1900m以下的地区。分布于广东博罗及江门（市区）、深圳（市区）等。广东各地均有栽培。

资源情况

野生资源较少。药材来源于野生和栽培。

采收加工

春、夏季采收，鲜用或切段晒干。

| **功能主治** | 苦、辛，凉。清热，利湿，解毒。用于湿热痢疾，淋证，乳痈，疖肿。

| **用法用量** | 内服煎汤，15 ~ 30 g。外用适量，鲜品捣敷。

| **凭证标本号** | 441825210314006LY、441324181227005LY、440783190715009LY。

龙胆科 Gentianaceae 穿心草属 Canscora

罗星草

Canscora andrographioides Griffith ex C. B. Clarke

| 药 材 名 | 罗星草（药用部位：根。别名：四方正、糖果草）。

| 形态特征 | 一年生草本。多分枝。叶无柄，卵状披针形，先端急尖，基部圆形或楔形，叶脉细。复聚伞花序假二叉分枝，聚伞花序顶生或腋生，花5基数；花萼筒形，萼筒膜质；花冠白色，钟形；雄蕊着生于花冠筒上部，花丝丝状，花药椭圆形；子房1室，圆柱形，柱头2裂。蒴果宽长圆形，无柄；种子近圆形，扁平，黄褐色。花果期9～10月。

| 生境分布 | 生于海拔200～1400 m的山谷、田地、林下。广东各地均有分布。

| 资源情况 | 野生资源较丰富。药材来源于野生。

| **采收加工** | 夏、秋季采收，洗净，鲜用或晒干。

| **功能主治** | 苦，寒。清热解毒，散瘀止痛。用于肝炎，胆囊炎，急性肠炎，痢疾，扁桃体炎，跌打骨折，关节肿痛。

| **用法用量** | 内服煎汤，9 ~ 15 g。外用适量，鲜品捣敷。

| **凭证标本号** | 441825190926011LY、445222180413013LY、440781190712043LY。

龙胆科 Gentianaceae 蔓龙胆属 Crawfurdia

福建蔓龙胆

Crawfurdia pricei (Marq.) H. Smith

| 药 材 名 | 福建蔓龙胆（药用部位：全草）。

| 形态特征 | 多年生缠绕草本。根茎暗褐色，粗壮，具多数圆柱形的肉质块根。茎生叶卵形，先端渐尖，基部圆形，边缘膜质。聚伞花序，有花2或更多，腋生或顶生，稀单花腋生；花萼筒形；花冠粉红色、白色或淡紫色，钟形；花柱短，柱头线形，2裂。蒴果淡褐色，椭圆形，扁平；种子褐色，圆形，具2盘状翅。花果期10～12月。

| 生境分布 | 生于海拔430～1900 m的山坡草地、山谷灌丛或密林中。分布于广东乳源、乐昌、始兴、阳山、连山、连州、英德、信宜及江门（市区）、肇庆（市区）等。

| **资源情况** | 野生资源一般。药材来源于野生。

| **功能主治** | 苦，寒。清热利尿，消炎解毒。

| **凭证标本号** | 南岭队 1533（IBSC0489197）。

龙胆科 Gentianaceae 龙胆属 Gentiana

五岭龙胆
Gentiana davidii Franch.

| 药 材 名 | 五岭龙胆（药用部位：全草。别名：九头青、簇花龙胆）。

| 形态特征 | 多年生草本。具多数较长分枝。须根略肉质。叶披针形，边缘微外卷，具乳突。花多数，簇生于枝顶，呈头状，无梗；花萼狭倒锥形，裂片2大3小，披针形，边缘具乳突；花冠蓝色，窄漏斗形。蒴果狭椭圆形或卵状椭圆形；种子淡黄色，有光泽，近圆球形，表面具蜂窝状网隙。花果期6～11月。

| 生境分布 | 生于海拔350～1900 m的山坡草丛、山坡路旁、林缘、林下。分布于广东乳源、乐昌、仁化、新丰、封开、博罗、阳山、佛冈、英德、五华等。

| **资源情况** | 野生资源一般。药材来源于野生。 |

| **采收加工** | 夏、秋季采收，鲜用或晒干。 |

| **功能主治** | 苦，寒。清热解毒，利湿。用于化脓性骨髓炎，尿路感染，结膜炎；外用于疖痈。 |

| **用法用量** | 内服煎汤，30 ~ 60 g。外用适量，鲜品捣敷。 |

| **凭证标本号** | 441823200831017LY、441422190813315LY、441623180812048LY。 |

龙胆科 Gentianaceae 龙胆属 Gentiana

华南龙胆

Gentiana loureiroi (G. Don) Grisebach

| **药 材 名** | 华南龙胆（药用部位：全草。别名：地丁、广地丁）。

| **形态特征** | 一年生矮小草本。茎少数丛生，分枝少。叶片椭圆形或长圆状披针形。花单生于枝顶；花梗紫红色；花萼钟形，裂片披针形或线状披针形，先端具小尖头；花冠紫色，漏斗形，裂片卵形，折皱卵状椭圆形，先端平截，具不整齐的细齿。蒴果倒卵圆形，先端具宽翅，两侧具窄翅；种子多数，细小。花果期 7 ~ 9 月。

| **生境分布** | 生于海拔 300 ~ 1 900 m 的山坡路旁或河边草地上。广东各地均有分布。

| **资源情况** | 野生资源一般。药材来源于野生。

采收加工	春末夏初开花时采收，鲜用或晒干。
药材性状	本品多皱缩，呈不规则团块状。根部土黄色。茎自基部丛生，紫红色。叶对生，完整者展平后呈长圆形或长椭圆形，叶柄短或无；近基部的叶密集，较大，上部的叶稀疏，较小。枝端有淡紫色或淡黄绿色的钟状花。质较脆，易碎。味稍苦。
功能主治	苦、辛，寒。解毒消肿，清热利湿。用于疮疡肿毒，瘰疬痰核，咽喉肿痛，肠痈，肝炎，痢疾，带下，尿血。
用法用量	内服煎汤，6 ~ 15 g。外用适量，鲜品捣敷。
凭证标本号	441422190302534LY、445222190213004LY。

龙胆科 Gentianaceae 龙胆属 Gentiana

龙胆
Gentiana scabra Bunge

| 药 材 名 | 龙胆（药用部位：根及根茎。别名：龙胆草、苦胆草）。 |

| 形态特征 | 多年生草本。根茎平卧或直立，具多数粗壮、略肉质的须根。花枝单生，棱具乳突。叶片卵形或卵状披针形，先端尖或渐尖，基部圆形或楔形，全缘，边缘粗糙。聚伞花序密集于枝顶和叶腋，无花梗；花萼5深裂，裂片近条形，边缘粗糙；花冠蓝紫色，筒状钟形。蒴果长圆形；种子具粗网纹，两端具翅。花果期5～11月。 |

| 生境分布 | 生于海拔400～1 700 m的山坡草地、路边、河滩、灌丛中、林缘、林下、草甸。分布于广东乳源、乐昌、兴宁、连州等。 |

| 资源情况 | 野生资源较少。药材来源于野生。 |

| 采收加工 | 春、秋季采收，洗净，晒干。

| 药材性状 | 本品根茎呈不规则块状；表面暗灰棕色或深棕色，上端有茎痕或残留茎基。根圆柱形，略扭曲；表面淡黄色或黄棕色，上部通常有横皱纹，下部有纵皱纹及支根痕。质脆，断面略平坦，皮部黄白色或淡黄棕色，木部色较浅。气微，味苦。

| 功能主治 | 苦，寒。清热燥湿，泻肝胆火。用于湿热黄疸，阴肿阴痒，带下，湿疹瘙痒，肝火目赤，耳鸣耳聋，胁痛口苦，强中，惊风抽搐。

| 用法用量 | 内服煎汤，3 ~ 6 g。

| 凭证标本号 | 440224190313023LY。

龙胆科 Gentianaceae 匙叶草属 Latouchea

匙叶草

Latouchea fokienensis Franch.

| **药 材 名** | 匙叶草（药用部位：全草。别名：红客妈叶、红虾蟆叶）。 |

| **形态特征** | 多年生草本。不分枝。叶大部分基生，平铺于地面，具短柄；叶片倒卵状匙形，先端圆形，基部渐狭成短柄，边缘具微波状齿。聚伞花序轮生，每轮有花 5 ~ 8；苞片线状披针形；花梗长 8 ~ 10 mm；花萼 4 深裂至基部；花冠钟形。蒴果无柄，具宿存的喙状花柱；种子多数，深褐色，表面具纵脊状突起。花果期 3 ~ 11 月。 |

| **生境分布** | 生于海拔 1 000 ~ 1 800 m 的山坡路边林下。分布于广东乳源、连山、博罗等。 |

| **资源情况** | 野生资源较少。药材来源于野生。 |

赵万义提供

| **采收加工** | 夏、秋季采收，洗净，晒干。

| **功能主治** | 苦、辛，寒。活血化瘀，清热止咳。用于瘀血积聚，劳伤咳嗽。

| **用法用量** | 内服煎汤，10 ~ 15 g。

| **凭证标本号** | 南岭队 580（IBSC0491093）。

龙胆科 Gentianaceae 獐牙菜属 Swertia

獐牙菜
Swertia bimaculata (Sieb. et Zucc.) Hook. f. et Thoms. ex C. B. Clark

| 药 材 名 | 獐牙菜（药用部位：全草。别名：双点獐牙菜）。

| 形态特征 | 一年生草本。根细，棕黄色。茎直立，圆形，中空，中部以上分枝。叶椭圆形，叶脉背面明显凸起，最上部叶呈苞叶状。大型圆锥状复聚伞花序疏松，开展；花梗较粗；花萼绿色，具窄的白色膜质边；花冠黄色，上部具多数紫色小斑点，裂片椭圆形，中部具 2 黄绿色的半圆形大腺斑。蒴果狭卵形；种子褐色，圆形，表面具瘤状突起。花果期 6 ～ 11 月。

| 生境分布 | 生于海拔 250 ～ 1 900 m 的河滩、山坡草地、林下、灌丛中、沼泽地。分布于广东乳源、乐昌、翁源、阳山、连州、怀集等。

| 资源情况 | 野生资源较少。药材来源于野生。 |

| 采收加工 | 夏、秋季采收，切碎，鲜用或晒干。 |

| 药材性状 | 本品根较多；根茎环节甚密。茎基部通常圆柱状，茎上部具4棱，茎节略膨大，断面纤维性，黄白色，中空或中部有白色的髓。叶和花多已皱缩，叶片展平后呈矩圆形或披针形。蒴果长卵形。种子多数，球形。气微，味苦。 |

| 功能主治 | 苦，微寒。清热解毒，健脾，疏肝利胆。用于肝炎，胆囊炎，感冒发热，咽喉肿痛，牙龈肿痛，尿路感染，胃肠炎，痢疾，小儿口疮等。 |

| 用法用量 | 内服煎汤，10 ~ 15 g；或研末。外用适量，鲜品捣敷。 |

| 凭证标本号 | 441823191115011LY。 |

香港双蝴蝶 *Tripterospermum nienkui* (Marq.) C. J. Wu

| 药 材 名 | 香港双蝴蝶（药用部位：全草。别名：双蝴蝶）。

| 形态特征 | 多年生缠绕草本。具紫褐色的短根茎。茎生叶卵形或卵状披针形，边缘微波状。花单生于叶腋或 2 ～ 3 排成聚伞花序；花梗短，长不超过 1 cm；花萼钟形，沿脉具翅，裂片披针形；花冠紫色、蓝色或绿色带紫斑，狭钟形。浆果紫红色，花柱宿存；种子紫黑色，椭圆形或卵形，扁三棱状，边缘具棱，表面具网纹。花果期 9 月至翌年 1 月。

| 生境分布 | 生于海拔 500 ～ 1 800 m 的山谷密林中或山坡路旁疏林中。广东各地均有分布。

| **资源情况** | 野生资源丰富。药材来源于野生。

| **采收加工** | 夏、秋季采收，鲜用或晒干。

| **功能主治** | 辛、苦，平。祛风湿，活血。用于风湿痹痛，跌打损伤。

| **用法用量** | 内服煎汤，9～15 g。外用适量，鲜品捣敷。

| **凭证标本号** | 441825191002038LY、441324181230012LY、440783200425026LY。

睡菜科 Menyanthaceae 荇菜属 Nymphoides

金银莲花 *Nymphoides indica* (L.) O. Kuntze

| 药 材 名 | 铜苋菜（药用部位：全草。别名：白花荇菜、印度荇菜）。

| 形态特征 | 多年生水生草本。茎圆柱形。单叶顶生，叶片近革质，宽卵圆形或近圆形，下面密生腺体，基部心形，全缘。花 5 基数；花萼分裂至近基部，裂片长椭圆形至披针形，先端钝；花冠白色，基部黄色，分裂至近基部，花冠筒短，具 5 束长柔毛。蒴果椭圆形，不开裂；种子膨胀，褐色，近球形，光滑。花果期 8 ～ 10 月。

| 生境分布 | 生于海拔 100 ～ 1 600 m 的池塘、浅水湖、积水草坝中。分布于广东英德、仁化、阳春及东莞、佛山（市区）、清远（市区）、肇庆（市区）等。

| **资源情况** | 野生资源一般。药材来源于野生和栽培。 |

| **采收加工** | 夏、秋季采收，洗净，晒干。 |

| **药材性状** | 本品皱缩，光滑无毛。茎圆柱形，不分枝，先端叶单生，叶片近圆形，长 3 ～ 11 cm，基部深心形，全缘，革质。气微，味辛。 |

| **功能主治** | 甘、微苦，寒。清热利尿，生津益胃。用于小便不利，口干口渴。 |

| **用法用量** | 内服煎汤，9 ～ 15 g。 |

| **凭证标本号** | 陈焕镛 9695（PE01766623）。 |

荇菜
Nymphoides peltata (Gmel.) O. Kuntze

| 药 材 名 | 荇菜（药用部位：全草。别名：金莲子、莲叶荇菜）。

| 形态特征 | 多年生水生草本。茎圆柱形，多分枝，密生褐色斑点。上部叶对生，下部叶互生，叶片近革质，圆形或卵圆形，基部心形，全缘，叶脉掌状，下面紫褐色，密生腺体；叶柄圆柱形，基部变宽，呈鞘状，半抱茎。花5基数；花冠金黄色，花冠筒短，喉部具5束长柔毛。蒴果；种子大，褐色，椭圆形，边缘密生睫毛。花果期4～10月。

| 生境分布 | 生于海拔60～1 800 m的池塘或不甚流动的河溪中。分布于广东乐昌、南雄、仁化、翁源等。广东南雄有栽培。

| 资源情况 | 野生资源较丰富。药材来源于野生和栽培。

| **采收加工** | 夏、秋季采收，鲜用或晒干。

| **药材性状** | 本品多缠绕成团。茎细长，多分枝，节处生不定根。叶片多皱缩，完整叶片展开后呈近圆形或卵状圆形，长 1.5 ~ 7 cm，基部深心形，近革质；叶柄长 5 ~ 10 cm，基部渐宽，抱茎；上部的叶对生，其余部位叶互生。气微，味辛。

| **功能主治** | 辛、甘，寒。发汗透疹，利尿通淋，清热解毒。用于感冒，发热无汗，麻疹透发不畅，水肿，小便不利，热淋，诸疮肿毒，毒蛇咬伤。

| **用法用量** | 内服煎汤，10 ~ 15 g。外用适量，鲜品捣敷。

| **凭证标本号** | 南岭队 3787（IBSC0533485）。

琉璃繁缕 *Anagallis arvensis* L.

| 药 材 名 | 四念癀（药用部位：全草。别名：海绿、九龙吐珠）。

| 形态特征 | 草本。茎丛生，有4棱，高10~30 cm。叶对生，叶片卵圆形至狭卵形，长1~2.5 cm，宽3~15 mm，先端钝或稍尖，基部浑圆，全缘，纸质。花单生于叶腋；花梗长2~3 cm；花萼裂片线状披针形，长3.5~6 mm，锐尖；花冠辐状，长4~6 mm，淡红色，裂片倒卵形，具腺状短缘毛；雄蕊长约为花冠的1/2，花丝被柔毛，基部联合成浅环。蒴果球形，直径约3.5 mm。花期3~5月。

| 生境分布 | 生于田野及荒地中。分布于广东澄海等。

| 资源情况 | 野生资源稀少。药材来源于野生。

采收加工	夏季采收，洗净，鲜用或晒干。
药材性状	本品皱缩。茎具 4 棱，直径 1 mm；表面黄褐色，无毛。叶对生，展平后呈卵形或阔椭圆形；上面棕黄色，下面黄绿色，无柄。花单生于叶腋；花萼常深裂至基部，裂片 5，披针形或钻形；花冠淡红色，5 深裂。气微，味酸、涩。
功能主治	苦、酸，温。祛风散寒，活血解毒。用于鹤膝风，阴证疮疡，蛇犬咬伤。
用法用量	内服煎汤，9 ~ 15 g，鲜品 15 ~ 30 g；或捣汁。外用适量，鲜品捣敷。
凭证标本号	曾宪锋 ZXF01636（CZH0000631）。

报春花科 Primulaceae 点地梅属 Androsace

点地梅 *Androsace umbellata* (Lour.) Merr.

药 材 名	点地梅（药用部位：全草。别名：白花珍珠草、天星草）。
形态特征	草本。主根不明显，具多数须根。叶全部基生，叶片近圆形或卵圆形，直径 5 ～ 20 mm，先端钝圆；叶柄长 1 ～ 4 cm，被开展的柔毛。花葶通常自叶丛中抽出，高 4 ～ 15 cm，被白色短柔毛；伞形花序具 4 ～ 15 花；花冠白色，筒部短于花萼，喉部黄色，裂片倒卵状长圆形。蒴果近球形，果皮白色，近膜质。花期 2 ～ 4 月，果期 5 ～ 6 月。
生境分布	生于林缘、草地和疏林下。分布于广东乳源、乐昌等。
资源情况	野生资源稀少。药材来源于野生。
采收加工	春季开花时采收，除去泥土，晒干或鲜用。

| **药材性状** | 本品皱缩，被白色节状细柔毛。根细，呈须状。叶基生，多皱缩碎落，完整者展开后呈近圆形或卵圆形，黄绿色，直径 5 ~ 20 mm，边缘具三角状钝牙齿，两面均被贴伏的短柔毛；叶柄有白毛。花葶纤细，有的可见顶生伞形花序；小花浅黄色，或已结成球形蒴果，具深裂的宿萼。质脆，易碎。气微，味辛、微苦。

| **功能主治** | 辛、苦，寒。清热解毒，消肿止痛。用于咽喉肿痛，扁桃体炎，咽喉炎，风火眼，跌打损伤，风湿痹痛，淋浊，哮喘，烫火伤，毒蛇咬伤。

| **用法用量** | 内服煎汤，9 ~ 15 g；或研末；或浸酒；或代茶饮。外用适量，鲜品捣敷；或煎汤洗；或煎汤含漱。

| **凭证标本号** | 南岭队 3789（IBSC0014855）。

报春花科 Primulaceae 珍珠菜属 *Lysimachia*

广西过路黄
Lysimachia alfredii Hance

| 药 材 名 | 广西过路黄（药用部位：全草。别名：斗笠花、虎头黄、四叶一枝花）。

| 形态特征 | 多年生草本。高 10 ～ 45 cm，被褐色毛。叶对生，茎端的 2 对叶密聚，呈卵形或披针形，长 3.5 ～ 11 cm，两面被糙伏毛，密具黑色腺条和腺点。总状花序顶生；苞片宽椭圆形或宽倒卵形；花萼裂片窄披针形，背面被毛，有黑色腺条；花冠黄色，裂片披针形，密具黑色腺条；花丝下部合生成筒。蒴果。花期 4 ～ 5 月，果期 6 ～ 8 月。

| 生境分布 | 生于海拔 220 ～ 900 m 的山谷溪边、沟旁湿地、林下和灌丛中。分布于广东乳源、乐昌、南雄、仁化、始兴、翁源、新丰、连平、和平、连南、连山、连州、阳山、英德、封开、郁南、大埔、丰顺、蕉岭、

平远、五华、饶平等。

| **资源情况** | 野生资源一般。药材来源于野生。

| **采收加工** | 全年均可采收，洗净，鲜用或晒干。

| **药材性状** | 本品茎长 15 ~ 45 cm，密被褐色柔毛。叶对生，先端的 2 对叶密聚成轮生状；叶片多皱缩，展平后呈卵形或卵状披针形，长 3.5 ~ 11 cm，宽 1.5 ~ 5.5 cm，先端锐尖或稍钝，基部渐狭，两面被柔毛，密具黑色腺条和腺点。花多数，集中于茎先端，密聚成头状；花冠黄色，裂片卵状披针形。蒴果近球形，褐色，直径约 5 mm。

| **功能主治** | 苦、辛，凉。清热利湿，排石利胆。用于黄疸性肝炎，痢疾，热淋，石淋，带下。

| **用法用量** | 内服煎汤，30 ~ 60 g。

| **凭证标本号** | 441825190806024LY、440281190425022LY、441823190313005LY。

报春花科 Primulaceae 珍珠菜属 Lysimachia

泽珍珠菜
Lysimachia candida Lindl.

| 药 材 名 |

单条草（药用部位：全草。别名：白水花、水硼砂）。

| 形态特征 |

草本。全体无毛。茎直立。基生叶匙形或倒披针形，叶柄具狭翅；茎生叶几互生，先端渐尖或钝，基部渐狭，下延，全缘或微皱波状，两面均有黑色或红色腺点。总状花序顶生；苞片线形；花梗长约为苞片的 2 倍；花萼裂片披针形，边缘膜质，背面沿中肋有黑色短腺条；花冠白色；子房无毛。蒴果。花期 3 ~ 6 月，果期 4 ~ 7 月。

| 生境分布 |

生于田边、溪边和山坡路旁潮湿处。广东各地均有分布。

| 资源情况 |

野生资源丰富。药材来源于野生。

| 采收加工 |

夏季采收，洗净，鲜用或晒干。

药材性状	本品根细，呈须状，黄白色，丛生。茎细，扁方柱形，少分枝；质韧，不易折断，中空。叶互生，叶片皱缩，展平后呈披针形、椭圆状披针形或线形，先端尖，基部渐狭；叶柄具狭翅，两面具褐色腺点。总状花序顶生。蒴果。种子细小。气微，味微苦、辛。
功能主治	苦，凉；有毒。清热解毒，活血止痛，利湿消肿。用于咽喉肿痛，痈肿疮毒，乳痈，毒蛇咬伤，跌打骨折，风湿痹痛，脚气病，水肿，稻田性皮炎。
用法用量	内服煎汤，15～30 g；或捣汁。外用适量，鲜品捣敷；或煎汤洗。
凭证标本号	440224190315022LY、441882190324010LY。

报春花科 Primulaceae　珍珠菜属 Lysimachia

细梗香草 *Lysimachia capillipes* Hemsl.

| 药 材 名 |

细梗香草（药用部位：全草。别名：满山香、细梗排草、香排草）。

| 形态特征 |

多年生草本。高 40 ~ 60 cm，通常具 2 或更多茎，簇生，直立，中部以上分枝，草质，具棱，棱边有时呈狭翅状。叶互生，卵形至卵状披针形，全缘或微皱而呈波状，无毛或上面被极疏的短刚毛。单花腋生；花梗纤细，丝状；花冠黄色，分裂至近基部，裂片先端稍钝；花柱丝状，稍长于雄蕊。蒴果近球形，带白色。

| 生境分布 |

生于海拔 300 ~ 1 900 m 的山谷林下及溪边。分布于广东乳源、阳山、连州等。

| 资源情况 |

野生资源稀少。药材来源于野生。

| 功能主治 |

甘，平。祛风除湿，行气止痛，调经，解毒。用于感冒，咳嗽，风湿痹痛，脘腹胀痛，月经不调，疔疮，毒蛇咬伤。

| **用法用量** | 内服煎汤，9 ~ 15 g。外用适量，鲜品捣敷。

| **凭证标本号** | 440281190816004LY、441823191002016LY、441882190617005LY。

报春花科 Primulaceae 珍珠菜属 Lysimachia

过路黄
Lysimachia christinae Hance

| 药 材 名 | 金钱草（药用部位：全草。别名：神仙对座草、仙人对座草、遍地黄）。

| 形态特征 | 多年生草本。茎柔弱，平卧延伸。叶对生，卵圆形至肾圆形，先端锐尖或圆钝至圆形，基部截形至浅心形。花单生于叶腋；花萼裂至近基部；花冠黄色，基部合生，质稍厚，具黑色长腺条；花丝下半部合生成筒；子房卵珠形。蒴果球形，有稀疏的黑色腺条。花期5～7月，果期7～10月。

| 生境分布 | 生于山坡沟边、路旁阴湿处和林下。分布于广东乐昌、南雄、仁化、乳源、始兴、翁源、新丰、连州、阳山、英德、连平等。

| 资源情况 | 野生资源较少。药材来源于野生和栽培。

| **采收加工** | 夏、秋季采收，除去杂质，洗净，晒干。 |

| **药材性状** | 本品常缠结成团。茎扭曲；表面棕色或暗棕红色，下部茎节上有时具须根，断面实心。叶对生，多皱缩，展平后呈宽卵形或心形，长 1 ~ 4 cm，宽 1 ~ 5 cm，基部微凹，全缘；上表面灰绿色或棕褐色，下表面色较浅，主脉明显凸起。有时带花，花单生于叶腋，黄色。蒴果球形。气微，味淡。 |

| **功能主治** | 甘、咸，微寒。归肝、胆、肾、膀胱经。利湿退黄，利尿通淋，解毒消肿。用于湿热黄疸，胆胀胁痛，石淋，热淋，小便涩痛，痈肿疔疮，蛇虫咬伤。 |

| **用法用量** | 内服煎汤，15 ~ 60 g。外用适量，捣汁涂。 |

| **凭证标本号** | 440281200712009LY、441882180410022LY。 |

| **附　注** | 本种与临时救 *Lysimachia congestiflora* Hemsl. 的区别在于后者茎表面被白色的短柔毛；叶卵形至宽卵形，基部楔形，叶背主脉及侧脉均凸起，被白色短柔毛；枝端通常有 2 ~ 4 花。 |

报春花科 Primulaceae 珍珠菜属 Lysimachia

矮桃

Lysimachia clethroides Duby

| 药 材 名 |

珍珠菜（药用部位：全草。别名：矮桃、过路红、虎尾珍珠菜）。

| 形态特征 |

多年生草本。全体多少被黄褐色的卷曲柔毛。根茎横走，淡红色。茎直立，基部带红色，不分枝。叶互生，长椭圆形或阔披针形，先端渐尖，基部渐狭，两面散生黑色腺点，近无柄。总状花序顶生，花密集，转向一侧；苞片钻形，稍长于花梗；花萼边缘膜质，有腺毛；花冠白色；雄蕊内藏。蒴果球形。花期 5 ~ 7 月，果期 7 ~ 10 月。

| 生境分布 |

生于山坡林缘、路旁、溪边草丛的湿润处。分布于广东连州等。

| 资源情况 |

野生资源稀少。药材来源于野生。

| 采收加工 |

夏、秋季采收，洗净，鲜用或晒干。

| **药材性状** | 本品茎圆柱形；表面棕黄色至浅褐色，光滑，叶痕明显；断面不平坦，微灰白色至暗黄色，中空。叶易破碎，叶片椭圆形，全缘，两面具微柔毛及黑腺点。总状花序顶生，长达 35 cm。体轻，质脆。气微，味酸、微涩。 |

| **功能主治** | 辛、涩，平。归脾、肝经。活血调经，消肿解毒。用于月经不调，带下，风湿痹痛，跌打损伤，乳痈，蛇虫咬伤。 |

| **用法用量** | 内服煎汤，15 ~ 30 g。外用适量，鲜品捣敷。 |

| **凭证标本号** | 441882190616040LY、441824190805551LY。 |

临时救

Lysimachia congestiflora Hemsl.

| 药 材 名 | 临时救（药用部位：全草。别名：小过路黄）。

| 形态特征 | 多年生草本。茎下部匍匐，上部上升，密被卷曲柔毛。叶对生，茎端的 2 对叶密聚，卵形、宽卵形或近圆形，先端锐尖或钝，基部近圆形或平截，两面多少被糙伏毛，近边缘处常有暗红色或深褐色的腺点。总状花序顶生，短缩成头状；花萼裂片披针形，背面被疏毛；花冠黄色，内面基部紫红色，先端散生红色或深褐色腺点；花丝下部合生成筒。蒴果。花期 5 ~ 6 月，果期 7 ~ 10 月。

| 生境分布 | 生于水沟边、田边、山坡林缘、草地湿润处。分布于广东始兴、乳源、乐昌、南雄、仁化、阳山、连山、连州、连南、英德、佛冈、郁南、

云浮、封开、信宜、大埔、和平等。

| **资源情况** | 野生资源一般。药材来源于野生。

| **采收加工** | 夏、秋季采收，除去杂质，洗净，晒干。

| **药材性状** | 本品常缠结成团。茎纤细，紫红色或暗红色，被柔毛，有时节上具须根。叶对生；叶片多皱缩，展平后呈卵形、广卵形或三角状卵形，先端钝尖，基部楔形或近圆形，两面疏生柔毛。有时可见数花聚生于茎端；花冠黄色。气微，味微涩。

| **功能主治** | 甘、辛，微温。归肺、大肠经。祛风散寒，化痰止咳，消积排石，解毒利湿。用于风寒头痛，咳嗽痰多，咽喉肿痛，黄疸，胆结石，尿路结石，疳积，痈疖疔疮，毒蛇咬伤。

| **用法用量** | 内服煎汤，9 ~ 15 g。

| **凭证标本号** | 440281190626035LY、441823200722012LY、441882180508017LY。

■报春花科 Primulaceae ■珍珠菜属 Lysimachia

延叶珍珠菜 *Lysimachia decurrens* Forst. f.

| 药 材 名 | 疬子草（药用部位：全草。别名：白当归、黑疔草、延叶排草）。

| 形态特征 | 多年生直立草本。无毛。茎粗壮，有棱角，上部分枝，基部常木质化。叶互生或近对生，叶片椭圆形或椭圆状披针形，具黑色腺点或腺条，先端锐尖或渐尖，基部楔形，下延至叶柄而成狭翅。总状花序顶生；苞片钻形；花萼具腺状缘毛和黑色短腺条；花冠白色或带淡紫色；雄蕊伸出花冠，被小腺体。蒴果。花期 4～5 月，果期 6～7 月。

| 生境分布 | 生于村旁荒地、路边、山谷溪边疏林下及草丛中。广东各地均有分布。

| 资源情况 | 野生资源丰富。药材来源于野生。

| 采收加工 | 秋季采收，洗净，鲜用或晒干。

| 功能主治 | 苦、辛，平。清热解毒，活血散结。用于瘰疬，喉痹，疔疮肿毒，月经不调，跌打损伤。

| 用法用量 | 内服煎汤，9～15 g。外用适量，鲜品捣敷。

| 凭证标本号 | 440783200425013LY、440224180530024LY、441225183016021LY。

报春花科 Primulaceae 珍珠菜属 Lysimachia

灵香草

Lysimachia foenum-graecum Hance

| 药 材 名 | 灵香草（药用部位：地上部分。别名：香草、零陵香、排草）。

| 形态特征 | 草本。茎具棱，棱边狭翅状，老茎匍匐，当年生茎上升，干后有浓郁香气。叶互生，广卵形至椭圆形，先端锐尖，基部渐狭，下延，全缘或微皱波状，干时两面密具极不明显的下陷小点，疏具褐色的无柄腺体，侧脉 3 ～ 4 对；叶柄长，具狭翅。花单生于叶腋；花冠黄色；雄蕊短于花冠，花丝极短。蒴果灰白色。花期 5 月，果期 8 ～ 9 月。

| 生境分布 | 生于海拔 800 ～ 1 700 m 的山谷溪边和林下腐殖质土壤中。分布于广东乐昌、高要、阳山、连州等。

| 资源情况 | 野生资源较少。药材来源于野生。 |

| 采收加工 | 春、夏、秋季采收，鲜用或阴干。 |

| 药材性状 | 本品茎呈类圆柱形；表面灰绿色或暗绿色，有纵纹及棱翅，茎下部节上有细根；质脆，易折断，断面类圆形，黄白色。叶互生，叶片多皱缩，展平后呈卵形或椭圆形，先端微尖，基部楔形，具翅，纸质，有柄。气香，味微辛、苦。 |

| 功能主治 | 甘、淡，平。归肝、肺经。清热行气，止痛，驱蛔虫。用于感冒头痛，咽喉肿痛，牙痛，胸腹胀满，蛔虫病。 |

| 用法用量 | 内服煎汤，9 ～ 15 g。外用适量，煎汤含漱。 |

| 凭证标本号 | 吴磊、童毅 s.n.（BNU0033279）。 |

大叶过路黄 Lysimachia fordiana Oliv.

| **药 材 名** | 大叶排草（药用部位：全草）。

| **形态特征** | 多年生草本。无毛，全株大部分被黑色腺点。茎直立，肥厚多汁，高 30 ~ 50 cm。叶对生，茎端的 2 对叶近轮生状，椭圆形或菱状卵圆形，先端锐尖或短渐尖，基部宽楔形。总状花序顶生，短缩成头状；苞片卵状披针形或披针形；花萼裂片长圆状披针形；花冠黄色，裂片长圆形或长圆状披针形；花丝下部合生成筒，花药卵形。蒴果。花期 5 月，果期 7 月。

| **生境分布** | 生于密林中和山谷溪边的湿地。分布于广东乐昌、南雄、仁化、乳源、始兴、新丰、阳山、英德、郁南、德庆、封开、信宜等。

| **资源情况** | 野生资源较少。药材来源于野生。

| **采收加工** | 春、夏季采收，洗净，晒干或鲜用。

| **功能主治** | 淡，平。清热利湿，消肿解毒。用于黄疸，浮肿，泄泻，跌打损伤，瘰疬，疖肿。

| **用法用量** | 内服煎汤，10 ~ 15 g。外用适量，鲜品捣敷。

| **凭证标本号** | 441823190723001LY、441225180722015LY。

报春花科 Primulaceae 珍珠菜属 Lysimachia

红根草

Lysimachia fortunei Maxim.

| 药 材 名 |

星宿草（药用部位：全草。别名：假辣蓼、泥鳅菜、赤脚草）。

| 形态特征 |

多年生草本。无毛，大部分具黑色腺点。根茎横走，紫红色。茎直立，圆柱形，常不分枝，嫩梢和花序轴具褐色腺体。叶互生，近无柄；叶片长圆状披针形至狭椭圆形。总状花序顶生；苞片披针形，与花梗等长或稍长；花萼边缘膜质，具腺状缘毛；花冠白色；雄蕊短于花冠。蒴果球形。花期6～8月，果期8～11月。

| 生境分布 |

生于沟边、田边、路旁的低湿处。广东各地均有分布。

| 资源情况 |

野生资源丰富。药材来源于野生。

| 采收加工 |

夏季植株生长旺盛时采收，除去泥沙，洗净，晒干，切段或扎把。

| 药材性状 | 本品长 30 ～ 60 cm。根茎灰褐色，下端有细须根。茎枝圆柱形，少分枝，直径 0.5 ～ 0.8 cm；表面有黑点，基部带紫红色。叶互生，皱缩，展平后呈宽披针形或倒披针形，有微凸起的黑褐色腺点，全缘；叶柄短。总状花序。气微，味微苦、涩。 |

| 功能主治 | 微苦、涩，平。归肝、脾、胃经。清热利湿，活血化瘀。用于湿热泄泻，痢疾，黄疸，淋浊，带下，水肿，风湿关节痛，血瘀经闭，结膜炎，乳腺炎，急性肝炎，急性胃炎，感冒；外用于跌打损伤，毒蛇咬伤。 |

| 用法用量 | 内服煎汤，9 ～ 15 g。外用适量，鲜品捣敷。 |

| 凭证标本号 | 441825190707031LY、441523190517001LY、441825190709030LY。 |

报春花科 Primulaceae 珍珠菜属 Lysimachia

黑腺珍珠菜 *Lysimachia heterogenea* Klatt

| 药 材 名 |

黑腺珍珠菜（药用部位：全草）。

| 形态特征 |

多年生草本。无毛。茎直立，四棱形，具狭翅和黑色腺点，上部分枝。基生叶匙形，早落；茎生叶对生，无柄，叶片披针形，基部钝或耳状半抱茎，密生黑色腺点。总状花序顶生；苞片叶状；花萼背面有黑色腺条和腺点；花冠白色；雄蕊与花冠近等长，药隔先端具胼胝状尖头。蒴果。花期 5 ~ 7 月，果期 8 ~ 10 月。

| 生境分布 |

生于水边湿地。分布于广东始兴、乐昌、南雄、和平等。

| 资源情况 |

野生资源较少。药材来源于野生。

| 采收加工 |

夏、秋季采收，晒干或鲜用。

| 功能主治 |

苦、辛，平。活血，解蛇毒。用于闭经，毒

蛇咬伤。

| **用法用量** | 内服煎汤，15～30 g；或浸酒。外用适量，鲜品捣敷。

| **凭证标本号** | 邓良 6397（WUK0193299）。

狭叶落地梅

Lysimachia paridiformis Franch. var. *stenophylla* Franch.

药 材 名	追风伞（药用部位：全草。别名：惊风伞、破凉伞）。
形态特征	茎单生或簇生，高约 30 cm，被褐色的无柄腺体。茎端叶轮生，叶片线状披针形、阔披针形至狭椭圆形，先端渐尖或短渐尖，基部渐狭，近无柄；茎下部叶退化成鳞片状或发育成正常叶，较顶部叶小。伞形花序顶生；花梗密被褐色腺体；花冠黄色，常有黑色腺条；雄蕊长约为花冠的 1/2，花丝下部合生成筒。蒴果球形。花期 5 ~ 6 月。
生境分布	生于林下和阴湿的沟边。分布于广东封开、连山等。
资源情况	野生资源稀少。药材来源于野生。
采收加工	全年均可采收，洗净，鲜用或晒干。

| **药材性状** | 本品茎基部红色；表面有柔毛，节稍膨大，具短柔毛。茎下部叶对生，鳞片状；茎顶部叶轮生，披针形或倒卵形，全缘或略呈皱波状，叶片上表面绿色，下表面灰绿色；叶柄极短或无，枣红色。花簇生于茎顶；花萼合生，呈球形，上部裂片5，线状披针形，宿存；花冠黄色，5深裂。蒴果球形。气微，味辛。 |

| **功能主治** | 辛、苦，温。祛风除湿，活血止痛，止咳，解毒。用于风湿痹痛，半身不遂，惊风，跌打骨折。 |

| **用法用量** | 内服煎汤，15～30 g；或浸酒。外用适量，研末敷。 |

| **凭证标本号** | 441225180728104LY。 |

报春花科 Primulaceae 珍珠菜属 Lysimachia

巴东过路黄

Lysimachia patungensis Hand.-Mazz.

药材名

大四块瓦（药用部位：全草。别名：铺地黄）。

形态特征

多年生匍匐草本。密被铁锈色柔毛。叶对生，茎端2对叶密聚，近轮生状，叶片宽卵形或近圆形，先端钝圆，基部平截，稀楔形，两面密被糙伏毛，近边缘处有半透明腺条。2～4花集生于茎端；无苞片；花梗密被铁锈色柔毛；花萼裂片披针形，密被柔毛；花冠黄色，内面基部橙红色。蒴果。花期5～6月，果期7～8月。

生境分布

生于山谷溪边和林下。分布于广东乳源、南雄、连山、连州、紫金、信宜等。

资源情况

野生资源较少。药材来源于野生。

采收加工

夏季采收，鲜用或晒干。

药材性状

本品茎细长，棕褐色，全体密被棕黄色柔毛，节上有不定根，断面中空。叶对生，厚革质，多破碎或皱缩，完整者展平后呈宽卵形或近圆形，长 1 ~ 2.6 cm，宽 0.8 ~ 2 cm，先端圆钝，基部截形或圆形，叶缘具透明或黑色腺条，中脉明显；叶柄短。花黄色，2 ~ 4 花生于茎端。蒴果球形。气微，味淡。

| **功能主治** | 辛，温。祛风除湿，活血止痛。用于风寒咳嗽，风湿痹痛，跌打损伤。

| **用法用量** | 内服煎汤，15 ~ 30 g。外用适量，鲜品捣敷。

| **凭证标本号** | 441882190616036LY。

报春花科 Primulaceae 报春花属 Primula

鄂报春

Primula obconica Hance

| 药 材 名 | 鄂报春（药用部位：根。别名：岩丸子）。

| 形态特征 | 多年生草本。全株被多细胞柔毛。根茎褐色，多须根。叶柄被白色或褐色柔毛；叶片卵圆形、椭圆形或长圆形，全缘，有时具圆形波状缺刻或锯齿，上面光滑，下面沿叶脉被多细胞柔毛。伞形花序通常1轮，每轮花多数；苞片绿色，线形；花萼钟状漏斗形，外被短柔毛；花冠高脚碟状，淡紫色或淡红色。蒴果球形，包藏于萼筒中。花期3～6月。

| 生境分布 | 生于海拔500～1900 m的林下、水沟边和湿润岩石上。分布于广东乳源、乐昌等。

| 资源情况 | 野生资源稀少。药材来源于野生。

| 采收加工 | 初春或秋季采收，除去地上部分，洗净，晒干。

| 药材性状 | 本品根茎呈不规则圆柱形，棕褐色，周围丛生多数灰白色或灰褐色须根。质脆，易碎。气微。

| 功能主治 | 苦，凉。解酒，止痛，止泻。用于酒毒伤脾，腹痛便泻。

| 用法用量 | 内服煎汤，9 ～ 15 g。

| 凭证标本号 | 441823190314023LY。

假婆婆纳 *Stimpsonia chamaedryoides* Wright ex A. Gray

| 药 材 名 | 假婆婆纳（药用部位：全草。别名：小白喇叭）。

| 形态特征 | 草本。全体被多细胞腺毛。茎纤细，常多茎簇生，不分枝或下部有
少数分枝。基生叶椭圆形至阔卵形；叶柄与叶片等长或较短；茎生

叶互生，卵形至近圆形，向上渐次缩小成苞片状，具短柄或无柄，边缘齿锐尖且较深。花单生于茎上部苞片状的叶腋，呈总状花序状；花萼分裂至基部，裂片线状长圆形，先端钝或稍锐尖；花冠白色，喉部有细柔毛，裂片楔状倒卵形，先端微凹。蒴果球形。花期 4 ~ 5 月，果期 6 ~ 7 月。

| 生境分布 | 生于丘陵、低山草坡及林缘。分布于广东连山、乳源、平远等。

| 资源情况 | 野生资源稀少。药材来源于野生。

| 功能主治 | 苦，寒。清热解毒，活血，消肿止痛。用于疮疡肿毒，毒蛇咬伤。

| 凭证标本号 | 440224180330021LY、440224190315026LY。